黄河水利委员会治黄著作出版资金资助出版图书
国家重点基础研究发展规划(973)项目
"黄河流域水资源演化规律与可再生性维持机理"(G19990436)系列专著

基于 RS/GIS 技术的黄河流域水循环要素研究

刘昌明　杨胜天　孙　睿　著

黄河水利出版社

内容提要

"基于 RS/GIS 技术的黄河流域水循环要素研究"是国家重点基础研究发展规划(973)项目"黄河流域水资源演化规律与可再生性维持机理"(G19990436)第一课题"黄河流域水循环动力学机制与模拟"(G1999043601)研究成果的重要组成部分。主要利用遥感和地理信息系统技术,推求水循环过程中的水文参数,包括土壤水分、蒸发等,分析这些水文参数与土地利用、气候变化的关系,研究黄河流域水循环要素的时空分布规律。全书共分九章。第一章和第二章介绍了水资源遥感的主要研究进展,以及遥感和地理信息系统的基本原理;第三章至第七章主要论述了黄河流域蒸散量、土壤水分、植被覆盖变化、流域地表干旱状况变化和主要气象要素气候变化趋势;第八章阐述了黄河源区水循环过程;第九章对黄河流域水循环要素研究中 RS/GIS 方法进行了评价。

本书可供水文水资源、环境科学、地球科学、遥感与地理信息系统相关专业的高等院校师生,以及科研、管理和决策部门的人员参考。

图书在版编目(CIP)数据

基于 RS/GIS 技术的黄河流域水循环要素研究/刘昌明,
杨胜天,孙睿著. —郑州:黄河水利出版社,2006.12
ISBN 7 – 80734 – 168 – 8

Ⅰ. 基… Ⅱ. ①刘…②杨…③孙… Ⅲ. 地理信息
系统 – 应用 – 黄河流域 – 水循环 – 水文要素 – 研究
Ⅳ. P344.2

中国版本图书馆 CIP 数据核字(2006)第 155161 号

策划编辑:岳德军 电话:0371 – 66022217 dejunyue@ 163. com

出 版 社:黄河水利出版社
　　　　　地址:河南省郑州市金水路 11 号 邮政编码:450003
发行单位:黄河水利出版社
　　　　　发行部电话:0371 – 66026940 传真:0371 – 66022620
　　　　　E-mail:hhslcbs@ 126. com
承印单位:河南省瑞光印务股份有限公司
开本:787 mm × 1 092 mm 1/16
印张:14.25
字数:330 千字 印数:1—1 200
版次:2006 年 12 月第 1 版 印次:2006 年 12 月第 1 次印刷

书号:ISBN 7 – 80734 – 168 – 8/P·62 定价:48.00 元

前　言

　　水循环研究是水文学研究的前沿和热点,IGBP/BAHC 和 WCRP－GEWEX 计划都将水循环作为核心研究项目。水循环涉及气圈、水圈、生物圈等多个圈层,同时,关系到全球生态与环境的变化。水循环的运动与变化直接影响到人类赖以生存的淡水资源,是全球变化中的一个重要方面,其研究在理论上和实践上具有深刻的意义和价值。目前,国内外水循环的研究可以分为宏观与微观两个方面。宏观方面直接属于全球变化的内容,微观方面则直接涉及到生态系统平衡。在水循环的研究中,主要的科学问题包括降水、产流、汇流、下渗、蒸发、地下水的补给和排泄、径流等一系列的水循环环节,这方面的研究方兴未艾。由于气候和人类活动的影响,水循环的各个环节不断发生变化,而这些变化的区域分异具有多样性,研究未臻完善。在国内,此类研究刚刚起步,由于中国的自然条件多样,水循环的过程相当复杂,例如黄河等大江大河长数千公里,自然条件包括地形地貌、土壤植被、气候、人类活动等区域差异相当明显。水循环过程十分复杂,这就增加了研究的难度,因此开展这一研究具有明确的创新前景。

　　水资源问题直接关系到国计民生和社会经济可持续发展的基本需求,水资源时间与空间的变化又直接取决于水文循环规律的认识。近 20 年来,计算机科学的发展使得遥感(RS)和地理信息系统(GIS)在水文学(Hydrology)中的应用有了长足的发展。遥感技术具有强大的对地观测能力,提供面状信息,获取常规手段无法测量到的水文变量和参数,提供长期、动态和连续的大范围资料,为定量研究水循环要素的变化规律提供了数据支持。GIS 是一种采集、处理、传输、存储、管理、查询检索、分析、表达和应用地理信息的计算机决策支持系统,其最主要特点在于存储和处理的信息是经过地理编码的空间信息、地理位置及与该位置有关的地物属性信息。从根本上说,GIS 包括空间信息的组织管理、分析提取,以及信息表达三方面的主要功能,可以有效地组织和管理各类水循环要素数据,为研究黄河流域水文过程提供有力的数据支持。遥感与地理信息系统作为地学分析的工具和手段,可以分别用于水文学各个方面的研究,二者结合,可以发挥各自的特点与优势,极大地拓宽了水文学研究的思路和方法,加大了水文学研究的广度和深度。

　　黄河流域是我国当前西部大开发的重要地区之一。黄河流域大部分地区属于半干旱和半湿润区,水资源条件先天不足,人均占有年水资源量仅为全国平均的 1/5。作为我国北方地区最大的供水水源,黄河以其占全国河川径流 2% 的有限水量,担负着本流域和下游引黄灌区占全国 9% 的耕地面积和 12% 人口的供水任务,同时还要向流域外部分地区(含河北、天津及青岛)远距离送水。全流域水资源总量利用率高达 84%,水资源净消耗率达 53.3%。在人类活动的影响下,流域水资源状况日益恶化。特别是近 20 多年来干流、主要支流下游断流频繁发生,不仅使水资源供需矛盾加剧,而且对流域的生态和环境带来一系列冲击。缓解黄河流域水资源危机的科学依据在于对流域水循环过程的认识和把握。水资源的开发利用是人类对天然水循环过程的干扰,天然水循环特征必然因人类活动而改变,并反过来影响水资源的开发利用。因此,只有在认识水循环规律的基础上,水资源的开发利用才有可能趋于合理和高效,从而实现水资源的可持续利用。探索黄河流域水循环要素的演化规律,分析水循环各要素对人类活动、气候变化以及土地利用和土地覆被变化的响应,不仅对于寻找协调黄河流域人水关系的适应性对策、维系黄河流域社会经济可持续发展、顺利实施我国西部大开发战略意义重大,而且其理论问题也是国际水科学的前沿问题。黄河流域水循环要素研究,既可以对国际 IGBP – BAHC 等科学计划做出贡献,而且对促进源头创新、促进西部大开发战略中水的问题基础研究和水资源可持续利用与生态保护,都有重大的理论价值和科学意义。

　　"基于 RS/GIS 技术的黄河流域水循环要素研究"是国家重点基础研究发展规划(973)项目"黄河流域水资源演化规律与可再生性维持机理"(G19990436)第一课题"黄河流域水循环动力学机制与模拟"(G1999043601)研究成果的重要组成部分。本课题负责人为刘昌明院士;项目依托单位有中国科学院地理科学与资源研究所、北京师范大学、武汉大学、黄河水利委员会水文局、中国科学院遥感应用研究所等。"基于 RS/GIS 技术的黄河流域水循环要素研究"利用遥感和地理信息系统技术,推求水循环过程中的水文参数,包括土壤水分、蒸发等,分析这些水文参数与土地利用、气候变化的关系,研究黄河流域水循环要素的时空分布规律。该研究取得了以下主要成果:利用 1981 ~ 2000 年 8km分辨率 NOAA AVHRR 数据和对应年份黄河流域气象观测数据,分析了 20 世纪 80 年代初至 90 年代末黄河流域干旱变化状况、流域植被覆盖的变化及与气候因子(气温与降水)之间的相互关系;利用累积 NDVI 法及互补相关模型估算了黄河流域地表蒸散发的大小,并对流域近 20 年来地表蒸散发的空间分布格局及时间动态变化进行了研究;建立了基于遥感条件温度植被指数和气象观测数据基础上的黄河流域厚层土体(0 ~ 1m)土壤水分遥感估算方法;建立和验证了基于 MODIS 遥感数据基础上的土壤水分计算模型,并对MODIS 数据结合能量平衡模型估算日蒸散进行了初步研究;结合 1kmDEM,在考虑地形遮蔽情况下,生成了黄河流域晴天条件下的日太阳辐射及日照时数空间分布图;分析了日蒸发皿蒸发值的变化趋势;根据黄河流域及其周边气象站 1960 ~ 2000 年逐月气象资料,结合地理信息系统 ArcGIS8.1,对黄河流域降水、温度、蒸发皿蒸发量、日照百分率、太阳辐射等气象要素的气候变化趋势及其空间分布进行分析,为进一步研究黄河流域蒸散变化规律和水资源演化规律提供了基础背景信息,为研究黄河流域水文过程提供了有力的数据支持,并在此系统支持下完成了黄河流域水循环模拟与计算系统的研究,提出了黄河流域及其主要水文分区水循环要素计算的定量成果,为黄河水资源的科学评价提供了理论依据。本项研究对准国际前沿,密切结合了国家解决黄河水资源问题的重大需求,为解决水量平衡问题、地表干旱问题、气候变化问题,以及农业生产等诸多方面的扩展研究提供了新的思路;同时,在学科前沿的层次上,为地表水循环的内在机理提供了新的科学认识,为水资源的合理利用和调控提供科学依据。

　　"百闻不如一见",实地考察是地理科学研究中的一个重要环节。参加本书编写的作者,都在黄河流域进行过实地考察和调查研究,对黄河流域的自然地理特征有着比较深刻的了解。在实地考察的基础上,参阅多年来水循环要素的研究资料,对黄河流域水循环要素的研究提出了一些新的观点和看法。当然,由于水循环涉及要素复杂,遥感解译技术也在不断提高之中,没有很成熟的理论和方法可供借鉴,这些新的观点和论述可能存在一定的片面性,尚有不妥之处,敬请同行、读者批评指正。

在本书的编写过程中,相关研究人员进行了充分的讨论,各抒己见,共同探讨,根据讨论的原则和意见分工撰写。本书在刘昌明院士亲自指导、修改、审定下,由杨胜天、孙睿、李道峰、曾燕、吴险峰、刘绍民、王鹏新等完成;在编写过程中,张士锋、郑红星、王中根、陈利群、杨桂莲等提供了十分有益的建议,付新峰、杨世琦、于小飞、王冰、田雷、孙中平等作了文字与图表编写;刘卓编写了部分章节,做了大量的书稿完善工作,使得本书得以最终完成。本书被出版也得到了广大专家、学者、出版人员的大力支持,谨在此一并表示感谢!同时感谢所有引用参考文献的作者!

衷心希望本书的出版能为水文学的发展贡献一份力量!

作　者
2006 年 8 月

目　录

第一章　绪　论

水是人类生存的基本条件,是社会生产活动最重要的物质基础,是生态系统中最重要的单元要素(刘昌明,2001)。水资源数量的多少、质量的好坏直接影响到人们的身体健康、社会的工农业生产发展,同时水资源状况还会改变地球的环境质量,在很大程度上控制着全球环境的变化。

2002年8月在约翰内斯堡举行的关于可持续发展的世界首脑会议已经认识到在水循环观测和相关研究领域合作的重要性。首脑高峰会的重要决议是要重点研究水循环过程,参加的国家决定通过联合制定观察水循环要素来改善水资源管理,并针对发展中国家和经济转型中的国家,鼓励和促进其资源共享和传播,提供空间技术应用条件。全球观测战略伙伴计划(IGOS-P)制定的"全球水循环集成观测(IGWCO)"计划正是针对这一需要而提出的。IGWCO将有助于从全球到地方多时空角度改进观测水循环演变能力,其确定的全球水循环主题,既能够保持全球水循环观测系统的连续性,又能将不同来源(卫星系统、原地网络、野外试验、新的数据平台)数据与新兴数据同化和模型化,向水循环综合观测系统的战略方向发展。为了给保持和推进全球水循环观测战略提供导向框架,IGW-CO全球水循环主题将主要支持气候变化监测、世界水资源有效管理和可持续发展、资源开发和环境管理的社会应用、数值天气和水文预报,以及引导水循环关键问题的研究,包括了降水、土壤含水量、流量和地表蓄水量、冰冻圈变量(包括积雪覆盖、雪水当量、冰和地表冰)、云和水汽、蒸发和蒸散发、地下水、水质,以及观测系统和数据库等9个专题。

截止到2002年,国际地圈-生物圈计划(IGBP)前10年的活动取得了重要进展,并于2003年开始进入了第二阶段新的10年计划。IGBP前10年的核心计划之一,即水文循环生物圈方面(BAHC)得到了丰硕的成果,受到学术界的公认。在进一步总结全球变化研究问题的基础上,针对未来科学发展的需求,又提出了新的10年研究计划,形成了全球三大方向的研究,即水循环、碳循环与农业(粮食与纤维)。IGBP与其他3个国际计划(生物多样性(BIODERSISTAS)、世界气候研究计划(WCRP)及国际人类活动影响全球变化计划(IHDP))联合成立了地球系统科学伙伴计划(Earth System Science Partnership,ESSP),共同制定全球水系统计划(Global Water Systems Project,GWSP),以此作为ESSP跨多种学科的联合研究计划。GWSP已于2005年2月在德国波恩举行了第一届科学指导委员会(GWSP-Scientific Steering Committee)会议,标志着GWSP的正式启动。全球水系统计划在第3号ESSP报告中发布了GWSP的第一期报告,明确提出了以水循环为中心的全球水系统中驱动力、条件指标和状态变量间的相互关系(见图1-1),表明了当前人类引发水系统变化已经涉及到全球范围。

黄河源远流长,发源于青藏高原巴颜喀拉山北麓海拔4 500m的约古宗列盆地,流经青海、四川、甘肃、宁夏、内蒙古、山西、陕西、河南、山东等九省(区),干流河道全长5 464km,注入渤海,流域面积79.5万km^2(包括内流区4.2万km^2)。黄河流域面临着干旱缺水、沙多水少、洪水威胁、生态退化与水质污染问题,这些问题在幅员辽阔的黄河流域因地而异。为此,充分吸收国内外水科学研究经验,开展黄河流域水循环机制研究是十分重要的。

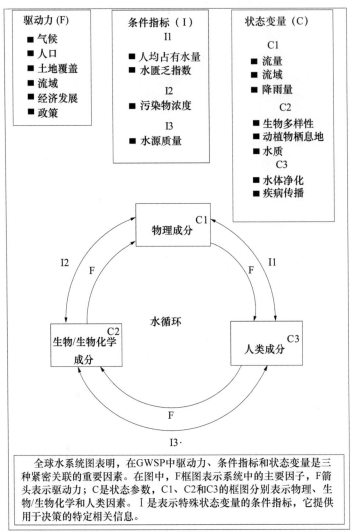

图 1-1 全球水系统示意图

第一节 水资源与水循环研究进展

国际上已经开展了许多水问题的研究工作,作为认识水问题的基本理论,水循环与水平衡正在宏观与微观尺度上不断扩展与深化。在宏观上把水问题提高到流域与全球尺度加以分析,这些研究促进了 RS 与 GIS 的应用,并成为水循环机制研究的重要手段。20 世纪 80 年代以来,国际上开展了多项与水循环密切相关的有关水问题的研究计划(UNESCO, 1972),如 80 年代以来,UNESCO 一直执行的国际水文计划(IHP),国际地圈－生物圈计划(IGBP)开展的水文循环生物圈的研究项目(BAHC),以及世界气候研究计划(WCRP)开展的全球能量与水循环试验(GEWEX),这些计划相互促进并完善了区域与全球水文学的发展。例如国际地圈－生物圈计划(IGBP)强调界面过程研究,力图把描述全球物理气候系统的大气环流模式(GCMs)与全球水循环模型相耦合,这一研究将提供量化与描述全球水文过程与未来变化的可能,其中包含自然变化与人类活动的影响。人类活动对水文循环的影响归结为两大类:①与土地有关的人类活动。这类活动多属于对水文循环的直接影响,例如森林采伐、开荒耕种、放牧、兴修堤坝水库、拦河引水、农田灌溉、工矿交通建筑、城市化等。这些活动均会改变陆地水文循环与水量平衡过程,其影响范围多是局地性的,但随时间逐渐扩展。②与影响气候变化有关的人类活动。土地利用的改变也常常会影响局地气候,如地表反射率的改变、大面积的水库与引水灌溉会改变地区的水分与热量条件。

在这些大型的科学计划中,开展了一系列的外场观测试验研究和陆面方案的性能比较(表 1-1 中列出了其中一部分),它们不仅在一定程度上解决了全球环境变化问题,而且还应用地表水分和能量循环过程的原理,建立了一系列陆地地表过程模式,开辟了宏观尺度水循环机制研究的新途径。

表 1-1　大尺度地气观测试验(史学丽,2001)

试验名称	时间	地点	试验面积 (km×km)	主要目的
HAPEX – MOBILHY	1985～1988 年	法国西南	100×100	能量－水交换、中尺度模拟
FIFE	1987～1989 年	美国	15×15	能量－水－碳交换、遥感研究
KUREX	1988～1991 年	莫斯科西南 50km 处		能量－水－碳交换、遥感研究
EFEDA	1991～1995 年	西班牙中部	100×100	能量－水－碳交换、遥感
HAPEX – SAHEL	1992 年	尼日尔	100×100	能量－水－碳交换、遥感、中尺度模拟
BOREAS	1992～1996 年	加拿大	1 000×1 000	能量－水－碳交换、碳循环、生物地理、土壤生态、中尺度模拟、遥感
GCLP	1995～2000 年	美国密西西比	2 000×2 000	能量－水－碳交换、尺度研究、中尺度模拟、遥感应用
LBA	1998～2000 年	巴西亚马孙	2 000×2 000	能量－水－碳交换、尺度研究、中尺度模拟、遥感应用
ABRACOS	1900～1994 年	巴西亚马孙		塔层微气象、遥感、生态、水化学、水平衡、植物与土壤物理
REKLIP	1991～1999 年	德国、法国、瑞士	103～106	微气象、遥感和热量通量
OASIS	1993～1996 年	澳大利亚半干旱地区	103～106	微尺度与中尺度平流过程、能量与物质输送过程
NOPEX	1994～1996 年	瑞典	100～106	中尺度模拟、遥感研究
Lockeger – Sleigh	1992 年	澳大利亚	104～106	边界层气象模拟
TVER	1990～1994 年	俄罗斯	104～106	遥感、生态、地－气相互作用

陆面过程模式中物理过程的描述主要考虑了能量收支平衡和水分收支平衡。所有陆面模式描述的都是垂向一维陆气间水分和能量的交换过程,水平方向上假定是均匀的。对于陆面水分收支过程,降水一部分被植被叶面截留,一部分直接降落到地面。植物枝叶截留的降水一部分用于蒸发,另一部分滴落到地面,与直接降落到地面的降水一起渗入土壤中或形成表面径流。土壤中的水和叶面上截留的水通过蒸发返回大气,植被的根系从土壤中吸收水分再由叶面向大气蒸腾水汽。这样形成了一个大气、陆表水分循环圈。水分循环不仅决定了水的分布和平衡,还通过蒸发和降水过程,对能量的再分配起着决定性作用。20 世纪 80 年代以来,陆面过程模式本质上都属于计算土壤 – 植被 – 大气间传输方案(Soil Vegetation Atmospheric Transfer Schemes, SVAT)。Dickinson 等(1986)建立了一种充分考虑生物大气相互作用的,计算大气和植物覆盖的陆面间热量、质量和动量输送的模型,简称 BATS 模型(Biosphere Atmosphere Transfer Schemes),Sellers(1986)也建立了一种简单生物圈模型 SiB(Simple Biosphere model),这一类考虑植物作用的模型统称 SVAT。10 年中,陆面参数化方案发展迅速,改进和新的模型不断问世。从 90 年代以后,随着植物生理学和生态学研究的发展,加之卫星遥感技术的应用,新一代陆面模式中包括了植物进行光合作用的生物化学模式,这类模式的代表有 LSM(Bonan G B, 1996)、SiB2(Colello G D 等, 1998)和 AVIM(季劲钧等, 1999)。

我国结合 BAHC、GEWEX 等计划,对大气、陆地和水系统间的界面过程,气候变化和水文系统的关系,湿润带、热带、干旱半干旱区水文研究与水资源管理战略等也进行了比较深入的研究。"七五"至"九五"期间,我国开展了一系列的大型地气相互作用科学试验,包括"黑河流域地气相互作用野外试验"(HEIFE)、青藏高原试验(TIPEX)、淮河流域能量与水分试验(HUBEX),以及内蒙古半干旱草原土壤 – 植被 – 大气相互作用试验(IMGRASS)。这些试验于 1998、1999 年陆续结束,已积累了丰富的、有待开发的陆 – 气相互作用资料。

在积极开展从水分能量平衡交换过程研究宏观尺度陆面模式的同时,从水循环过程的产汇流物理过程出发,中小尺度水文模型的研究也经过了从概念性水文模型到分布式水文模型的发展历程,推动了中小尺度水循环机制的进一步深入研究(吴险峰, 2002)。自 1969 年 Freeze 和 Harlan 第一次提出了关于分布式物理模型的概念后,分布式模型开始得到快速发展。三个欧洲机构提出的 SHE 模型(Abbott M B, J C Bathurst, 等, 1986a)是最早的分布式水文模型的代表,在欧洲和其他地区得到了应用和验证(Abbott M B, J C Bathurst, 等, 1986b)。SHE 模型考虑了截留、下渗、土壤蓄水量、蒸散发、地表径流、壤中流、地下径流、融雪径流等水文过程;但在 SHE 模型的流域参数、降雨及水文响应的空间处理中,垂直方向用层表示,水平方向用方形网格表示。另外一些考虑流域空间特性、输入、输出空间变化的分布式物理模型,如:CEQUEAU 模型(Storm B, K H Jensen, 1984),将流域分为方形网格,输入所有网格的地形、地貌、雨量等特征,对每一个网格进行计算,在水质模拟、防洪、水库设计等诸多方面有适用性;Susa 流域模型(Charbonneau R, J P Fortin 和 G Morin, 1977)强调地表水和地下水的合成,除可模拟径流外,还可以用于预测土地利用的水文效应;还有一些 SHE 模型的不同版本及 IHDM 模型(Refsgard J C 和 E Hansen, 1982)等。国内这方面的研究开展较晚,但也进行了有益的探索和研究。我们在黄河流域提出了一种分布式水文模型,模型包括各小流域产流、汇流、流域单宽入流和上游入流反演、河道洪水演进四个部分,水源分坡面流、壤中流和地下径流,考虑了产流随空间和时间变化的分布特征,能计算产流的多种径流成分的物理过程。将数学物理问题与洪水预报结合,给出了流域产流、河道汇流、水库洪水演进三个动态分布预报耦合模型,不仅可以用于分析降水径流规律,还可以用于洪水预报,该模型在丰满、龙河口和陆浑等水库流域得到应用(郭生练等,2001);张建云等(2000)建立了参数网格化的分布式月径流模型,并应用模型进行了华北、江淮流域的水资源动态模拟评估。

水循环研究除在国内已发展的各类流域水文模型外,正深入到单元尺度的细微观测与计算模拟,尤其是田间水分运动与交换过程的试验与计算研究。相对于宏观尺度的研究,我国在这方面已有一定的工作基础,这些研究主要致力于揭示界面过程中水分、热量交换规律,例如,地下/土壤水、植物根系吸收、植物冠层辐射平衡、温度、总气孔阻力、边界层阻力、土面蒸发、土壤热通量等。土壤－植物－大气连续系统的研究、多种水体之间多种形式耦合系统的探讨,以及不同地理带的水循环过程的试验研究,对于发展水资源评价方法、农田节水调控、农业合理用水,具有重要的意义和广阔的应用前景(Barrett,1986)。水循环的微观与宏观的结合表征水文科学理论的逐步完善和系统化。

综上所述,近年来,一系列大型的科学计划和外场试验不断推动了水资源与水循环研究工作的向前发展,主要表现为两个特征:①在宏观尺度水资源与水循环的研究方面,从水分能量平衡过程和界面相互作用过程出发,开展了涉及水循环过程的各种陆面过程模式研究工作;②在中小尺度水资源与水循环的研究方面,从水文产汇流物理机制出发,开展了各种分布式水文模型的研究工作。在未来的水资源与水循环研究工作中,将面临解决以下问题(Dara Entekhabi,1999):

(1)地面水文系统和大气模式中天气与气候变量相结合的机制和途径。

(2)地形、土壤和植被等水循环影响因子与水文响应过程的机制,以及它们相互作用的时间尺度。

(3)微观水文模型和宏观水文过程间的空间尺度转换。

(4)土壤水分在大尺度土壤－植被－大气系统水分能量交换过程中机制及其作用。

(5)人类活动对水循环过程的作用过程。

第二节　遥感技术与水循环研究概述

水循环机制的研究是水资源研究的基础性问题,为此在实验室和野外试验场开展了许多有关水循环机制的研究工作。包括观测和计算微观小范围内的各个水循环过程,如入渗、径流和蒸散发等;但是,中大尺度范围的水循环过程的观测和计算却比较困难,其原因在于目前我们还不能很好地将中大尺度范围的各个水循环过程在空间和时间尺度上完全统一(National Research Council,1991)。因此,为了很好地解决中大尺度的水循环机制研究问题,应该积极地推动新模型和新数据在区域水循环研究中的应用。在这方面,遥感技术有其独特的作用,它不仅能提供丰富的空间信息,更重要的是它还能提供许多常规传统方法难以观测到的水循环要素数据(Engman,Edwin T,1995),包括土壤、植被、地质、地貌、地形、土地利用和水系水体等许多有关下垫面条件的信息，也可以测定估算蒸散发、土壤含水量和降雨的云中水汽含量与可降水量。

一、遥感信息在水循环地表因子获取中的应用

地表因子是水分在地表再分配的控制性因子，是水循环模型中不可缺少的控制性条件。在中大尺度的水循环过程研究中，地表因子的空间分布规律基本上决定了水循环的空间分异性。目前，遥感在水循环地表因子获取中的应用主要在土地覆盖和土地利用、植被指数/叶面积指数以及地形因子等方面的研究有比较大的进展。

土地覆盖和土地利用是遥感能直接观测到的要素，已被普遍使用在水循环过程的研究中。在产汇流参数、生物生产量和农业灌溉措施等确定方面，都离不开土地覆盖和土地利用资源。早在80年代，Ragan和Jackson（1980）以及Bondelid等（1982）就利用遥感方法确定城市、农业和森林的土地覆盖和土地利用数据，作为输入水文模型的参数加以利用。

在1972年发射第一颗人造地球资源卫星时，科学家就试图研究并建立光谱响应与植被覆盖间的近似关系。研究结果表明，利用在轨卫星的红光和红外波段的不同组合进行植被研究效果非常好。这些波段在气象卫星和地球观测卫星上都普遍存在，并包含90%以上的植被信息（Baret F,1989）。这些波段间的不同组合方式被统称为植被指数（田庆久,1998）。植被指数的定量测量可表明植被活力，而且植被指数比单波段用来探测生物量有更好的灵敏性。植被指数有助于增强遥感影像的解译力，已作为一种遥感手段广泛应用于土地利用覆盖探测、植被覆盖密度评价、作物识别和作物预报等方面，并在专题制图方面增强了分类能力。植被指数还可用来诊断植被一系列生物物理参量：叶面积指数（LAI）、植被覆盖率（Percentage of Vegatation Coverage）、生物量（Biomass）等，从而用来分析植被与大气之间物质与能量的交换过程，如蒸散发及碳循环等。植被指数/叶面积指数与蒸散系数（通常定义为实际蒸散量和作物参考蒸散的比率）有关，Choudhury（1994）已经阐明了蒸散系数和植被指数有很好的相关性，所以从遥感数据可以直接反演出作物蒸散系数。

遥感数据可以用于地形因子的提取，Haralick（1985）从陆地卫星遥感数据提取了高质量的地形数据，Case（1989）从spot遥感立体像对数据可以提取DEM数据，其垂直分辨率达到5m，水平分辨率达到10m，这些地形因子数据完全可以满足水文模型的需要。

二、遥感信息在水循环能量因子获取中的应用

能量因子是水循环的基本动力，控制着水循环中水分通量的大小和水循环过程的强弱。目前，遥感在水循环能量因子获取中的应用主要有地表温度、辐射状况、显热通量以及潜热通量等。

通过热红外遥感方法可以反演地表温度，而地面温度又可以用于蒸散计算，Price（1982）已经应用热红外遥感数据进行了区域蒸散的遥感试验，并将计算结果和气象方法计算的蒸散数据进行了对比分析。Jackson（1985）和Gash（1987）分析了区域蒸散空间分异和地面温度的相互关系。Humes（1994）利用遥感地面温度和反照率数据建立模型，

进行了从点到面的蒸散计算。

太阳入射辐射可以通过遥感方法获取（Tarpley，1973），Pinker（1994）应用 GOES 遥感数据计算了短波入射辐射的能量通量和地表反照率，阐明精确获得短波净辐射的可行性。晴空条件下，在均匀表面光谱数据已经知道的情况下，地表反照率可以通过覆盖可见光和近红外波段的遥感数据计算出来（Jackson，1985），通过热红外遥感数据反演出的地表温度可以用于地面长波辐射的计算（Kustas 等，1994）

显热通量可以通过地表阻抗法（Monteith，1973）和近地边界层方法（Brutsaert，1992）计算，在这些计算中，地表温度可以通过遥感反演出，Hall（1992）、Brutsaert（1992）和 Kustas（1994）的研究中阐述了这种计算方法有一定的可靠性。

尽管直接从遥感数据反演地表潜热通量有一定的困难，但在辐射能量与显热通量已知的情况下可通过能量平衡余项法进行计算。

三、遥感信息在水循环水分因子获取中的应用

水分因子是水循环的基本方面，水循环研究就是要揭示生态环境系统中的各种水分状况与数量，从而计算出它们之间的界面通量，最终认清生态环境中水循环过程的根本规律。目前遥感信息在水循环水分因子获取中的应用主要有土壤湿度、雪和降水等。

微波遥感是通过土壤含水量影响介电常数，使回波信号不同，建立土壤含水量与微波后向散射系数关系，达到监测土壤水分的目的。微波遥感监测土壤水分精度较高，且可以全天候使用，这是监测土壤水分最有希望的方法之一。一系列的遥感试验说明，土壤表层（0～5cm）的水分可以被微波传感器准确感知（Jackson，1993），Wood（1993）用试验说明在小流域内地面土壤水分观测数据和微波遥感数据的相关性，Lin（1994）通过微波遥感获得土壤水分状况，并计算出了小流域内的水分平衡状况，Goodrich（1994）利用微波遥感方法确定流域的土壤水分状况，并可以作为水文模型中土壤水分含水量。

积雪/冰川是水循环中又一要素，由可见光和近红外遥感数据可确定积雪场/冰川的分布范围和面积，目前在北美洲，4 000 多个流域的冰雪分布图已由 NOAA AVHRR 遥感资料绘制成功，这些图都是以周为时段的连续资料，其中 10% 的流域分布图被划分为垂直带（Caroll，1995）。Hall（1985）用多时相遥感数据分析雪覆盖的变化，从而确定雪的厚度和水量。微波遥感则可用于积雪/冰等融水量的估算（Rango，1989；Shi，1994），加拿大气候中心的工作人员利用被动微波遥感资料引入微波亮度温度研制了一种积雪/冰等融水量的定时预报模型，并应用到加拿大草原地区（Anderson，1997）。遥感技术在冰雪水文中的应用，还包括对积雪/冰区温度、湿度、反射率、雪粒大小等的估算。

随着卫星探测技术水平的提高和地面处理能力的增强以及卫星得到的气象参数和信息的日益增多，利用卫星云图作定量降水估计正在蓬勃发展。依据所采用的资料源，利用遥感资料进行降水量计算的公式与算法，大致分为三大类：一是利用 VIS/IR 资料，二是利用微波资料，三是两者结合。在早期，降水一般利用遥感资料的红外（IR）和可见光（VIS）波段数据估算，通过对云系进行分类以及确定降水云的覆盖情况估计降水，后来 Gfrith（1978）和 Stout（1979）等又提出了利用连续几张红外及可见光云图估计对流云降水的生命演变法（life evolution），认为雨量是云临界面积和云生命史（life cycle）的函数，要

求在整个生命期(life period)中追踪云体。在条件气候均匀的区域（在作业区域,一旦降水事件发生,则任一点、任一时刻,雨强 R 的分布是相近的,它近似于该区域气候的雨强分布,雨强的平均值也就近似不变 ）,一种简单而有效的利用卫星云图估计降水量的面积—时间积分法,也逐渐受到人们的关注。这种方法的主要思想是忽略个体对流云的生命史效应,仅选取数字化卫星云图上某一临界亮度温度包围的云面积作为唯一的预报因子,利用长时间、大尺度的资料确定降水量与云面积的经验关系来估计降水量(方竹君,1998)。微波遥感用于降水的研究是从 1987 年 SSM/I 发射之后,微波技术由于能够穿透云端而获得云层之下实际降雨微粒的特征,也已成为获得陆地降水的有效手段。

综上所述,由于遥感方法从高空观测地表,具有宏观性、多时相和比较经济等特点,能够大量获取水循环各个方面的因子信息,为许多水文模型提供必要的参数,极大地推动了水循环过程的研究。遥感技术未来的发展,可望在高空间分辨率、高光谱分辨率、高时间频度和多角度等方面取得巨大的进展,新的遥感数据和遥感理论与方法将更加精确地反演地表物质、能量因子及其转换过程。遥感技术是获取非均匀下垫面、非均匀介质参数最有效、最经济的方法,将改进水循环机制研究中的信息获取,主要表现在以下几个方面:

（1）观测体系方面。由于遥感传感器不断向前发展,热红外、微波、高光谱和多角度遥感技术得到广泛的应用,将极大地解决地面温度、土壤湿度、雪的体积、植被生态参数和地形参数水循环要素等的观测,从根本上改善目前的水循环常规观测。

（2）面资料方面。常规传统的水循环观测方法一般只是获得某个点上的水循环要素数据,而遥感观测获得的却是面上的数据,这种面上的数据恰恰是水循环过程的综合体现,所以比点上的数据更能客观地反映出水循环的机制,将有助于水循环过程的尺度问题研究。

（3）新型数据方面。遥感技术不仅可以通过传感器波长和观测角度的变化,获得新的水循环参数,而且通过与地理信息系统的结合,将传统的地面各种图件资料和观测点资料重新综合,从而提供地面资料与遥感资料相综合的水循环参数。

第三节　黄河流域自然环境概况

一、自然概况

黄河源远流长,发源于青藏高原巴颜喀拉山北麓海拔 4 500m 的约古宗列盆地,流经青海、四川、甘肃、宁夏、内蒙古、山西、陕西、河南、山东等九省（区）,干流河道全长5 464 km,注入渤海,流域位于 96°E ~ 119°E、32°N ~ 42°N。幅员辽阔,流域面积 79.5 万 km² （包括内流区 4.2 万 km²）。

黄河自河源至内蒙古自治区托克托县的河口镇为上游,河道长 3 471.6km,流域面积42.8 万 km²,占全河流域面积的 53.8% 。汇入的较大支流（流域面积 1 000km² 以上）有43 条。青海省玛多以上属河源段,河段内的扎陵湖、鄂陵湖,海拔都在 4 260m 以上,蓄水量47 亿 m³ 和 108 亿 m³,是我国最大的高原淡水湖。玛多至玛曲区间,黄河流经巴颜喀拉山与积石山之间的盆地和低山丘陵,大部分河段河谷宽阔,间有几段峡谷。玛曲至龙羊峡区间,黄河流经高山峡谷,水流湍急,水力资源较为丰富。龙羊峡至甘肃境内的下河沿,川峡相间,水量丰沛,落差集中,是黄河水力资源的"富矿"区,也是全国重点开发建设的水电基地之一。黄河上游水面落差主要集中在玛多至下河沿河段,该河段干流长占全河的40.5%,而水面落差占全河的66.6%。龙羊峡以上属高寒地区,人烟稀少,交通不便,经济不发达,开发条件较差。下河沿至河口镇,黄河流经宁蒙平原,河道展宽,比降平缓,两岸分布着大面积的引黄灌区和待开发的干旱高地。本河段流经干旱地区,降水少,蒸发大,加上灌溉引水和河道渗漏损失,致使黄河水量沿程减少。

兰州至河口镇区间的河谷盆地及河套平原,是甘肃、宁夏、内蒙古等省(区)经济发达地区。沿河平原常有凌汛灾害,内蒙古三盛公以下河段,地处黄河自南向北流的顶端,凌汛期间冰塞、冰坝壅水,往往造成堤防决溢,危害较大。兰州以上地区暴雨强度较小,洪水洪峰流量不大,历时较长。兰州至河口镇河段洪峰流量沿程减小。黄河上游的大洪水与中游大洪水并不遭遇,对黄河下游威胁不大。

黄河自河口镇至河南郑州市的桃花峪为中游。中游河段长1 206.4km,流域面积34.4万 km²,占全流域面积的43.3%,落差890m,平均比降7.4‰。中游是黄河洪水和泥沙的主要来源区,汇入的较大支流有30条。河口镇至禹门口河段内支流绝大部分流经水土流失严重的黄土丘陵沟壑区,是黄河泥沙特别是粗泥沙的主要来源区。禹门口至三门峡区间,黄河流经汾渭地堑,河谷展宽,其中禹门口至潼关(简称小北干流),河长132.5km,河道宽浅散乱,冲淤变化剧烈。河段内有汾河、渭河两大支流相继汇入。潼关附近受山岭约束,河谷骤然缩窄,形成天然卡口,宽仅1 000多m,起着局部侵蚀基准面的作用,潼关河床的高低与黄河小北干流、渭河下游河道的冲淤变化有密切关系。该河段两岸的渭北及晋南黄土台塬,塬面高出河床数十至数百米,共有耕地130多万 hm²,是陕、晋两省的重要农业区,但干旱缺水制约着经济的稳定发展。三门峡至桃花峪区间,在小浪底以上,河道穿行于中条山和崤山之间,是黄河的最后一段峡谷;小浪底以下河谷逐渐展宽,是黄河由山区进入平原的过渡地段。

黄河中游地区暴雨频繁、强度大、历时短,形成的洪水具有洪峰高、陡涨陡落的特点。中游洪水有3个来源区,一是河口镇至龙门区间(简称河龙区间),二是龙门至三门峡区间(简称龙三区间),三是三门峡至花园口区间(简称三花区间)。不同来源区的洪水以不同的组合形式形成花园口站的大洪水和特大洪水。以三门峡以上的河龙区间和龙三区间来水为主形成的大洪水(简称"上大型"洪水),洪峰高、洪量大、含沙量大,历来是黄河下游的主要成灾洪水;以三花区间来水为主形成的大洪水(简称"下大型"洪水),涨势猛、洪峰高、含沙量小、预见期短。

黄河中游的黄土高原,水土流失极为严重,是黄河泥沙的主要来源地区。在流域多年平均16亿 t输沙量中,有9亿 t左右来自河口镇至龙门区间,占流域来沙量的56%;有5.5亿 t来自龙门至三门峡区间,占流域来沙量34%。黄河中游的泥沙,年内分配十分集中,80%以上的泥沙集中在汛期;年际变化悬殊,最大年输沙量为最小年输沙量的13倍。

黄河桃花峪至入海口为下游。流域面积2.3万 km²,仅占全流域面积的3%,河道长785.6km,落差94m,比降上陡下缓,平均1.11‰。下游河道横贯华北平原,绝大部分河段靠堤防约束,河道总面积4 240km²。由于大量泥沙淤积,河道逐年抬高,目前河床高出背河地面 3～5m,部分河段如河南封丘曹岗附近高出 10m,是世界上著名的"地上悬河",成为淮河、海河水系的分水岭。

黄河下游河床高于两岸地面,汇入支流很少。平原坡水支流只有天然文岩渠和金堤河两条,地势低洼,入黄不畅;山丘区支流较大的只有汶河,流经东平湖汇入黄河。黄河下游洪水和沙量沿程减小,河道堤距及河槽形态具有上宽下窄的特点。利津以下为黄河河口段,随着黄河入海口的淤积—延伸—摆动,入海流路相应改道变迁。目前黄河河口入海流路,是 1976 年人工改道后经清水沟淤积塑造的新河道,位于渤海湾与莱州湾交汇处,是一个弱潮陆相河口。近 40 年间,黄河年平均输送到河口地区的泥沙使河口淤积延伸,黄河断流以前,年平均净造陆面积 25～30km²,断流频发后,三角洲沿岸陆地出现了蚀退现象。

二、地形地貌

黄河流域西界巴颜喀拉山,北抵阴山,南至秦岭,东注渤海。黄河流经了我国地形的三个阶梯。最高一级阶梯是黄河河源区所在的青海高原,位于著名的"世界屋脊"——青藏高原东北部,平均海拔 4 000m 以上,耸立着一系列北西—南东向山脉,如北部的祁连山、南部的阿尼玛卿山和巴颜喀拉山。黄河迂回于山原之间,呈"S"形大弯道。河谷两岸的山脉海拔 5 500～6 000m,相对高差达 1 500～2 000m。雄踞黄河左岸的阿尼玛卿山主峰玛卿岗日海拔 6 282m,常年冰雪覆盖,是黄河流域的最高点。

巴颜喀拉山北麓的约古宗列盆地,是黄河源头,玛多以上黄河河源区河谷宽阔,湖泊众多。黄河出鄂陵湖,蜿蜒东流,从阿尼玛卿山和巴颜喀拉山之间穿过,至青川交界处,形成九曲黄河的第一道大河湾;祁连山脉横亘高原北缘,构成青藏高原与内蒙古高原的分界。

第二级阶梯地势较平缓,以黄土高原为其主体,地形破碎。这一阶梯大致以太行山为东界,海拔 1 000～2 000m。白于山以北属内蒙古高原的一部分,包括黄河河套平原和鄂尔多斯高原两个自然地理区域。白于山以南为黄土高原,南部有崤山、熊耳山等山地。

河套平原西起宁夏中卫、中宁,东至内蒙古的托克托,长 750km、宽 50km,海拔 900～1 200m。河套平原北部阴山山脉高 1 500 余 m,西部贺兰山、狼山主峰海拔分别为 3 554、2 364m。这些山脉犹如一道道屏障,阻挡着阿拉善高原上腾格里、乌兰布和等沙漠向黄河流域腹地的侵袭。

鄂尔多斯高原的西、北、东三面均为黄河所环绕,南界长城,面积 13 万 km²。除西缘桌子山海拔超过 2 000m 以外,其余绝大部分海拔为 1 000～1 400m,是一块近似方形的台状干燥剥蚀高原,风沙地貌发育。库布齐沙漠逶迤于高原北缘,毛乌素沙地绵延于高原南部,沙丘多呈固定或半固定状态。高原内盐碱湖泊众多,降雨地表径流汇入湖中,成为黄河流域内的内流区,面积达 42 200 多 km²。黄土高原北起长城,南界秦岭,西抵青海高原,东至太行山脉,海拔 1 000～2 000m。黄土塬、梁、峁、沟是黄土高原的地貌主体。塬是边缘陡峻的桌状平坦地形,如地面广阔的董志塬与洛川塬,适于耕作,是重要的农业区。塬面和周围的沟壑统称为黄土高塬沟壑区。梁呈长条状垄岗,峁呈圆形小丘。梁和峁是为沟壑分割的黄土丘陵地形,称黄土丘陵沟壑区。塬面或峁顶与沟底相对高差变化很大,由数十米至二三百米。黄土土质疏松,垂直节理发育,植被稀疏,在长期暴雨径流的水力侵蚀和重力作用下,滑坡、崩塌、泻流极为频繁,成为黄河泥沙的主要来源地。

汾渭盆地,包括晋中太原盆地、晋南运城—临汾盆地和陕西关中盆地。太原盆地、运城—临汾盆地最宽处达 40km,由北部海拔 1 000m 逐渐降至南部 500m,比周围山地低 500~1 000m。关中盆地又名关中平原或渭河平原,南界秦岭,北迄渭北高原南缘,东西长约 320km,南北宽 30~80km,土地面积约 3 万 km²,海拔 360~700m。这些盆地内有丰富的地下水和山泉河,土质肥沃,物产丰富,素有"米粮川"、"八百里秦川"等美名。

横亘于黄土高原南部的秦岭山脉,是我国自然地理上亚热带和暖温带的南北分界线,是黄河与长江的分水岭,也是黄土高原飞沙不能南扬的挡风墙。

崤山、熊耳山、太行山山地(包括豫西山地),处在此阶梯的东南和东部边缘。豫西山地由秦岭东延的崤山、熊耳山、外方山和伏牛山组成,大部分海拔在 1 000m 以上。崤山余脉沿黄河南岸延伸,通称邙山(或南邙山)。熊耳山、外方山向东分散为海拔 600~1 000m 的丘陵。伏牛山、嵩山分别是黄河流域同长江、淮河流域的分水岭。太行山耸立在黄土高原与华北平原之间,最高岭脊海拔 1 500~2 000m,是黄河流域与海河流域的分水岭,也是华北地区一条重要的自然地理界线。

第三级阶梯地势低平,绝大部分为海拔低于 100m 的华北大平原。包括下游冲积平原、鲁中丘陵和河口三角洲。鲁中低山丘陵海拔在 500~1 000m。

下游冲积平原由黄河、海河和淮河冲积而成,是中国第三大平原之一。它位于豫东、豫北、鲁西、冀南、冀北、皖北、苏北一带,面积达 30 多万 km²,本阶梯除鲁中丘陵外,地势平缓,微向沿海倾斜。黄河冲积扇的顶端在沁河河口附近,海拔约 100m,向东延展海拔逐渐降低。

黄河流入冲积平原后,河道宽阔平坦,泥沙沿途沉降淤积,河床高出两岸地面 3~5m,甚至 10m,成为举世闻名的"地上河"。鲁中丘陵由泰山、鲁山和沂山组成,海拔 400~1 000m,是黄河下游右岸的天然屏障。主峰泰山山势雄伟,海拔 1 524m,古称"岱宗"为中国五岳之一。山间分布有莱芜、新泰等人小不等的盆地平原。

黄河河口三角洲为近代泥沙淤积而成。其地面平坦,海拔在 10m 以下,濒临渤海湾。三角洲以利津县的宁海为顶点,大体包括北起徒骇河河口,南至支脉沟口的扇形地带,黄河尾闾在三角洲上来回摆动,海岸线随河口的摆动而延伸。1855 年以来,黄河填海造陆,形成大片新的陆地。

三、植被

自然植被的地区分布受海洋季风影响,自东南向西北顺序出现了森林草原、干草原和荒漠草原三种植被类型地带。

(1)森林草原地带。大致包括青海高原地区以及凉城、兴县、离石、延长、志丹、庆阳、平凉、通渭一线以南和以东地区。青海高原除湟水各地分布有温带草原外,绝大部分为高寒草甸丛和高寒草原。黄土高原原始植被已破坏殆尽,梁峁谷坡皆为次生的白羊草、茭蒿、长芒草草原和铁秆蒿等组成的杂类草草原。黄土高原的石质山地(海拔 2 500m 以上)如六盘山、吕梁山、西秦岭等高山之上,森林较茂密,主要为落叶林、阔叶林及少量针叶混交林。山顶一般为针叶林。黄土高原中的低山(相对高差200～400m),如黄龙山、崂山、子午岭等保存着一些次生的落叶阔叶林及少量针叶混交林。

(2)干草原地带。包括阴山山脉河曲、靖边、同心、景泰一线以南,森林草原地带以北。除大青山植被略好,分布有长芒草、冷蒿草原外,其余多为抗旱耐寒和生殖力强的草木,散布于沟壑两侧和荒芜崖坡间。

(3)荒漠草原地带。位于干草原地带西北,即鄂尔多斯高原及河套地区。由于气候干燥,风沙影响,植被稀少,只有少数耐寒、抗旱、耐盐碱的植物。

黄河流域农业历史悠久,著名的宁蒙河套平原、汾渭地堑盆地以及黄河下游的平原地区,均是我国重要的灌溉农业区。此外,森林地带和典型草原亚地带还有大面积的旱作农业。荒漠草原亚地带和荒漠地带则是"无灌溉则无农业"的地区。

四、气候

黄河流域幅员辽阔,山脉众多,东西高差悬殊,各区地貌差异也很大。又因流域处于中纬度地带,受大气环流和季风环流影响的情况比较复杂,因此流域内不同地区气候的差异显著,气候要素的年、季变化大。

(一)降水

全流域多年平均降水量466mm,特点是降水集中、分布不均、年际变化大。

流域年降水量的地区分布,总的趋势是由东南向西北递减。降水最多的是流域东南部湿润、半湿润地区,如秦岭、伏牛山及泰山一带年降水量达800～1 000mm;降水量最少的是流域北部的干旱地区,如宁蒙河套平原年降水量只有200mm左右;流域大部分地区年降水量在200～650mm。

多年平均降水量等值线大致为西南—东北向,年降水量400mm等值线的走向是:自托克托县河口镇以南,经榆林、靖边、环县、定西、兰州,绕祁连山过循化、贵南、同德、玛多,于多曲一带出流域。此线西北,年降水量小于400mm一侧为干旱、半干旱区;此线东南,大于400mm一侧为湿润、半湿润区。干旱、半干旱区的面积约25万 km²,占流域面积的33%。流域依降水量的多少,大致可分为以下4个区。

(1)湿润区:年降水量大于800mm,气候比较湿润,相当于落叶和常绿阔叶混合林带。主要分布在秦岭石山林区及太子山区。

(2)半湿润区:年降水量400～800mm,气候比较湿润,相当于落叶阔叶林和森林草原带,流域大部属此区。分布于除河源区以外的兰州以上和河口镇以下的广大地区。本区范围广阔,兰州以上的青藏高原区气候寒冷,主要为牧区;河口镇以下气候较湿润,主要为农业区。

(3)半干旱区:年降水量200～400mm,气候干燥,相当于草原和半荒漠地带。分布在河源区和唐乃亥至循化区间以及兰州至河口镇黄河右岸地区,是流域的主要牧区,内流区也属这一范围。

(4)干旱区:年降水量小于200mm,为流域最干旱的地区。分布在青海南山和鄂拉山之间的共和,祁连山和贺兰山之间的甘肃景泰、宁夏卫宁,贺兰山和狼山之间的内蒙古乌海、巴彦高勒一带以及宁蒙河套灌区和狼山部分山区。本区因受沙漠入侵影响,牧草稀疏,只有在灌溉的条件下,作物才能正常生长。

流域冬干春旱,夏秋多雨,其中6~9月降水量占全年的70%左右;盛夏7~8月降水量可占全年降水总量的40%以上。流域降水量的年际变化也十分悬殊,年降水量的最大值与最小值之比一般在1.7~7.5,大多数在3.0。降水量愈少的地区其年际变化就愈大,变差系数变化在0.15~0.4。

(二)蒸发

黄河流域蒸发能力很强,年蒸发量达1 100mm。上游甘肃、宁夏和内蒙古中西部地区属国内年蒸发量最大的地区,最大年蒸发量可超过2 500mm。

黄河流域水面蒸发量的地区分布与降水量的分布趋势相反,由东南部向西北部增加。年蒸发量1 200mm等值线大体上与年降水量400mm等值线的位置相当,该线通过的地带干旱指数在3左右。兰州以上地区多属青藏高原和石山林区,气温较低,除贵德—循化黄河河谷地区和鄂拉山至青海南山间沙漠入侵黄河通道地带水面蒸发较高外,一般为850mm左右。兰州以下地区,以1 200mm为界,该线西北一侧为半干旱、干旱区,蒸发能力很强,由东南向西北高梯度增加,除宁蒙河套区、清水河上游为1 400mm外,其余地区均在1 600~1 800mm。祁连山与贺兰山、贺兰山与狼山之间是两条沙漠入侵通道,为西北干燥气流入侵的主要风口,风速大,气温高,蒸发能力强,如毛乌素沙地区可达1 800mm以上。年蒸发量1 200mm线东南一侧为半湿润、湿润区,水面蒸发量由西北向东南逐渐降低,一般在800~1 200mm。在秦岭、六盘山、太子山等山区,蒸发量随高程的增加而递减,太子山、秦岭都在700mm以下。

陆地蒸发受供水条件(降水量)和蒸发能力(水面蒸发量可近似代表)等因素的制约,在年降水量400mm等值线西北一侧的干旱、半干旱地区,降水量远小于蒸发能力,所以陆地蒸发量随降水量的大小而增减。在降水量300mm等值线通过地带,一般情况下,降水几乎全被蒸发,陆地蒸发量与其接近,只在夏季降水强度较大时才偶而产生径流。区内土地多为干旱草原。在此地带东南一侧,一般降水量增加陆地蒸发量也增加,只有在湿润的秦岭山区,由于下垫面的影响,地面坡度较大,土壤覆盖薄,空气较湿润,蒸发能力小,降水量虽增至800mm以上,但陆地蒸发量也只有400mm左右,是流域内径流的高值区。

从流域陆地蒸发量总的分布趋势来看,小于300mm的地区,除兰州以上青藏高原外,其余多属于荒漠草原区;300~400mm的地区,多为干旱草原区;大于400mm线以南的地区,则为森林草原区。

(三)干燥特征

干燥指数是反映气候干湿程度的指标,一般采用年水面蒸发能力与年降水量之比(r),以$r=1.0$的等值线来区分湿润地区和半湿润地区。若$r>1.0$,说明该地区偏于干旱,r值越大,说明干旱程度越严重;反之,若$r<1.0$,说明该地区偏于湿润,r值越小,说明湿润程度越强烈。

黄河流域干燥指数的地区分布为:秦岭及其以南地区,$r≤1.0$,属于湿润带;r等于4.0的等值线自河口镇经榆林、靖边、环县、海原、会宁、兰州、民和、永登出黄河流域进入甘肃省内陆河区。此线东南即r在1.0~1.5之间属于半湿润带;此线西北,即r在1.5~4.0之间属于半干旱带;$r>4.0$属干旱带;内蒙古乌海市及甘肃省景泰县与西北内陆河区交界处，r 值高达 10.0 以上。

黄河流域内干旱指数为 1.0 的分布带，大体对应于多年平均年降水量 800mm 的等值线位置，是我国南北气候分带的界线，该线以南年径流深在 300mm 以上，属多水带。干旱指数为 3.0 的分布带，大致对应于年降水量 400mm 等值线位置，是我国也是黄河流域东西气候变化的分界线，该线以东气候比较温和、湿润，年径流深为 50～300mm，属于过渡带，是农作物区；该线以西，气候干燥少雨，年径流深为 10～50mm，属于少水带，是半农半牧区及牧区。干旱指数大于 7.0，大致对应于年降水量小于 200mm 的地区，年径流深小于 10mm，属于干枯带，呈现荒漠、半荒漠景观，以牧业为主，农业主要依靠灌溉，是无灌溉即无农业区。流域内的青海高原，大部分地区属于高寒带，多年平均气温小于 4℃，年水面蒸发量小于 900mm，与流域其他地区相比，降水量虽相当，干旱指数小，一般在 3.0 以下，年径流深 50～300mm，大部分地区为 100～300mm，黄河流域年径流量有一半以上来自低温湿润青海高原。

流域内大部分地区旱灾频繁，历史上曾经多次发生遍及数省、连续多年的严重旱灾，危害极大。黄河流域季节干旱发生的地区分布极不均匀。例如，流域内以春旱为主的地区大致分布在吴堡至龙门间、汾河中上游、沁河上游及大汶河区；以夏旱为主的地区大致分布在渭河宝鸡以下，泾河、北洛河及汾河下游以及龙门至花园口区间（不含沁河）。流域内其他地区春、夏旱出现的频率基本相同，表现为以春旱为主的春夏旱型与以夏旱为主的春夏旱型，前者主要分布在青海高原、泾河甘肃省境内、北洛河上中游、河口镇至龙门区间的河曲至清涧河入黄口河段及沁河中下游；后者主要分布在兰州至河口镇区间、渭河宝鸡峡以上、金堤河区及内流区。

五、径流

黄河流域径流主要有以下几个特点。

（一）水资源贫乏，水量与土地、人口分布颇不协调

黄河流域河川径流主要由大气降水补给，由于受大气环流及季风影响，降水量少而蒸发能力很强，全河多年平均天然径流量 580 亿 m^3，仅占全国河川径流总量的 2%，居我国七大江河的第四位，小于长江、珠江、松花江。花园口以上多年平均年径流深 77mm，只相当于全国平均径流深 276mm 的 28%，比海河流域山区年径流深 111mm 还小 31%。

据 1980 年资料统计，花园口以上人均水量 794m^3，耕地平均水量 4 740m^3/hm^2，但与土地、人口分布极不协调，如龙羊峡以上人均水量 57 943m^3，耕地平均水量 390 000 m^3/hm^2，而龙门到三门峡区间人均水量为 310m^3，耕地平均水量仅 1 980m^3/hm^2。花园口以上人均、耕地平均水量均小于全国平均值，人均水量为全国人均水量的 30%，耕地平均水量为全国耕地平均水量的 18%。

（二）地区分布不均

由于受地形、气候、产流条件的影响，河川年径流量在地区上的分布很不均匀。径流大部分来自兰州以上及龙门到三门峡区间。兰州以上控制流域面积占花园口以上控制面积的 30.5%，但多年平均径流量却占花园口的 57.7%；龙门到三门峡区间，流域面积占花园口以上控制面积的 26.1%，年径流量占花园口的 20.3%；兰州到河口镇区间集水面积

达 16 万 km^2，占花园口以上控制面积的 22.4%，由于区间径流的损失，河口镇多年平均径流量反而比兰州还小。

年径流量的地区分布不均匀，还表现为径流深由流域的南部向北部递减。大致西起吉迈，过积石山，到大夏河、洮河，沿渭河干流至汾河与沁河分水岭一线南侧，年降水量丰沛，植被较好，年平均降水量大于 600mm，年径流深 100~200mm，是黄河流域产水量最丰沛的地区；流域北部经皋兰，过海源、同心、定边到包头一线的西北部，气候干燥，年平均降水量小于 300mm，年径流深在 10mm 以下，是黄河流域产水量最小的地区；流域中部黄土高原区，年降水量一般为 400~500mm，年径流深 25~50mm。这一地区由于生态环境长期受到破坏，水土流失严重，为黄河流域泥沙的主要来源区。

（三）径流量的年际、年内变化大

黄河流域是典型的季风气候区，因受大气环流和季风的影响，河川径流量的年际变化比较大，年内分配也很不均。

黄河上游龙羊峡以上地区，大部分为高寒草原，湖泊沼泽较多，水的自然涵蓄能力较强。因此，以上游来水为主的干流各站，径流量的年际变化相对比北方河流小，龙门以上各站年径流 C_v 值为 0.22~0.23；龙门以下，汇入了一些流域内涵蓄能力很弱的大支流，年径流 C_v 值略有增大，如三门峡、花园口两站的 C_v 值分别为 0.24、0.25。黄河流域较大支流年际变化大，年径流 C_v 值变化在 0.4~0.5。干流各站最大年径流量与最小年径流量之比为 3~4，支流达 5~12。中游黄土丘陵地区的中、小支流年际变化更大。

径流量的季节分配主要取决于河流的补给条件。黄河河川径流主要是以降水补给为主，季节性变化剧烈。年降水量主要集中于 6~9 月，河川径流量主要集中于 7~10 月（称汛期）。干流及较大支流汛期径流量占全年的 60% 左右，每年的 3~6 月份，径流量只占全年的 10%~20%；陇东、宁南、陕北、晋西北等黄土丘陵干旱、半干旱地区的一些支流，汛期径流量占全年的 80%~90%，每年 3~6 月份的径流量所占比重很小，有些河流基本上呈断流状态。

（四）水沙异源且含沙量大

黄河多年平均输沙量约 16 亿 t，多年平均含沙量高达 37.6kg/m^3。黄河泥沙的来源地区比较集中，并有"水沙异源"的特点。上游河口镇以上流域面积为 38.6 万 km^2，占全流域面积的 51.3%，来沙量仅占全河沙量的 9%，而来水量却占全河的 53.9%，是黄河水量的主要来源区。泥沙主要来自河口镇至潼关的黄河中游地区，占全河沙量的 90% 以上。其中，河口镇至龙门区间流域面积为 11.2 万 km^2，占全河流域面积的 14.9%，水量占12.5%，但沙量却占全河沙量的 56%。全流域水土流失最严重的地区约有 10 万 km^2，主要分布在该区间。这一地区地形支离破碎，每年平均地面冲刷深度为 0.2~2cm，年侵蚀模数在 2 000t/km^2 以上，年输沙量达 9 亿多 t。龙门至潼关区间，流域面积为 18.5 万 km^2，占全河的 24.6%，来沙量占全河沙量的 34%，来水量占 19.6%。三门峡以下的洛河、沁河来沙量仅占全河来沙量的 2% 左右，来水量约占 10.2%。

黄河三门峡站多年平均输沙量约 16 亿 t，多年平均含沙量 35kg/m^3，在大江大河中名列第一。最大年输沙量达 39.1 亿 t（1933 年），最高含沙量为 920kg/m^3（1977 年）。黄河水、沙的来源地区不同，水量主要来自兰州以上、秦岭北麓及洛河、沁河地区，泥沙主要来自河口镇至龙门区间、泾河、北洛河及渭河上游地区。

第四节　黄河流域水循环研究现状

整治黄河历来备受人们关注。我国科学界在黄河问题上进行了大量研究,但主要是围绕黄河泥沙问题、防洪问题和水资源开发利用问题进行的。如"七五"期间国家科技攻关项目"黄土高原综合考察与治理",对黄土高原地区的自然、社会条件和资源情况进行了初步考察和研究;国家重大自然科学基金项目"黄河流域环境演变及水沙规律"对黄河流域水土流失现状、产沙机理、主要产沙区分布和河道的输沙规律等进行了重点研究;国家"七五"重点科技攻关项目中"黄河流域典型地区遥感动态研究"专题,分别就黄河上游冰雪覆盖监测与融雪径流预报模型、下游平原地区土壤水分动态监测方法进行了研究。"八五"期间的国家科技攻关项目"黄河流域治理及水资源开发",重点研究了黄河流域侵蚀产沙规律和水土保持措施减沙机理;"九五"期间的"黄土高原生态农业示范研究",主要研究各种农业和生态措施的节水效果和示范;"黄河中下游水资源开发利用及河道减淤关键技术研究"和"江河泥沙灾害形成机理与防治措施研究",是以泥沙输移和河道淤积引起的悬河、小水大灾等为主,对黄河流域进行大量研究。显然,这些研究项目主要是针对黄河河床演变、流域产沙规律、水保减沙、防洪和宏观水资源开发利用等问题单一展开的(郑红星,2001)。

刘苏峡等(2001)对黄河流域水循环研究成果进行过归纳总结,认为已有的研究涉及水文循环的各个单项过程,降水和水汽运动过程是气象学科的研究重点之一,成果较多。与黄河流域水循环研究关系密切的研究主要集中在研究黄河流域降水的变化特征(翟家瑞,1990;吴现中,1990;可素娟,1997;康玲玲,1999;王云璋,1999),较大时间尺度的水汽循环(刘国纬,1997)和水汽在汛期的运移规律(饶素秋,1995)。在降雨截留过程方面的研究主要是为水保措施开展的室内和室外试验与资料分析,赵鸿雁等(1994)研究了黄土高原山杨林的水文效应;蒸发方面多集中在对水面蒸发的研究(王德芳,1996;钱云平,1997;李万义,1999)。在下渗和土壤水分运动方面的研究不多,主要有包为民(1993)根据干旱地区水文、气候特征,对格林-安普特下渗曲线进行改进和应用。

除此之外,也有许多成果涉及到黄河水循环要素和水循环之间的关系研究。张加昆(1997)利用1992~1996年4~9月黄河上游河曲段部分气象站数据,计算分析了4~9月黄河上游河曲地区云层特征,阴天、雨天出现频率,地理分布,总云量、低云量与降水的关系,阐明了黄河上游地区降水的基本特征及水分补给状况。卢中正等(2001)通过对黄河上游及源区植被覆盖度遥感调查,分析植被覆盖度垂直和水平分布特征,指出植被退化的原因和易发部位,进而研究其对黄河生态环境和水循环过程的影响。李玉山(2001)从土壤水文学科视角来研究和分析黄土高原森林水文作用。黄明斌(2001)通过对苹果地、农田和其他塬面主要土地利用方式的比较研究,分析了土壤入渗速率的变化特征,进而从土壤-植物-大气间垂直水分交换过程计算了区域地表和地下水资源的数量。王国庆(2001)根据黄河的产流特点和水平衡原理,建立了月水文模型,用来模拟天然水资源的变化;并依据假定的暖干化气候方案和气候模型的输出结果,采用水文模拟途径,分析了黄河上中游主要产流区水资源对气候变化的响应及其变化趋势。

综上所述,黄河流域水循环研究已经做过许多工作,但是仍缺乏立足于水循环整体的机理过程的研究,缺少比较成熟的流域水文模型。为能更好地模拟水文过程对各种作用力的响应,今后研究的方向将是建立既考虑垂向水分和能量传输(如降水、蒸发、感热),又考虑水平向的地表水分运动(汇流)和地下水基流过程的黄河流域的分布式水文模型。模型将结合遥感信息与地面资料,建立与区域大气环流模式(GCM)的接口,辅之以野外生态试验小区、径流试验场和室内试验的资料,以深入探索黄河流域水循环动力学机制(刘苏峡等,2001)。

第五节　本书结构

水循环是一类与空间特征紧密相连的自然过程。地理空间特征的差异,如气候、地貌、土壤、植被、地质结构以及人类活动的空间差异都必然会对水循环过程产生重大的影响。黄河流域面积广阔,流域内各要素的空间差异十分显著。探讨流域内的水循环过程,必须在特定的空间范围内展开,并充分考虑空间上的复杂变化。遥感方法从高空观测地表,具有宏观性、多时相和比较经济等特点,能够大量获取水循环各个方面的因子信息,精确地反演地表物质、能量因子及其转换过程。地理信息系统能够对用遥感手段获得的大量包含空间属性的数据信息进行空间数据存储、管理、处理和分析,将传统的各种图件资料和观测点综合研究,从而提供地面与遥感相综合的水循环参数。本书将以黄河流域为例,分别阐述遥感技术和地理信息系统技术在流域水循环各要素的应用情况。

本书主要包括四个部分:①遥感基本原理及在水循环研究中的应用;②黄河流域水循环要素的遥感研究;③黄河流域气象要素分析;④黄河源区水循环过程综合分析。

第一部分将简单介绍可见光/近红外、热红外及微波遥感的基本原理,可用于水文水循环研究的遥感传感器,以及遥感数据在水文水循环研究中的具体应用方法,包括在降水、蒸散、冰川与积雪、土壤水分、干旱状况及地表植被监测中的应用。

第二部分介绍包括利用 NOAA AVHRR、MODIS、Landsat TM 等遥感数据在黄河流域地表蒸散、土壤水分、植被覆盖及干旱状况估算与监测研究中所取得的成果。

第三部分介绍利用黄河流域气象台站观测的气象数据,借助地理信息系统 ArcGIS8.1,对流域近几十年主要气象要素气候变化趋势进行分析,根据空间分布图,获得流域平均和流域内不同气候区的特征系列。

第四部分以黄河流域源区为例,通过遥感和 GIS 手段确定降水及土地覆被变化,并结合地面气象、水文观测资料,对源区水循环过程进行综合分析。

第二章　RS/GIS 基本原理及在水循环研究中的应用

遥感是在不直接接触物体的情况下获取物体信息的技术,它主要通过电磁波谱的测量来确定地表景观特征。遥感数据区别于传统地面观测数据,其观测范围广,是面状数据。卫星平台高度及传感器类型的不同,可以提供空间分辨率的地面观测数据,且可以重复获取感兴趣区数据,能够弥补地面观测之不足,很适合在水文水循环研究中应用。

第一节　遥感基本原理

遥感主要可分为两大类,即被动遥感和主动遥感。被动遥感利用的是天然的辐射源,包括从地表和大气发射的辐射或者反射的太阳辐射。而主动遥感是用人工电磁辐射源对目标进行照射,用传感器接收反射的信号,然后对其进行记录和分析。

一、电磁波谱和辐射定律

电磁波的波段从波长短的一侧开始,依次叫做 γ 线、X 线、紫外线、可见光、红外线、无线电波。从太空观测地表所用主要波谱范围是可见光、红外以及微波波段。表 2-1 显示了电磁波的各个波段,图 2-1 显示了遥感所利用的波长。红外区域又根据不同需要被细分为许多不同类型的子波段,其中近红外和短波红外合起来又叫做反射红外($0.75 \sim 4\mu m$),这是因为在这个波段,来自太阳光的反射成分比来自地表的辐射成分要大的缘故。相反,在热红外波段($>4\mu m$),来自地表的辐射占有大部分的能量。

可见光从波长长的一侧开始,人眼可以依次看到赤、橙、黄、绿、蓝、青、紫等类似彩虹的颜色;短波红外多用于地质判读;热红外用于温度调查;微波多用于雷达及微波辐射计,并使用 K 波段、X 波段、C 波段、L 波段等特殊的名称。卫星上的成像雷达用 L、S、C 波段和 X 波段工作,而对地表微波辐射的测量则主要利用 K 波段和 W 波段。

电磁波有 4 个要素,即频率(或波长)、传播方向、振幅及偏振面(见图 2-2)。振幅表示电场振动的强度。从目标物体中辐射的电磁波的能量叫辐射能。太阳辐射和热发射通常用强度来表示,在各向同性的介质中,强度是与电场振幅的平方成正比的。包含电场方向的平面叫偏振面,偏振面的方向一定的情况叫线偏振(线性极化或平面极化)。波长 λ 和频率 υ 之间的关系由公式 $\lambda = c/\upsilon$ 给出,c 是波速。

在遥感中,波入射的表面常被作为参考面。如果电场在一个平行于参考面的平面上振动,则波为水平偏振;如果电场是垂直于参考平面振动,则波为垂直偏振。当电磁波反射或散射的时候,偏振的状态往往发生变化,此时,电磁波与反射面及散射体的几何形状发生关系。偏振在微波技术中称为"极化",它对微波雷达非常重要,因为水平极化与垂直极化所得到的图像是不同的。

表 2-1 电磁辐射类别及波长范围([日]遥感研究会,1993)

类型			波长	频率
紫外线			100Å ~ 0.4μm	750 ~ 3 000THz
可见光			0.4 ~ 0.7μm	430 ~ 750THz
红外线		近红外	0.7 ~ 1.3μm	230 ~ 430THz
		短波红外	1.3 ~ 3μm	100 ~ 230THz
		中红外	3 ~ 8μm	38 ~ 100THz
		热红外	8 ~ 14μm	22 ~ 38THz
		远红外	14μm ~ 1mm	0.3 ~ 22THz
无线电波		亚毫米波	0.1 ~ 1mm	0.3 ~ 3THz
	微波	毫米波(EHF)	1 ~ 10mm	30 ~ 300GHz
		厘米波(SHF)	1 ~ 10cm	3 ~ 30GHz
		分米波(UHF)	0.1 ~ 1m	0.3 ~ 3GHz
		甚短波(VHF)	1 ~ 10m	30 ~ 300MHz
		短波(HF)	10 ~ 100m	3 ~ 30MHz
		中波(MF)	0.1 ~ 1km	0.3 ~ 3MHz
		长波(LF)	1 ~ 10km	30 ~ 300kHz
		甚长波(VLF)	10 ~ 100km	3 ~ 30 kHz

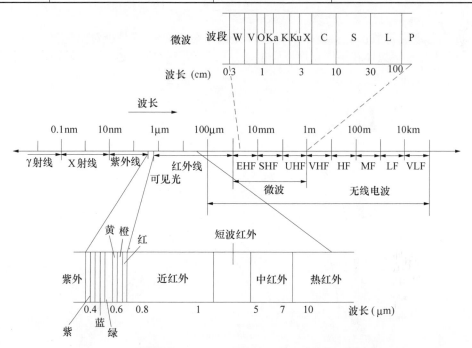

图 2-1 电磁波谱的频率、波长及命名([日]遥感研究会,1993)

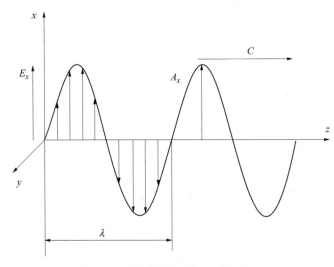

图 2-2 平面电磁波中的电场矢量 E

（x 方向为线偏振方向，z 方向为传播方向）

辐射定律：任何一种材料发射的辐射能是由其温度和物理性质决定的。黑体是一种理想的热辐射体，对任何波长的辐射，反射率和透射率都等于 0。在给定的温度和波长的条件下，黑体的辐射能最大。

（一）普朗克定律

普朗克定律描述了黑体辐射通量密度与温度、波长分布的关系，黑体的单色辐射通量密度 E_λ^*（W/（$m^2 \cdot \mu m$））是热力学温度的函数：

$$E_\lambda^* = \frac{2\pi hc^2 / \lambda^5}{\exp[hc/(\lambda kT)] - 1} \tag{2-1}$$

式中：h 为普朗克常数；c 是真空中的光速；k 是波尔兹曼常数；T 是绝对温度。

图 2-3 显示了黑体在不同温度下辐射通量密度随波长的变化。可以发现有如下变化特点：

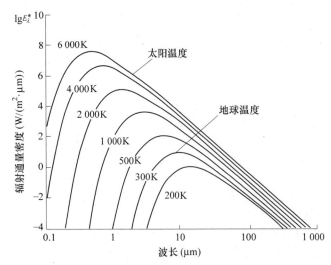

图 2-3 不同温度下黑体辐射通量密度与波长的关系（［日］遥感研究会，1993）

（1）辐射通量密度随波长连续变化，只有一个最大值；

（2）温度越高，辐射通量密度越大，不同温度的曲线不相交；

（3）随温度升高，辐射最大值向短波方向移动。

（二）维恩位移定律

即黑体辐射通量密度到达最大值时的波长 λ_{max} 与其绝对温度成反比：

$$\lambda_{max} T = C \tag{2-2}$$

由维恩位移定律可知，由于太阳表面的温度约为 6 000K，远高于地表及大气温度，因此太阳辐射基本上都在 $4\mu m$ 以下的短波方面，称为短波辐射，而地表及大气发射的辐射则集中在 $3\mu m$ 以上的长波方面，因此称之为长波辐射。

（三）斯蒂芬 - 波尔兹曼定律

对普朗克定律在全波段内积分，得到斯蒂芬 - 波尔兹曼定律，即黑体在所有波长上的积分辐射通量密度（E^*）与其绝对温度的 4 次方成正比：

$$E^* = \sigma T^4 \tag{2-3}$$

式中：σ 为斯蒂芬 - 波尔兹曼常数，其值为 $5.6698 \times 10^{-8} W/(m^2 \cdot K^4)$。

在遥感中，辐亮度 L 经常被用到，是指在单位时间内通过单位面积进入到单位立体角的圆锥中的辐射通量（球面度 Sr）。对于一个理想的漫反射体（朗伯体），光谱辐亮度 L_λ（$W/(m^2 \cdot Sr \cdot \mu m)$）和辐射通量密度的关系由下式给出：

$$L_\lambda = E_\lambda / \pi \tag{2-4}$$

（四）瑞利 - 金斯定律

在长波区，普朗克公式用频率变量代替波长变量，即

$$E_v = \frac{2\pi h v^3}{c^2} \frac{1}{\exp[hv/(kT)] - 1} \tag{2-5}$$

倘若考虑是朗伯体，则辐亮度为

$$L_v = \frac{2hv^3}{c^2} \frac{1}{\exp[hv/(kT)] - 1} \tag{2-6}$$

式中：L_v 是光谱辐亮度，单位是 $W/(m^2 \cdot Sr^2 \cdot Hz)$。

在波长大于 1mm 的微波区域，$hv/(kT) \ll 1$，这时，辐亮度可以由瑞利 - 金斯定律近似地表达：

$$L_v = 2kT/(v/c)^2 = 2kT(1/\lambda)^2 \tag{2-7}$$

因此，在微波波段黑体的微波辐亮度与温度的一次方成正比。

（五）基尔霍夫定律

给定温度下，自然界的物质发射的能量都会小于黑体发射的能量，任何地物的辐射通量密度与吸收率 α 之比是常数，即等于同温度下黑体的辐射通量密度：

$$\frac{E_\lambda}{\alpha(\lambda)} = E_\lambda^* \tag{2-8}$$

辐射通量密度与黑体辐射通量密度的比值 $\varepsilon(\lambda)$，称为光谱发射率（或者比辐射率），它是对物体发射辐射通量密度的一种量度：

$$\varepsilon(\lambda) = E_\lambda / E_\lambda^* \tag{2-9}$$

由基尔霍夫定律可知,物体的发射率(比辐射率)与吸收率相等,介于 0 和 1 之间。发射率随着波长、材料、温度等变化。

遥感传感器所测得的辐射,在假定 $\varepsilon(\lambda)=1$ 的情况下,经普朗克公式计算得到的温度并不是物体的真实温度,一般称这个温度为亮度温度 T_B。在微波区,亮度温度与真实温度 T 之间存在以下关系:

$$T_B(\lambda) = \varepsilon(\lambda)T \tag{2-10}$$

二、自然介质的反射和发射特性

当一束电磁波到达两个具有不同介电属性介质的分界面上,它一部分直接反射回介质 1,另一部分则折射进入介质 2。进入介质 2 的部分可能被部分或者全部吸收和散射。散射辐射的一部分又返回到介质 1 中。

在给定入射角时,反射率和透射率可以用 Fresnel 方程算出(Schanda,1986)。对于一个均匀损耗的物质,其介电属性可以用复介电常数 ε_r 描述:

$$\varepsilon_r = \varepsilon'_r - i\varepsilon''_r \tag{2-11}$$

实数部分 ε'_r 与削减作用较弱的介质的介电常数有关,虚数部分 ε''_r 则反映其削弱量。其中介电常数是指相对于真空的电容量。光学中经常用到的折射指数 n 与复介电常数 ε_r 的关系为

$$n = \sqrt{\varepsilon_r} \tag{2-12}$$

(一)可见光和红外光波段的反射率

物体的光谱反射率随物体的种类而变化。由于物体的光谱辐射亮度受光谱反射率的影响,所以通过观测光谱辐射亮度就可以识别远处的物体。

主要的陆地覆盖物的种类可以根据其光谱反射率属性进行辨别。植物的近红外区有很强的反射(见图 2-4)。植物叶子中包含的叶绿素在 $0.45\mu m$ 和 $0.67\mu m$ 附近对电磁波有较强的吸收,其结果造成在可见光区 $0.5\sim0.6\mu m$(绿)范围内呈现较高的反射率,所以植物的叶子看上去是绿色的。在 $0.74\sim1.3\mu m$ 的近红外区之所以也呈现出很高的反射率,这是叶片的细胞构造所引起的。可见光、近红外波段之所以被广泛应用于植被调查,就是利用了植物具有在红波段的强烈吸收和在近红外波段的强烈反射这种特性。而在波长较长的一侧,在约 $1.5\mu m$ 和 $1.9\mu m$ 附近水的吸收波段中,可以明显看出反射率有一个跌落,其跌落的程度取决于叶子中水分的含量,因此近红外波段可用来监测植被健康状况,当植物生病或受水分胁迫时其反射率会降低。土壤的特性与植物不同,它在可见光及短波红外区有强的反射。

精确的光谱测量在大面积的环境监测中有很好的应用,比如对水体质量、植被类型和状态,土壤和岩石的类型以及雪和冰的属性进行监测等。

(二)微波发射率

微波可以穿透固体物质,其强度会随着穿透深度减弱。穿透深度 dp 表示进入到介质中的距离,对于大部分自然介质来说,$\varepsilon'_r \ll \varepsilon''_r$,其穿透深度可以近似表达为

$$dp = \frac{\lambda}{2\pi}\frac{\sqrt{\varepsilon'_r}}{\varepsilon''_r} \tag{2-13}$$

式中, λ 是在真空中的波长。水的存在会影响微波的穿透力。从式(2-13)可以看出, 波长越长, 微波的穿透性也越强, 因此长的波长区域可用做测定地表以下土壤的属性。

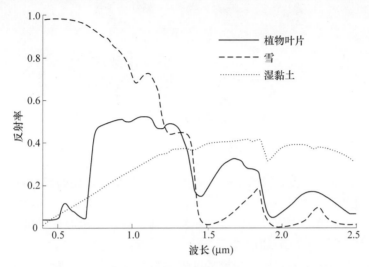

图 2-4　不同地物光谱反射曲线([日]遥感研究会, 1993)

自然介质的微波发射率决定于其介电属性、表面粗糙度和内部结构。对于很多介质来说, 其发射率随频率和极化的不同有着显著的变化。因此, 多通道微波辐射计测定技术对于进行分类和重建目标属性是很有用的工具。

植被的发射率比较高, 且随频率和极化状态的变化很小。对于湿土, 其发射率随频率的增加而增加, 并且在较低的微波频率处, 发射率对液态水的含量很敏感(Wang 和 Choudhunry, 1995)。由于雪体的散射, 积雪的发射率随着频率的增加而减弱。与雪相反, 水的发射率则随着频率的增加迅速上升。

(三)雷达后向散射特征

主动微波信号对介质的介电属性、表面几何结构以及介质整体的几何结构很敏感。雷达遥感系统的极化方式, 影响到回波强度和对不同方位信息的表现能力。雷达波束具有偏振性(极化)。电磁波与目标相互作用时, 会使雷达的偏振产生不同方向的旋转, 产生水平、垂直两个分量。若雷达波的偏振方向垂直于入射面称为水平极化, 用 H 表示; 若雷达波的偏振方向平行于入射面称为垂直极化, 用 V 表示。雷达遥感系统可以用不同的极化天线发射和接收信号, 例如, HV 表示水平极化发射、垂直极化接收, HH 表示水平极化发射、水平极化接收。不同极化方向会导致目标对电磁波的不同响应, 使雷达的回波强度不同, 使图像之间产生差异。利用这种差异可以更好地观测和确定目标的特性和结构, 提高图像的识别能力和精度。

图 2-5 说明了倾斜入射的雷达波束的几种后向散射情况: ①粗糙表面的后向散射, 很大一部分能量被反射后分散到各个方向, 而后向散射的信号非常强; ②光滑表面的后向散射, 镜面反射起主要作用, 只有一小部分被散射回到发射天线; ③角反射, 光线在土壤表面及茎秆等垂直结构两次反射, 导致 HH 和 VV 两种极化方式的波束产生明显位相偏移; ④体散射体(如植被冠层和积雪等)的直接后向散射; ⑤由于土壤表面的前向散射和植被

的漫散射或者与之相反过程的间接散射贡献。

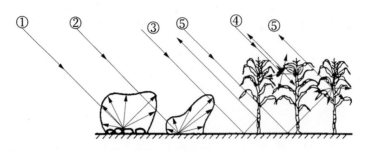

图 2-5　裸露地表和有植被地区的雷达散射机理（Schultz 等，2000）

从图 2-5 上也可看出表面粗糙度对后向散射来说是个很重要的参数。瑞利准则将粗糙度远小于入射电磁波波长（$h \ll \lambda$）的物体表面定义为光滑表面，将粗糙度明显大于入射电磁波波长（$h \gg \lambda$）的物体表面定义为粗糙表面。前者呈镜面反射特征，雷达天线接收不到回波，因此图像色调暗；而后者产生漫反射，雷达天线可以接收到较强的回波，因此图像色调较浅。图 2-6 显示的是不同粗糙度表面散射系数与入射角的关系。很明显，随着表面粗糙度的增加，雷达回波强度受入射角的影响程度减弱。光滑表面雷达信号一般较弱或者无信号，但在接近垂直入射时，信号则很强。

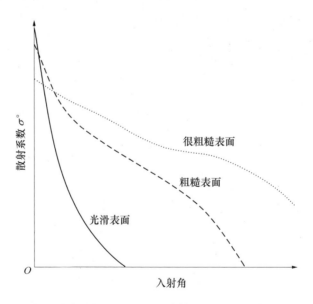

图 2-6　不同粗糙度表面散射系数与入射角的关系（［日］遥感研究会，1993）

除了粗糙度，后向散射系数对土壤湿度也很敏感，这主要是由于土壤含水量决定着介电常数及反射率的大小。如果地表有植被覆盖，则获取土壤含水量的能力取决于植被的透射率。一般越往高频效果越差。L 波段是最好的可用于有植被覆盖土壤水分估算的波段。不过在这个频率段植被结构及含水量会影响散射特性，会影响到对土壤湿度的分析（Dubois 等，1995）。

三、辐射在大气中的传输

由于大气分子及大气中包含的气溶胶质粒的影响,电磁波穿过大气时,会被大气衰减。影响大气透射特性的物质有以下几种:

(1)大气分子。二氧化碳、臭氧、氮、水汽等气体分子。

(2)气溶胶。水滴、烟、灰尘等粒径较大的粒子。

大气对电磁波的影响主要是散射和吸收。由于大气的吸收和散射作用,电磁辐射在大气中传输时会衰减。同时,来自其他方向的热发射和散射对观测的辐射也有贡献。为了在卫星高度获得地表的发射或反射的辐射,大气影响必须被消除。另一方面,在传播路径上的相互作用过程也给我们提供了重建大气状态的机会。

(一)可见光与红外区辐射在大气中的传输

太阳辐射主要集中在可见光与红外区域。在可见光区域大气的衰减作用主要是由大气分子和气溶胶的散射引起的,也就是太阳辐射受到大气中微粒的影响而改变其传播方向。散射强度及方向与微粒大小、辐射波长等有关。当大气粒子尺度远小于入射电磁波波长时,如大气分子对可见光的散射,称瑞利(Rayleigh)散射。此时散射强度与波长的4次方成反比,也就是说大气中的分子散射在短波区域(紫外和可见光的蓝光)很重要,而在红外光区域却不起多大作用。瑞利散射还有一个特点就是散射角度呈对称分布。

当大气粒子尺度与入射电磁波波长相当时,会出现米(Mie)散射。此时散射系数不再简单与波长的4次方成反比。当质粒尺度很大,大于电磁波波长时,基本上无波长选择性。如大气气溶胶对太阳辐射的散射即属此类,此时散射强度取决于总的气溶胶含量、分布的范围、电介质的性质以及微粒的形状。因为气溶胶颗粒比大气分子大得多,所以气溶胶散射不像大气分子那样决定于波长。在具有平均浑浊度的大气中,在 $\lambda \geqslant 0.5\mu m$ 时,气溶胶的散射起主导作用。

当引起散射的大气粒子尺度远大于入射电磁波波长时,散射强度不随波长变化,如大气中云、雾、水滴的散射就属此类。由于这类散射对不同波长可见光的散射是相同的,因此云雾看上去呈现白色。

在红外光区域,气体(主要是 H_2O 和 CO_2)的吸收起主导作用,而散射引起的损失处于次要地位。图2-7表示大气顶太阳辐射及穿过大气层到达地表的太阳辐射光谱。图2-8是大气吸收示意图,可以发现,大气对某些波段范围的辐射几乎不吸收,大气近于透明,将这些波段范围称为"大气窗口"。大气窗口对于遥感来说特别有利,如果要对地表特性进行研究,则遥感传感器的波段必须尽量选择在大气窗口区。在可见光—近红外区,常用的大气窗口主要有 $\lambda < 1.1\mu m$、$1.2\mu m \leqslant \lambda \leqslant 1.3\mu m$、$1.5\mu m \leqslant \lambda \leqslant 1.7\mu m$ 和 $2.0\mu m \leqslant \lambda \leqslant 2.3\mu m$。

卫星传感器所接收到的辐射($L_{\infty,\lambda}$)主要包括:在传感器方向上大气的散射辐射($L_{p,\lambda}$),也即程辐射,该项会使传感器接收的辐射增加;经地表目标反射的太阳辐射($L_{r,\lambda}$),由于受到大气吸收及散射的影响,该项小于目标物的实际反射辐射;目标周围区域反射的辐射($L'_{r,\lambda}$),该项也会增加到达传感器的辐射量。

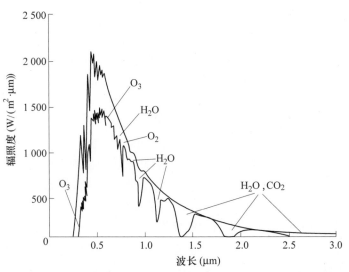

图2-7 大气层外的太阳辐照度(上面的曲线)和垂直通过标准大气后的太阳辐照度(下面的曲线)
([日]遥感研究会,1993)

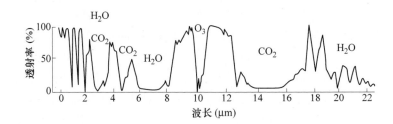

图2-8 大气吸收与大气窗口([日]遥感研究会,1993)

$$L_{\infty,\lambda} = L_{p,\lambda} + L_{r,\lambda} + L'_{r,\lambda} \tag{2-14}$$

若太阳辐照度为 E_0,经过大气的路径为 x,由于大气衰减作用,太阳辐射穿过该大气路程后辐射量 E 可用比尔定律表示:

$$E = E_0 e^{-kx} \tag{2-15}$$

式中:k 是大气消光系数;kx 是光学厚度。

若到达地表的太阳直接辐射为 E_{dir},天空漫射辐射为 E_{dif},且地表反射率是 r,则地表反射辐射 L_s 为

$$L_s = \frac{r}{\pi}(E_{dir} + E_{dif}) \tag{2-16}$$

L_s 经光学厚度为 kx 的大气衰减,到达传感器的辐射应为

$$L_r = L_s e^{-kx} \tag{2-17}$$

从以上分析可以看出,由于受大气的影响,要获得地表真实反射率,必须要消除这些大气影响,也即要进行大气纠正,6S、LOWTRAN、MODTRAN 等软件都可以用于大气纠正。

(二)热红外辐射在大气中的传输

在 $3 \sim 20\mu m$ 的红外区域大气的透射率也显示在图2-8上。CO_2、H_2O、N_2O 和 O_3 是主

要的吸收气体。$4.3\mu m(CO_2)$、$4.5\mu m(N_2O)$和$13\sim15\mu m$（CO_2）附近的光谱区域的测定主要用于探测大气温度廓线，$6\sim7\mu m$区域用于对水汽的探测。

地表发射的辐射$L_{0,\lambda}$可以在以$3.8\mu m$为中心的窄窗口和在$8.5\sim12.5\mu m$之间的宽窗口中观测，但是会受到大气（主要是由H_2O和CO_2吸收和发射的影响。卫星传感器接收到的辐射$L_{\infty,\lambda}$可以写成：

$$L_{\infty,\lambda} = L_{0,\lambda}\tau_\lambda + \int_{z=0}^{z=\infty} L_{B,\lambda}\left[T(z)\right]\frac{\partial\tau_\lambda}{\partial z}dz \tag{2-18}$$

这里，τ_λ是透过率。等式右边的第一项代表地表的贡献，第二项为大气的发射，其中，$L_{B,\lambda}$是黑体的光谱辐亮度。为了获得地表面的辐亮度和温度，大气影响必须被消除。常用的方法是利用辐射传输算法，例如用软件 LOWTRAN（Kneizys 等，1988）或者 MODTRAN（AFGC，1989）。这些算法的输入数据是温度和水汽的垂直廓线。

另一种纠正大气影响以获得地表温度和辐亮度的方法是使用劈窗算法，这种算法以对大气窗口中具有不同透射率的相邻光谱通道的测定为基础，如利用 NOAA 气象卫星上改进型甚高分辨率辐射仪（AVHRR）的 4、5 两个通道数据来计算地表真实温度（Cracknell，1997；Francois 和 Ottlé，1996）。

（三）微波辐射在大气中的传输

微波辐射具有可以透过云和降水对地表进行观测的优点。成像雷达是在 10GHz 以下的光谱区域工作，这个范围基本不受云层的影响。强降水可能会对这个区域的雷达传输产生干扰，但并不妨碍地表的成像。雷达信号和云雨滴的相互作用是气象雷达进行降水监测的基础。在 $18\sim40$GHz 以及 $80\sim100$GHz 之间的大气发射和散射是微波辐射计进行降水估计的基础。

对于无散射的大气，在卫星高度测得的亮度温度 $T_{B,\infty}$ 可用下式表示：

$$T_{B,\infty} = \tau\left[\varepsilon_s T_s + (1-\varepsilon_s)T_B^\downarrow + (1-\varepsilon_s)\tau T_c\right] + T_B^\uparrow \tag{2-19}$$

式中：ε_s 是地表发射率；T_s 是地表温度；T_c 是宇宙背景亮温（2.7K）；大气亮温 T_B 可利用温度与辐射之间的线性关系，由辐射传输算法计算获得，$T_B^\uparrow$ 和 $T_B^\downarrow$ 分别是大气上行亮温和下行亮温。

四、辐射传输方程与雷达方程

（一）辐射传输方程

辐射传输理论可以被运用到大气、水体中辐射的传输过程，也可用于描述在雪和土层中微波辐射的传输。辐射传输方程描述了辐射在介质中传输的过程，可简单地用下式表示：

$$dL_\lambda/dz = -k_\lambda L_\lambda + J_\lambda \tag{2-20}$$

式中：L_λ 是辐亮度；dL_λ 是辐射穿过 dz 厚度介质的变化量（见图 2-9）。公式中等号右边的第一项表示衰减的部分，第二项表示辐亮度的增加。k_λ（m^{-1}）是消光系数，包括由于吸收而损失的部分（用光谱吸收系数 $k_{a,\lambda}$ 表示）和由于散射而损失的部分（用光谱散射系数 $k_{s,\lambda}$ 表示）。

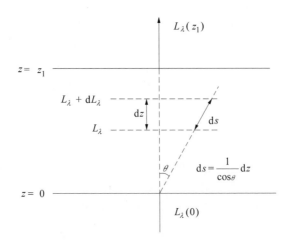

图 2-9　辐射传输及其与传输路径之间关系示意图

$$k_\lambda = k_{a,\lambda} + k_{s,\lambda} \tag{2-21}$$

$J_\lambda(\mathrm{W}/(\mathrm{m}^3 \cdot \mathrm{Sr} \cdot \mu\mathrm{m}))$ 源函数描述了由于热发射和观测方向上的散射辐射所引起的辐亮度的增加。热发射引起的辐亮度增加,由发射源函数 $J_{a,\lambda}$ 给出,散射辐射引起的增量由散射源函数 $J_{s,\lambda}$ 给出,则 $J_\lambda = J_{a,\lambda} + J_{s,\lambda}$。

如果由于散射和发射引起的辐亮度增加可以被忽略($J_\lambda = 0$),我们可以对在一个上下表面是平行平面、具有 z_1 厚度介质中传播的传输方程进行积分。根据在 $z = 0$ 处的入射辐亮度 $L_\lambda(0)$,我们可以得到在 $z = z_1$ 处的辐亮度:

$$L_\lambda(z_1) = L_\lambda(0)\exp\left(-\int_0^{z_1} k_\lambda \mathrm{d}z\right) \tag{2-22}$$

$\int_0^{z_1} k_\lambda \mathrm{d}z$ 是介质在 $z = 0$ 和 $z = z_1$ 之间的光学厚度。

对于一个均匀的介质,k_λ 与距离无关,这时,光学厚度变成了 $k_\lambda z_1$,对于非垂直入射,光学厚度可以沿路径 S 进行积分得到: $\int_0^{z_1} \dfrac{k_\lambda}{\cos\theta}\mathrm{d}z$。在 $z = 0$ 和 $z = z_1$ 之间的光谱透射率 τ_λ 可以定义为

$$\tau_\lambda(0,z_1) = L_\lambda(z_1)/L_\lambda(0) = \exp\left(-\int_0^{z_1} k_\lambda \mathrm{d}z\right) \tag{2-23}$$

(二)雷达方程

雷达传感器产生微波辐射并将其射向目标物,目标物反射的信息被其接收和记录。雷达方程是描述由雷达天线接收到的回波功率与雷达系统及目标散射特征的关系(忽略大气等因素影响)的数学表达式,可表示为

$$W_r = \frac{W_t G}{4\pi R^2}\sigma \frac{1}{4\pi R^2} A_r \tag{2-24}$$

式中:W_t 是发射功率;W_r 是接收到的回波功率;G 为天线增益;R 是目标与雷达天线之间距离;A_r 是接收天线孔径的有效面积。接收的来自散射物体的功率与距离的 4 次方成反比。$\sigma(\mathrm{m}^2)$ 是观测方向上目标的散射系数,是指在单位面积上雷达的反射率或单位照射

面积上的雷达散射截面,是由一个各向同性的散射体散射的全部功率与入射功率密度的比值。σ 与雷达系统参数、物体的复介电常数、表面粗糙度等有关(Ulaby 等,1982)。如果系统参数 W_t、G 以及距离都已知,则 σ 与接收到的回波功率 W_r 成正比。

式(2-24)的第一项是地物目标单位面积上所接收的功率;乘以 σ 后,为地物目标散射的全部功率;再除以 $4\pi R^2$,得地物目标单位面积上的后向散射功率,即接收天线单位面积上的后向散射功率。接收天线孔径的有效面积是

$$A_r = \frac{G\lambda^2}{4\pi} \tag{2-25}$$

λ 是雷达波长。因此

$$W_r = \frac{W_t G^2 \lambda^2 \sigma}{(4\pi)^3 R^4} \tag{2-26}$$

在遥感中,多用散射系数作为表达雷达截面面积中平均散射截面的参数,特别是把表示入射方向上的散射强度的参数或目标每单位面积的平均雷达截面,称为后向散射系数 σ^0。式(2-26)是针对点目标而言的,在环境遥感中大部分目标是分布式的物体。一个土壤或水体表面可以看成是由许多随机分布的散射体组成的目标物,其截面为 σ_i,并占有微面积 dA_i。如果目标物是均一的,在地面一个可分辨单元面积 A_0(m^2)内我们可以将式(2-26)中的 σ 换成 $\sigma^0 A_0$。后向散射系数 σ^0(m^2/m^2)被定义为

$$\sigma^0 = \left\langle \frac{d\sigma_i}{dA_i} \right\rangle_{A_0} \tag{2-27}$$

括号〈 〉表示统计平均值。

单位体积的散射截面,σ_v(m^2/m^3)是用于描述由许多具有截面为 σ_i 的个体散射体组成的一个随机介质的散射:

$$\sigma_v = \left\langle \frac{d\sigma_i}{dV_i} \right\rangle_{v_0} \tag{2-28}$$

式中:v_0 是个体分辨率。

第二节　遥感传感器

一、传感器原理

传感器是记录地物反射或者发射电磁波能量的装置,是遥感技术的核心部分。

传感器根据工作方式的不同,可以分为两类:①主动式。人工辐射源向目标地物发射电磁波,然后接收从目标地物反射回来的能量,如侧视雷达、激光雷达、微波散射计等。②被动式。接受自然界地物所辐射的能量,如摄影机、多波段扫描仪、微波辐射计、红外辐射计等。

传感器按照记录方式也可以分为两类:①非成像方式。探测到地物辐射强度按照数字或者曲线图形表示,如辐射计、雷达高度计、散射计、激光高度计等。②成像方式。地物

辐射(反射、发射或两个兼有)能量的强度用图像方式表示,如摄影机、扫描仪、成像雷达。

根据探测能量的波长及探测方式、应用目的,遥感可分为可见光－反射红外遥感、热红外遥感、微波遥感三种基本形式。表2-2 中列出了用于地表观测的传感器类型。

表2-2　用于地表观测的传感器类型

设备类型	光谱区域	水平分辨率	主要应用
摄影机	可见光	3～10m	陆地表面成像
多光谱扫描仪	可见光、太阳红外	6～80m	地球表面
多角度扫描仪	可见光	1～20m	地形制图
成像光谱仪	可见光、太阳红外	0.25～1km	植被、地质、水体
中等分辨率扫描仪	可见光、太阳红外、热红外	0.5～5km	地球表面、云
大气激光雷达	主动红外	0.1～1km	大气属性
辐射收支仪	可见光、太阳红外、热红外	20～200km	辐射平衡
大气探测仪	热红外、微波	10～100km	大气廓线
临边红外探测仪	热红外、微波	>300km	大气微量气体
微波辐射计	被动微波	10～100km	陆地、海洋、大气
成像雷达	主动微波	10～30km	陆地、海洋、冰
微波散射计	主动微波	25～50km	海洋上的风
云/雨雷达	主动微波	5km	云、颗粒物
高度计	主动微波	1～5km	海洋和冰地形

(一)可见光和近红外波段传感器

在可见光和太阳红外波段对地表观测可用的传感器非常多。摄影机多用于地面及航空摄影,遥感中多用的是航空摄影机和多光谱摄影机,可以提供高分辨率的图像。

星载传感器包括光机扫描式传感器、推扫式扫描传感器及成像光谱仪。

光机扫描式传感器利用平台的行进和旋转扫描镜实现地面二维数据的获取。例如搭载在陆地资源卫星 Landsat 的多光谱扫描仪(MSS)、专题制图仪(TM),以卫星运行方向为旋转轴的旋转镜使得旁向扫描得以实现。在任一瞬间传感器通过望远镜观察地表一个给定的区域(一个像元),这个像元的反射辐射强度由一个或多个探测器进行测量。

推扫式扫描传感器通过 CCD(电荷耦合器件)阵列对单个扫描线成像,利用卫星的前向运动实现从一条扫描线到下一条扫描线的推进,从而完成二维图像的获取。光谱能力也有了很大的提高。如 SPOT 卫星影像的空间分辨率可以达到 10m 甚至 5m。

成像光谱仪基本上属多光谱扫描仪,其构造与前二者相似,但具有比较高的光谱分辨率,光谱波段的数量可以从大约 20 个到 200 多个。如搭载在 EOS - AM 上的中等分辨率成像光谱仪 MODIS 传感器上设置有 36 个通道,空间分辨率也从 250、500m 到 1 000m 不等。

(二)热红外传感器

热红外区域的成像传感器应用的是机械扫描技术。为了保持探测器的最大敏感度,热探测器必须冷却到很低温度。这样,由地表发射的红外辐射被冷的光电探测器所接收,并在每个扫描线的末端对受控辐射温度基准源观测进行内定标。卫星上获得的热红外图像的光谱波段一般比较宽,如 NOAA 卫星 AVHRR 传感器的第 4、5 通道的波段范围分别在 10.3 ~ 11.3μm、11.5 ~ 12.5μm。而红外探测器则工作在一个很窄的光谱通道,如搭载在 NOAA 气象卫星上的垂直探测器 HIRS(高分辨率红外辐射探测仪)设置有多个红外通道以测定大气温度和水汽廓线。临边红外探测器(LIMS)通过对地球边缘的大气进行扫描,测量对流层甚至中层的温度、水汽、O_3、NO_2 等痕量气体的监测。

(三)被动微波传感器

微波辐射计测量发射辐射,接收器由一个高增益天线、一个开关设备、一个滤波器以及作为定标用的一个或多个已知温度的噪声源所组成。天线接收到的信号经过与参考源的信号比较,由瑞利 - 金斯公式,最后得到用亮度温度形式表示的地面微波辐射。辐射计测量的分辨率 ΔT 可用下式表示(Ulaby 等,1981):

$$\Delta T = \frac{M}{\sqrt{Bt}} \tag{2-29}$$

式中:$B = \Delta v$ 是波段的宽度,单位为 Hz;t 是积分时间,单位为 s;M 则描述了辐射计自身的特点,对一个给定的接收器,M 是一个常数,主要取决于接收器技术上的设计。

从式(2-29)中我们可以明显看出,辐射计的测量分辨率与光谱分辨率(用 B 表示)和积分时间有关。由于微波辐射强度较低,扫描微波辐射计常用相对比较宽的波段宽度以获得几十分之一度数量级的辐射测量分辨率。大气探测器通过外差技术以达到很高的光谱分辨率。

微波辐射计的另一个限制因子是空间分辨率,对一个圆孔径天线,空间分辨率可用下式表示:

$$\beta = \lambda / d \tag{2-30}$$

式中,d 是圆孔的直径,现实中,由于天线物理尺寸的限制,星载扫描微波辐射计的分辨率 ≥10km,并随波长 λ 的变化而变化。例如,搭载在 DMSP 卫星上的特殊微波传感器/成像仪(SSM/2)覆盖 1 400km 宽的地面带,椭圆形的瞬时视场角(IFOV)从在 19GHz 处的 69km × 43km 变化到在 85GHz 处的 15km × 13km;EOS PM - 1 卫星上的先进微波扫描辐射计 AMSR/E 的空间分辨率从在 89.0GHz 处的 5.4km 到在 6.9GHz 处的 56km。

(四)主动微波传感器

主动微波传感器通过向目标发送并接收目标反射的电磁波以获得目标信息。雷达接收的回波强度是系统参数和地面目标参数的复杂函数,而地面目标参数与地物的复介电常数、地面粗糙度有关,因此通过分析回波强度可以获得目标的物质结构和介电属性。

距离分辨率是脉冲发射方向上能够分辨两个目标的最小距离。若信号的脉冲宽度是τ，雷达天线的俯角是α，则距离分辨率R_r是

$$R_r = \frac{\tau c}{2\cos\alpha} \tag{2-31}$$

式中，c为传播速度，大气特别是水汽的含量对c会有一些影响。

方位分辨率是相邻两束脉冲之间能够分辨两个目标的最小距离，方位分辨率R_β与微波波长λ、天线孔径d有关：

$$R_\beta = \frac{\lambda}{d}R \tag{2-32}$$

这里，R是斜距。因此，要提高方位分辨率，需采用波长较短的电磁波，加大天线孔径和缩短观测距离，这在飞机和卫星上受到限制。

星载雷达系统可分为成像雷达、雷达高度计、微波散射计和降雨雷达等。雷达高度计用于地表高度的精确测量，主要应用在对海洋、湖泊和冰表面的地形制图。微波散射计可对地表几百公里宽范围的后向散射进行精确的测量，但其空间分辨率很低，主要应用在海洋上的风速监测，也可用于土壤温度、植被和冰盖属性的大尺度观测。降雨雷达也是一种散射计，采用K_u波段，用于测量云中水滴和冰粒的后向散射，具有几百米的垂直分辨率和几千米的水平分辨率。第一个星载降雨雷达装载在热量降雨测量太空计划（TRMM）上。

星载成像雷达可以提供地表大约100km到几百公里宽很高空间分辨率（10～100m之间）的图像。如上所述，由于机载或者星载雷达天线孔径（天线长度）不能任意长，而合成孔径技术的运用可以得到很高的方位分辨率。合成孔径雷达（SAR）的工作原理是用一根小天线作为发射辐射单元，将此辐射单元沿一直线运动，在运动中选择若干位置并发射信号、接收回波信号并记录振幅和相位；当辐射单元移动一段距离后将储存的信息对同一目标不同强度的信号进行叠加去计算一个像元返回的信息，效果相当于一根长天线。加拿大的雷达卫星 Radarsat-1 搭载的 SAR 具有 10～100m 的方位分辨率。

合成孔径雷达得到的雷达回波是对地表许多单个散射体返回信号的相干叠加，是相干影像，不是地面的实际记录，必须经过处理才能得到实际地面影像。

二、地球观测卫星及传感器概况

尽管目前还没有专门为水文水循环研究而设计的遥感卫星，但在一些卫星上搭载的传感器可以很好地用于水文应用。这些传感器的空间分辨率、波段范围、重复周期各不相同，可以满足不同尺度水文水循环研究的需要。表2-3列出了部分正在运行或者即将发射的可用于水循环研究的卫星及传感器。其中大部分卫星是近极地轨道，典型轨道高度在 700～900km，而地球同步卫星系列，如 GOES 和 Meteosat，是从 35 800km 的高度每隔半小时对地表成像一次。

表 2-3　与水文应用方面有关的遥感卫星及传感器

卫星	国家	发射时间	传感器	轨道类型	轨道高度	重访周期
ADEOS II	日本	2002 年	AMSR, GLI, POLDER, Sea – Winds, ILAS – II	太阳同步极轨	802.9km	4 天
CBERS – 1/2	中国	1999 年 2003 年	CCD, IRMSS, WFI	太阳同步回归冻结轨道	778km	26 天
DMSP	美国	1965 ~ 1997 年	SSM/I	太阳同步极轨	830km	每天两次
GOMS – N1	俄罗斯	1994 年	BTVK	静止		
ENVISAT1	欧空局	2002 年	AATSR, ASAR, DORIS, GOMOS, MERIS, MWR, MIPAS, RA – 2, SCIAMACHY	极轨	796km	35 天
EOS – AM1 (Terra) EOS – PM1 (Aqua)	美国	1999 年 2002 年	ASTER, CERES, MISR, MODIS, MOPITT, AIRS, AMSR – E, AMSU, HSB	太阳同步极轨	705km	每天两次
ERS 1/2	欧空局	1991 年 1995 年	AMI – SAR, ATSR, ATSR – 2, MWR, RA, GOME	极轨	777km	35 天
FY – 1C/1D	中国	1999 年 2002 年	MVIRS	太阳同步极轨	870km	每天两次
FY – 2	中国	1997 年	VISSR(1.25km, 5km)	静止		
GMS	日本	1995 年	VISSR(1.25km, 5km)	静止		
GOES	美国	1974 年至今	VISSR, IMAGER	静止		
HYDROS ESSP 7	美国	2006 年	HYDROS	极轨	670km	3 天
INSAT	印度	1992 年 1993 年	VHRR	静止		
IRS	印度	1988 年至今	LISS – I, LISS – II, LISS – III LISS – IV, PAN, WiFS	太阳同步极轨	817 ~ 905km	22 ~ 24 天
IKONOS – 1	美国	1999 年	IKONOS	太阳同步极轨	681km	1 ~ 1.5 天
JERS – 1	日本	1992 年	OPS, SAR	太阳同步极轨	568km	44 天
LANDSAT	美国	1972 年至今	MSS, TM, ETM +	太阳同步极轨	705km	16 天
METEOR – 2, 3, 3M	俄罗斯	1975 年至今	MR – 2000, MR – 900, Klimat, ScaRaB, TOMS, SAGEIII 等	极轨	1 200 ~ 1 250km 900km	双星在 6 小时内覆盖地球的 80%
Meteosat	欧空局	1977 年至今	MVIRI	静止		
METOP1, 2, 3	欧空局	2005 年 2010 年 2014 年	ASCAT GOME – 2 GRAS IASI	太阳同步极轨	800 ~ 850km	
MOS – 1	日本	1987 年 1990 年	MESSR, VTIR, MSR	极轨	909km	

卫星	国家	发射时间	传感器	轨道类型	轨道高度	重访周期
OrbView – 1, 2,3,4	美国	1995 1997 年 1999 2001 年	OrbView1,2,3,4	极轨	470 ~ 740km	1 ~ 3 天
NOAA 气象卫星	美国	1978 年至今	AVHRR, ERBE, HIRS/2, MSU	极轨	833km 或 870km	每天两次
QuickBird	美国	2001 年	多光谱全色波段	椭圆形太阳同步轨道	780km	1 ~ 6 天
RADARSAT	加拿大	1995 年	SAR	太阳同步极轨	798km	24 天
RESOURCE – 01 N3/N4	俄罗斯	1994 年 1998 年	MR – 900M, MSU – E1, MSU – SK, MSU – E, MSU – SK, SFM – 2	太阳同步极轨	670km	
SeaStar	美国	1997 年	SeaWiFS	太阳同步极轨	705km	2 天
SMOS	欧空局	2007 年	MIRAS	太阳同步极轨	755km	3 天
SPOT	法国	1986 1990 年 1993 1998 年 2002 年	HRV HRVIR VEGEATION	太阳同步极轨	822km	26 天
TOPEX/PO-SEIDON	美国 法国	1992 年	ALT POSEIDON TMR	非太阳同步极轨	1 336km	9.915 6 天
TRMM	美国 日本	1997 年	LIS, PR, TMI, VIRS, CERES	极轨	350km	

在极轨和地球静止轨道卫星上的中等空间分辨率(1 ~ 5km)传感器,如 NOAA 气象卫星上的 AVHRR、GOES 上的 VISSR 和 Meteosat 上的 MVIRI,可以以很高的时间分辨率进行全球成像,成为气象及水文业务上非常有用的工具。另外还有许多高分辨率的光学传感器,从摄像机到各种类型的多光谱扫描仪,如 30m 分辨率的 LANDSAT – TM、10m 分辨率的 SPOT、15m 分辨率的 ASTER 数据等。摄影机在许多低轨的俄罗斯卫星上飞行,其空间分辨率和地面可观测范围随轨道高度的变化而变化。随着 1991 年的 ERS – 1、1992 年的 JERS – 1、1995 年的 ERS – 2 和 Radarsat 卫星的发射,SAR 成为地球观测的重要的工具。从 1978 年开始,雷达高度计数据可以从许多卫星上(Seasat、Geosat、ERS – 1、ERS – 2、Topex/POSEIDON)获得;虽然高度计是为海洋表面观测而设计的,它们也可应用于测量陆地水面高度以及南极洲和格陵兰岛上大尺度的表面地势。

另外,一些已经发射的新的成像传感器包括具有高光谱分辨率的成像光谱仪和具有高空间分辨率(< 5m)的推扫式扫描仪。如 EOS – AM 上的 MODIS 和 ENVISAT 上的 MERIS 成像光谱仪有 250 ~ 300m 的中等空间分辨率和介于 2.5 ~ 10μm 之间的光谱分辨率。MODIS 可以在同一时刻获得 36 个光谱通道的数据;MERIS 有 15 个通道,通道位置及宽度可由程序控制。许多具有非常高分辨率成像仪的卫星也已经上天并进入业务运行,如 Ikonos 上具有 1m 分辨率的传感器,2001 年美国 Digital Globeg 公司发射的高分辨率遥感卫星 QuickBird 其空间分辨率达到了 0.61m,是目前全球最高分辨率的商业卫星。

第三节 遥感在水文水循环中的主要应用

遥感方法用于水资源与水文领域可以说是从接收云图开始的。

要了解水文水循环研究的数据需要,首先应该了解水量及能量平衡方程。水量平衡方程如下:

$$\Delta S/dt = P - E - Q \qquad (2\text{-}33)$$

式中:$\Delta S/dt$ 是一段时间间隔内土壤中的水分变化;P 是降水量;E 是蒸散值,包括裸土蒸发和植被蒸腾;Q 是径流量(P、E 均可通过 RS 测定)。对于水资源供应及防洪工程来说,方程(2-33)中土壤水分的动态变化可以忽略。因此,必要的观测包括径流和降水的时间序列,以及月蒸散的气候学估算。对长期的变化来说,土壤水分变化可假定为零。而对于洪水预报系统可以不考虑蒸发,土壤水分只与初始记录有关。

能量平衡方程可用下式表示:

$$R_n = \lambda E + H + G \qquad (2\text{-}34)$$

式中:R_n 为地表净辐射(太阳净辐射和长波辐射);λE 为潜热;H 为感热;G 为土壤热通量。通过蒸发项 E,能量平衡方程与水量平衡方程耦合到一起。为了研究地表水分及能量的传输过程,已建立了许多土壤 - 植被 - 大气传输模型(SVAT)。这些模型所需数据如图 2-10 所示,输入参数可分为以下三类:

(1)驱动模型的必要变量。包括降水(液态和固态)、太阳辐射(短波和近红外)、下行长波热辐射等。

(2)用于蒸散、传输和热交换的地面气象参数。包括温度、湿度和风速。

(3)用于水平衡过程分析的地表、土壤和植被参数。这些参数用于确定植被对降水的截留、土壤水分下渗、裸土蒸发、地表径流等变量,也可以用于植被蒸腾、土壤热通量,以及雪融、土壤融冻等过程的分析。

水量 - 能量平衡模型的输出结果包括土壤湿度、径流、潜热、感热和土壤热通量等。

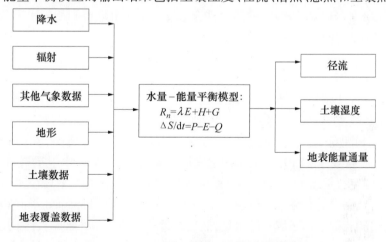

图 2-10 水量 - 能量平衡模型中所需变量示意图

大气环流模型(AGCMs)的深入研究表明,在区域及全球尺度上地表过程,如反照率的变化、土壤水分的反常变化、粗糙度的变化及地表覆盖情况变化等都会影响气候。要理解由于气候变化和陆地表面特征变化可能引起的陆地水圈变化的本质及其后果,必须通过基于过程的陆地水圈和能量平衡模型来解决。但是,由于地面观测资料不足且大面积表达水文过程有困难,因而气候系统内的地面水文问题不能仅仅通过地面观察来解决。为了提高模型的精度,必须设法解决地面观测资料的不足问题。

遥感能提供水文模型中所需的全球范围连续的长期资料,例如 MODIS、AVHRR(Agbu,1993)、GOES(Young,1995)、SSM/I(Hollinger 等,1990)提供的数据集等;遥感可以提供模型参数,如土地利用/土地覆盖、地形、植被状况等;一些用于分离变量的遥感算法的改进,使得可以从遥感影像估算得到地面常规观测资料,如辐射、湿度、温度及降水等;特别是20世纪90年代后期,随着新型的、改进后的气象卫星和更高光谱分辨率的陆地传感器的发射,降水雷达、NASA全球观测系统系列传感器的发展,以及计算机网络体系的提高,使得数据处理更高效,这些将提供更新的陆面和水文资料。

尽管径流不能直接通过遥感技术进行测量,但可以通过确定流域几何特征、排水网络,或其他用于分布式水文模型、经验洪峰及年径流量方程等的图类信息,以及提供模型输入值,如雪盖、土壤湿度或用于定义径流系数的土地利用分类等,间接地将遥感数据应用于水文和径流模型中。

一、流域几何特征

遥感数据,特别是 Landsat TM 和 SPOT 数据,在很多地区是优质制图信息的唯一来源。流域范围和河流网络很容易从高分辨率影像上获得。Haralick 等(1985)的研究提供了从 Landsat 图像中提取地貌信息的方法。

水文分析和建模需要地形。遥感能提供一定空间分辨率的地形信息。例如,立体的 SPOT 图像在理想情况下,可以得到水平空间分辨率为10m、垂直空间分辨率约5m的数字高程模型(DEM)(Case,1989);使用干涉合成孔径雷达可以得到相同水平分辨率,垂直分辨率约为2m 的 DEM(Zebker 等,1992)。

二、径流模型

由遥感数据可以确定土地利用情况并估算出径流系数,由于土地利用情况会影响到渗透、侵蚀和蒸散,在分布式水文模型中特别需要确定土地利用类型及空间分布情况。

有些径流模型不仅仅是通过遥感确定土地利用情况。例如,Strübing 和 Schultz(1983)在Barrett指数方法(1970)的基础上发展了径流回归模型,由卫星资料提取温度和云面积,确定温度权重云覆盖指数,这个指数最后被线性转化为月平均径流。Rott(1986)也用 Meteosat 数据中的云覆盖指数建立了一个日径流模型。Papadakis 等(1993)用卫星图像上的云覆盖指数估算区域月降水量,然后通过一系列非线性水库,将降水量换算为月径流值。这种方法已成功用于非洲 Tano 河流域,也证明了常规数据不足情况下遥感方法的价值。

三、辐射

地表净辐射的计算主要集中在如下两个方面(张仁华,1996):

(1)以现有的已发射的卫星观测数据为基础,通过地面的实况对照,建立大气传输模型,再以窄波段的多光谱影像推算地表净辐射通量。这类工作大多是以估算反照率和亮度温度为主要目标。反照率主要是用来估算地表反射短波辐射,亮度温度用于估算地表长波辐射。

地表反照率(Surface Albedo)是地表能量平衡的重要参数,是指在地表向上半球的可见光和近红外波段的反射能量之和,定量地描述了到达下垫面上的能量在地-气之间的分配,表征地球表面对太阳辐射的反射能力,气候学中对地表反照率的定义是地表面对太阳辐射的反射通量密度与其上入射通量密度之比,它决定多少辐射能为下垫面所吸收,因而是辐射平衡研究中的一个重要参数,对气候的形成及其变化有重要影响。在数值模式中,地表反照率作为输入参数,决定着地表面吸收太阳辐射能量的多少,并影响地表平均温度,又由地表温度对地气间的感热、潜热、红外辐射产生影响。因此,地表反照率是数值气候模型和地表能量平衡方程中的一个重要参数,也是影响气候系统变化的主要原因。如何准确测定地表反照率是研究地表能量和水分平衡中的一项重要工作,具有十分重要的意义。

传统的计算方法是根据实测资料结合植被特征和土壤类型推算地表反照率。如Kung、陈建绥、陆渝蓉等根据日射站的观测资料并结合自然地理条件,研究地表反照率的分布特征。但这种方法往往由于观测资料代表性和地表参数的不确定性而影响其计算精度。由于地表反照率受地球表面覆盖类型等地表特征和太阳高度角等因素影响,具有时空分异性,因而利用遥感资料求取区域地表反照率的方法日益受到重视。应用遥感观测技术反演反照率也是一个非常科学和合理的手段。与以往气候观测和模拟不同的是遥感反演反照率,有地表特征模式的支持,一次获得的是面上的反照率,这样可以部分或完全地消除平流的影响(点上的模式在面上的应用)。目前反照率的遥感反演技术已经相当成熟,各种模型也在区域应用中取得了很好的效果。

(2)发射新的专门卫星,直接测量大气顶的净辐射通量,例如地球辐射平衡卫星(ERBE)。地表净辐射通量由大气顶净辐射推算。如通过卫星与地面的同步观测建立统计关系,或者通过大气传输模型计算出净辐射。

地表净辐射通量由4项组成:

$$R_n = R_{sd} - R_{su} + R_{ld} - R_{lu} \tag{2-35}$$

式中:R_{sd}、R_{ld}分别是向下短波和长波辐射;R_{su}、R_{lu}分别是向上短波和长波辐射。向上短波辐射主要是地表反射辐射,遥感技术可以实时测量出地表的反射辐射,但是由于卫星传感器大多是分波段不连续的测量,如NOAA卫星的AVHRR、LANDSAT-TM等,这些卫星所测到的只是地表反射辐射的一部分。为了确定全波段的反射辐射,必须将窄波段反射辐射乘转换因子并相加以得到全波段半球反射辐射。Cess(1991)认为可以直接用地球辐射平衡卫星的宽波段测量值直接推算地表净短波辐射,因为地表净短波辐射与大气顶净短波辐射之间有很好的线性关系。静止气象卫星由于具有很高的时间分辨率(半小时),常用来计算区域总辐射和太阳净辐射,目前已有许多在晴天和多云情况下利用 GOES 观测资料的太阳辐射算法,包括 Gautier 等(1980)、Cess 和 Vulius(1989)、Frouin 等(1989)、Bishop 和 Rossow(1991)、Pinker 和 Laszlo(1992)及 Gautier 和 Landsfeld(1997)等的算法,这些算法将遥感数据与气候、地表和大气信息结合起来,以确定总辐射和太阳净辐射。

向下长波辐射是由大气及云发射至地表的热红外辐射,与云量、气温、地温、地表和大气的发射率、近地面湿度、水汽含量及温度直减率等有关,很难直接从遥感数据估算出来。一些经验、半经验模型将下行长波辐射气温、湿度及云量联系起来(Brutsaert,1975;Unsworth 和 Monteith,1975)。下式可用来在无云天气下计算向下长波辐射:

$$R_{ld} = \varepsilon_a \sigma T_a^4 \qquad (2-36)$$

式中:σ 是斯蒂芬 - 波尔兹曼常数;T_a 是气温;ε_a 是大气比辐射率,可由如下公式确定(Brutsaert,1975):

$$\varepsilon_a = 1.24 \left(\frac{e_a}{T_a}\right)^{\frac{1}{7}} \qquad (2-37)$$

式中:e_a 是水汽压。

Bras(1990)给出了一个有云情况下向下长波辐射的简单公式:

$$R_{ld} = c\, \varepsilon_a \sigma T_a^4 \qquad (2-38)$$

式中:c 是云纠正因子。

另外,也可利用遥感探测器所获得的水汽和温度垂直廓线以及云量信息,由辐射传输模型估算向下长波辐射,例如 Wu 和 Cheng(1989)认为红外探测仪获取的辐射通量与向下长波辐射相关。也可以由可降水量、气温,在一定的水汽、温度垂直递减率下由辐射传输算法计算晴天向下长波辐射。

遥感估算净辐射通量有如下问题(张仁华,1996;Schultz 等,2000):

(1)大气影响的消除。大气分子、水汽、气溶胶等与辐射的相互作用,改变了辐射光谱成分及强度,且该作用随大气性质而变化。因此,遥感地表净辐射通量首先遇到的问题是大气传输过程,而大气传输过程本身就很复杂。

(2)云的影响。云的空间分布的不均匀特性使问题更加复杂。首先有云情况下无法观测到地表辐射,另外由于遥感资料的时间不连续性,无法完全监测到云量一天内的变化情况。由卫星资料得到的瞬时辐射通量不能很好代表时段积分值,而能量平衡模型中所需的辐射通常是一段时间的总辐射。

(3)宽窄波段辐射的转换问题。遥感传感器的波段范围通常是不连续的窄波段,而地表净辐射通量应该是全波段的。这两者之间的差异随地表类型和性质而变化,给净辐射通量的精确估算带来困难。

(4)视场范围不同。地表净辐射通量是针对半球视场角积分的,而传感器的观测范围有限,是窄视场角。以窄视场角的仪器探测半球辐射,有较大差异。

四、气温

气温不能直接由 AVHRR 数据计算得到,但可以结合植被指数来间接估算气温。如利用归一化差值植被指数(NDVI)和地表温度之间的关系可以推算出温度/植被指数

（TVX）（Goward 等，1994；Prince 和 Goward，1995）。AVHRR 得到的地表温度包括植被和土壤的共同贡献。可用一个 9km×9km 大小（或者其他大小）的活动窗口来建立 NDVI 与地表温度之间的回归关系，通过外延得到最大 NDVI，这个活动窗口可以在图像上移动。由于叶子的热容量比较低，叶温一般不会超过气温 2℃（Gates，1980），有最大值 NDVI 的冠层其温度与气温大致相等。这里面假设了气温随空间的变化不大，在一些有云或者 NDVI 变化不大的地区，温度植被指数之间的关系会受到影响，例如，在冬天，气温不能由上述关系得到。

用 AVHRR 数据得到气温值是有一些限制的。气温的日变化曲线不能由 AVHRR 的观测值直接得到，AVHRR 观测值是卫星过境时刻的气温值。一种方法就是用气候学方法将得到的过境时刻数据进行计算得到一个平均日变化曲线。当大气中其他因素发生变化时，如降水事件、冷暖空气过境等，模拟出的变化曲线与实际情况是不同的。云的遮蔽情况也是另一个限制因素，如果有云时，AVHRR 不能得到准确的地温，这时的 TVX 关系不能成立。改进的一个方法就是用晴天区域进行插值。不过这样在晴天情况下会出现一定的偏差。

五、土壤水分

尽管土壤水分含量的多少可以在可见光反射率上体现出来（如土壤含水量高时，地表反射率比较低），但要定量确定土壤水分十分困难。目前，利用遥感技术估算土壤水分含量主要利用热红外遥感及微波遥感数据。

（一）热红外遥感

热红外遥感土壤水分主要基于土壤热惯量。土壤热惯量是土壤的一种热特性，它是引起土壤表层温度变化的内在因素，它与土壤含水量有密切的相关关系，同时又控制着土壤温度日较差的大小。而土壤温度日较差可以由卫星遥感资料，特别是 NOAA/AVHRR 资料获得，因此使热惯量法研究土壤水分成为可能。热惯量可以表示为（隋洪智等，1990；陈怀亮等，1999）：

$$P = \sqrt{\lambda \rho c} \qquad (2\text{-}39)$$

式中：P 为热惯量；λ 为热导率；ρ 为土壤密度；c 为比热。

在实际应用时，常用表观热惯量 ATI 来代替热惯量 P：

$$ATI = \frac{1 - A}{T_d - T_n} \qquad (2\text{-}40)$$

式中：T_d、T_n 分别为昼、夜温度，可分别由 NOAA/AVHRR 资料 4 通道的昼夜亮温得到；A 为全波段反照率，可由 1、2 通道的反射率得到。有了表观热惯量 ATI 后，常用下列线性经验公式计算出土壤水分 W（隋洪智等，1990），即

$$W = a \cdot ATI + b \qquad (2\text{-}41)$$

或者采用幂函数、指数函数等非线性经验公式。

热惯量模型的缺点是日温差与土壤水分之间的关系并不稳定，与土壤类型有关，并且这种模型只能适用于裸露土壤或作物生长前期。

(二)微波遥感

微波遥感可以对各种地表覆盖条件下的土壤水分进行直接测定,通常有被动微波遥感和主动微波遥感两种基本方法。土壤水分的微波遥感原理在于水与干土介电常数的巨大差异,例如 L 波段水的介电常数大概为 80,而干土的介电常数只有 3~5。

被动遥感技术利用高精度的辐射仪测量特定波段内地表的热发射率。测得的热发射率与地表温度、比辐射率成正比,通常用亮度温度表示。亮度温度在数量上等于比辐射率乘以物理温度。微波比辐射率与土壤介电常数和地表粗糙度有关,大多数地表一般在 0.6~0.95(Jackson 等,1996),这会导致亮温的变化幅度达到 80K 左右。由于亮温与比辐射率呈线性关系,同时地表反射率(等于 1 减去比辐射率)与土壤介电常数、土壤介电常数与土壤水分含量之间存在着非线性关系,因此可以将遥感所测亮温与土壤水分联系起来,目前大多数研究都是通过地面实测来建立亮温与土壤水分的经验关系。由于植被会降低土壤水分变化的灵敏度,但这种影响会随着波长增加而降低,因此在植被较密时,应选择波段较长的微波辐射计数据,以消除植被对反演土壤湿度的影响。

主动微波遥感(如雷达)是发射和回收微波信号,然后利用两者之差来分析目标物体的特征,方法主要是后向散射系数法。因为土壤含水量直接影响土壤的介电特性,使雷达回波对土壤水分极为敏感。对雷达发出微波信号,不同介电常数的物体回波信号不同,即不同含水量土壤的微波后向散射系数不同。大多数研究是依据统计方法,通过试验数据的相关分析建立土壤湿度 m_v 与后向散射系数 $\sigma°$ 之间的经验函数关系的,而以线性关系应用最普遍。在建立的 $\sigma° \sim m_v$ 线性关系中,即 $\sigma° = A + Bm_v$,对于给定的雷达参数(频率、极化方式、入射角等),A 和 B 依赖于土壤表面粗糙度和土壤纹理结构,A 主要受表面粗糙度控制,B 受纹理结构影响。因此,从雷达数据获取土壤湿度信息面临的一个问题就是要将土壤含水量的影响与其他因子的影响区分开。通过选取最佳的雷达参数,可最大限度地减少地表粗糙度的影响。

被动微波遥感具有受粗糙度影响小、辐射计体积小、重量轻适于星载的优点。其缺点是空间分辨率低,一般都大于 10km,不适宜于小流域研究。主动微波遥感土壤水分测定精度较高,且可排除云等影响,可全天候使用,因而是监测大面积土壤水分最为行之有效的方法。不足之处是成本很高,但随着 JERS – 1 SAR、EOS – ASR、Radarsat 等星载雷达的发射和运行,其成本将会不断下降,应用前景十分光明。

六、降水

降水是陆地表面水文气象的重要因素,对区域水循环过程和水平衡都具有重要的意义,一般采用雨量站的实际观测而得到。但降水的空间分布对水文过程更为重要,这就要借助遥感资料获得其空间特征,特别是在雨量站和雷达观测站点较稀的地区。目前遥感估算降水主要有三种方法(Schultz 等,2000):地基雷达、可见光/红外遥感、空基微波遥感。

(一)地基雷达

地基雷达是在一个固定位置来近实时地测量大面积降水的方法,其中用得最多的波段是 X 波段(3cm)、C 波段(5cm)和 S 波段(10cm)。当雷达光束绕着垂直轴旋转时,可以测得 100km 甚至更大范围内地面以上不同方位上降水颗粒的后向散射能量。假定雷达

波长是 λ,球状雨滴的直径是 D,定义雷达反射率因子 Z 为

$$Z = \int_0^\infty N(D)D^6\mathrm{d}D \qquad (2\text{-}42)$$

式中,$N(D)$ 是雨滴尺度分布。如果在一个雷达脉冲体积里液态水均匀分布,则由降水引起的平均后向散射功率与 Z/R^2 成正比,R 是降水强度。一般情况下,有如下经验关系:

$$Z = AR^B \qquad (2\text{-}43)$$

式中,A 和 B 是经验系数。通过式(2-43),可由雷达测得的散射功率估算降水强度。

(二)可见光/红外遥感

从遥感影像的可见光/红外数据进行降水分析基本上都依据这样一个基本假定,即降水与浓云,特别是与冷云层顶部有关,因此可通过建立云顶反射的太阳辐射与降水之间的间接关系来完成降水估测。主要有生命期法和云指数法两种方法。

生命期法是利用每隔半个小时就可获得数据的静止气象卫星资料来确定对流性降水的生命期,从而达到降水估测的目的。当然降水量的大小还与云的发展阶段有关,两块在遥感图像上相同的云可能会产生不同量的降水,这主要决定于它们是在云的生长期还是消亡期。

云指数法是基于云分类,并不需要对一个对流系统连续观测。云指数法假设降水概率与云量及云的类型有关。通过红外波段的观测数据建立降水指数(PI)与云表亮温函数 S 的关系式:

$$PI = A_0 + \sum_i A_i \cdot S_i(TBB) \qquad (2\text{-}44)$$

式中:TBB 为低于一定阈值的亮温;A_0 和 A_i 是经验系数。然后通过一定方法可将 PI 与降水量联系起来(Barrett 等,1986)。

红外和可见光波段的优点是具有较高的空间分辨率,并具有时间上的大量样本,不足之处在于,云顶反射率和温度与地表降水速率的关系并不是一种直接关系。截至目前,大量的研究表明,由可见光/红外遥感生成的连续降水区域只有在大尺度上或长时间上平均状况才有意义,而且要经过仔细的区域和季节调整(傅国斌等,2001)。

(三)空基微波遥感

微波遥感通过穿透降水的微波与降水粒子的相互作用来反演降水,方法更为直接和有效。空基微波遥感降水分布研究采用的手段有被动遥感和主动遥感。

目前国际上主要的被动微波遥感仪器——星载微波辐射计,有美国 NASA"雨云 - 7"(Nimbus - 7)卫星上的 SMMR、美国国防气象卫星计划(DMSP)中的 SSM/ I、TRMM 中的 TMI 以及日本的 ADEOS - AMSR 等。降雨的被动微波遥感主要在于通过建立微波辐射亮温与降水强度的关系。

云滴对微波辐射有吸收和散射作用,因此可分别利用这两种作用估算降水。云滴对微波辐射的吸收作用会导致卫星观测到的亮温增加。在低频率处(如 18GHz),辐射亮温与垂直方向上云及雨滴量成正比。如果云层中有较大冰粒的存在,冰粒具有较小的吸收率及发射率,但对于微波辐射来说却是很好的散射体。对于高频率波段,如 85GHz,由于云上部冰粒的散射,云体将大部分由地表和雨发射的辐射向下反射而不能到达传感器,从而导致观察到的微波辐射亮温相对于"暖"的地面背景大大降低,并且这种影响会随着频

率及粒子尺度的增加而增加,因此通常被用来间接描绘降水。

微波遥感感测的是波束路径上的总辐射量,它包括降水云和地表辐射量。降水云的辐射量是云中不同比例不同相态的降水元的辐射量之和。云雨结构和云中降水元之间关系的多变性和随机性将导致降水元辐射量的变化,加上地表状态的复杂性,可以说,微波被动遥感降水的精度在很大程度上是依赖于降水云物理模式的合理性和地表辐射参数的准确性,是一种间接和复杂关系的遥感反演(刘锦丽等,1999)。这是微波被动遥感存在的困难和局限性。

另外,被动微波遥感感测的是波束路径上的积分效应,它不能获得降水沿路径分布的信息。为了对降水云进行更细致的观测,获得降水在时间和空间上的分布,必须使用主动的微波雷达。美日合作的热带降水测量计划(Tropical Rainfall Measurement Mission,TRMM)第一次在卫星上安装微波测雨雷达,对热带降雨及其垂直分布进行测量。TRMM卫星已于1997年11月发射上天,上面就搭载有13.786GHz和13.802GHz的降雨雷达。

主动遥感可以确定降水的范围(如高度),雷达反射率也与降水强度有着直接的联系。已有几种方法用于降水研究,其中一种就是表面参照技术(Surface Reference Technique),即通过降雨单元接收的信号与非降雨单元接收信号的相对级别确定微波衰减,然后与降水强度相联系,从而达到降水监测的目的(Meneghini等,1983)。

主动、被动遥感降雨有其各自的原理与优缺点,前者重量轻、功耗低,积分感测关系相对稳定,但缺乏距离分辨率;后者重量、功耗均大,散射与降雨强度关系变动大,但有良好的距离分辨率。因此,发展主被动联合遥感是解决降水定量遥感的关键出路(刘锦丽等,1999)。

七、冰雪遥感

冰雪遥感在流域水循环研究中是不可忽视的一个重要方面。由于冰雪的存在,地表吸收的太阳辐射能发生改变,从而改变了地表能量平衡。另外,全球用于灌溉及农作物生长的水中,冰雪融水至少占1/3(Steppuhn,1981;Schultz等,2000)。

目前,已有许多卫星资料用于积雪遥感监测。其中,较常用的除NOAA/AVHRR与Landsat的MSS和TM资料外,地球同步卫星(GOES、GMS等)资料、国防气象卫星计划(DMSP)的SSM/I资料、"雨云-7"卫星上的SMMR、EOS上的AMSR及合成孔径雷达SAR-C波段资料都已普遍用于积雪监测。从所用传感器波段来看,冰雪遥感主要可以分为三类:可见光遥感、热红外遥感、微波遥感。

(一)可见光遥感

可见光遥感主要用于冰雪覆盖范围的监测。由于积雪及冰的高反射率,通过可见光遥感图像很容易将冰雪与周围地物区分开。NOAA/AVHRR卫星遥感资料由于其高时间分辨率,为大范围积雪动态变化的监测提供了极大方便。但是,NOAA/AVHRR的地面分辨率比较低(1~4km),其较低的空间分辨率常会引起云和雪的混合像元出现,从而使NOAA资料中云和雪的识别问题比较突出,另外也不适于小流域研究。

相对于NOAA资料,由于Landsat MSS和TM资料的空间分辨率高,它能够提供更详细的雪盖信息,因而特别适用于小范围的积雪动态监测与精确定位。但其重复观测周期比较长,且容易受到云的影响。由于 TM 传感器利用了 1.55 ~ 1.75μm 这一波段数据,在这个波段范围内云的反射率比雪高,因此在部分云覆盖地区该波段数据可以用于将云和雪区分开来。

在雪盖监测中还常用到多波段组合数据,如雪盖指数(NDSI)。雪盖指数是求解植被指数的延伸和应用推广,其原理是基于地物在某一波段强反射和在另一波段的强吸收特性。基本运算如下(王建,1999):

$$NDSI = [CH(n) - CH(m)] / [CH(n) + CH(m)] \qquad (2-45)$$

式中:n、m 分别代表雪的强反射与强吸收光谱波段号。对于不同传感器的遥感数据,雪的 NDSI 临界值因不同的获取系统而各不相同。

(二)热红外遥感

由于受云及其他因素的影响,热红外数据用于冰雪遥感比较少,它的主要用处在于确定流域内可能发生融雪的面积。如果雪表面的温度白天和晚上都在 0℃ 以上,就说明很有可能会发生融雪(Schultz 等,2000)。

(三)微波遥感

由于受到积雪中雪粒的散射影响,从雪下土层发射的微波辐射传输到积雪表面时会减少。影响辐射传输的因子包括雪深、雪水当量、液态水含量、密度、雪粒的大小及形状、温度、土地覆盖等。由于微波辐射对雪层很敏感,因此可用微波遥感来监测积雪范围、雪深、雪水当量及雪的状态(湿雪、干雪)。由于雪中散射体的数量与积雪的厚度及密度有关,被动微波传感器(微波辐射计)所监测到的亮温与雪中散射体数量有着密切的关系,因此雪深或者雪水当量(SWE)可与亮温相关联,积雪越深,亮温越低。最常用的雪深及雪水当量算法如下(Rott, 1993):

$$SWE = A + B[(T_B(f_1) - T_B(f_2))/(f_2 - f_1)] \qquad (2-46)$$

式中:T_B 是亮温;f_1、f_2 是微波频率,其中 f_2 常用 37GHz,f_1 常用 18GHz 或 19GHz;A、B 是系数。

Chang(1987)利用 Nimbus – SMMR 数据直接在亮温和雪深之间建立了如下关系:

$$SD = 1.59 \times (T_{18H} - T_{37H}) \qquad (2-47)$$

式中:T_{18H} 和 T_{37H} 分别是在 18GHz 和 37GHz 水平极化下的亮温;SD 表示雪深,单位为 cm。被动微波遥感的一个缺点是空间分辨率太低,只适用于区域或者大流域。

合成孔径雷达 SAR 数据分辨率比较高,也可以用于冰雪遥感。在冰雪遥感中较常用的主要是 SAR – C 波段。与可见光和红外成像遥感相比,其优越性主要表现在其穿透云层和雪盖的能力和全天候特性,这对雪深估算、雪水当量换算以及融雪径流模拟、雪层内部性质的研究都极为有利。积雪主动微波遥感主要原理是:雪变湿时,后向散射系数会明显减小,所以可以探测到湿雪,其缺点是不能将干雪区与无雪区区分开来(Schultz 等,2000)。

八、未来发展方向

不久的将来将会有更多的卫星资料可用于水文水循环研究,为了更好地利用这些资料,必须继续就新的模型及算法进行研究以充分利用这些新数据,从而获得比较有用的数据,如土壤水分、雪的湿度等。遥感可以提供许多必要的数据以弥补传统数据的不足,不仅可以开拓水文水循环新的研究方向,新数据的引入也可以帮助水文学家处理以前无法解决的问题。

遥感用于水文学模型的前景广大,这一点正在被逐渐认识。但是系统地将遥感观测数据结合到这些模型中的尝试并不是很多。这个现象的出现有如下原因:

第一,大面积的遥感数据的收集与处理需要很多努力和大量经费。这项工作的艰巨性在实施前往往被低估了。例如,购买一段时间内的 GOES 数据,并处理这些数据来得到太阳辐射值是一项很困难的工作。由遥感数据得到的太阳辐射因时间、空间分辨率和积分波长而不同,而我们需要长期的、一致的太阳辐射资料用于大尺度的水文模型。对其他类型的遥感数据要求也如此。要满足这些需要,遥感数据处理还有很长的一段路要走。

第二,不同时间、空间分辨率观测数据在模型环境中的集成比较特殊,特别是在模型验证及一些算法中包含有尺度转换问题,如点观测数据和面估算值的比较等。一个有效的方法是利用数据融合技术将观测值与模型进行融合。例如,通过数据同化,可将 NOAA 气象卫星观测值应用到 GCM,然后预测低分辨率的气温场。

第三,由遥感数据产生分布式变量要求我们发展水文模型结构并重新考虑如何最好地利用这些数据。目前的结构是在频繁的地面测量数据基础上进行参数化,由于这些模型中忽略了一些容易由遥感得到的变量(如地表温度),而部分必需变量(如气温)很难直接由遥感估算,从而给遥感科学增加了一定的负担。一个可行的方法是用卫星测得的地表温度,以及由主动或被动微波传感器(SSMR 和 SSM/I)得到的近地面土壤水分状况或雪盖去更新模型中的变量。

第四节　地理信息系统基本原理及其在水循环中的应用

一、地理信息系统的特征及其内涵

地理信息系统(Geographic Information Systems,GIS)是 20 世纪 80 年代在北美开始发展起来的地理信息分析与研究的新技术,是一种管理和分析空间地理数据,使空间信息可视化的计算机软件系统。它是以地理信息数据库(包括空间数据和属性数据)为基础,在计算机硬、软件环境支持下,对地理信息数据进行采集、管理、操作、分析、模拟和显示,并采用地理模型分析方法,适时提供多种空间和动态的地理信息,科学管理和综合分析具有空间内涵的地理数据,为地理研究和地理决策服务而建立起来的计算机技术系统。它研究的对象是具有空间特征的目标或实体,该实体既具有空间特征,又具有统计特征。因此,地理信息系统具有以下三个方面的特征:

(1)具有采集、管理、分析和输出多种地理空间信息的能力。

(2)以地理研究和地理决策为目的,以地理模型方法为手段,具有空间分析、多要素综合分析和动态预测的能力,并能产生高层次的地理信息。

(3)由计算机系统支持进行空间地理数据管理,并由计算机程序模拟常规的或专门的地理分析方法,作用于空间数据,产生有用信息,完成人类难以完成的任务;计算机系统的支持是 GIS 的重要的特征,使 GIS 得到快速、精确、综合地对复杂的地理系统进行空间定位和动态分析。

地理信息系统脱胎于地图,它们都是地理信息的载体,具有存储、分析与显示地理信息的功能。但 GIS 使地理信息(包括遥感)综合管理、充分利用、定量分析、动态更新与快速成图成为可能。地理信息系统也不同于计算机制图,后者主要考虑可视材料的显示和处理,不太注重可视实体具有或不具有的非图形属性,而这种属性数据在分析中可能非常有用。现代 GIS 必须具有良好的计算机图形软件,但图形软件包本身不足以完成用户希望完成的任务。

地理信息系统与计算机辅助设计(CAD)有许多共同之处,CAD 主要用于绘制范围广泛的技术图形,大至飞机小至微芯片等。GIS 和 CAD 的共同点是二者都要有坐标参考系统,但前者处理非图形属性数据、描述与分析图形单元间拓扑关系的功能明显强于后者。它们之间的主要区别还在于 GIS 的容量大得多,数据输入方式不同,所用的数据分析方法具有专业化特征等。这种差别有时可能相当大,即便是一个很有效的 CAD 系统,也可能完全不适合于地理信息分析处理。

地理信息系统的含义远远超过对地表形状的编码、存储和检索,其实际内涵是:地理信息系统中的数据,无论是可见的(记于纸上)或是不可见的(记于磁介质上),都被认为是自然环境的一种表现模式。因为这些数据可以被访问、变换、交互式处理,还可以作为研究环境过程、分析发展趋势、预估规划决策可能结果的基础。GIS 能为规划者、决策者披露可能的变化情况,提供行动方针的重要指导思想,使他们不致犯下不可挽回的错误。

二、地理信息系统的组成与功能

一个典型的地理信息系统应包括计算机系统(硬件、软件)、地理数据库系统、应用人员与组织结构三个基本部分。从系统中数据处理看,地理信息系统包括以下子系统:数据输入子系统,数据存储和检索子系统,数据操作和分析子系统,输出子系统。

作为地理信息自动处理与分析系统,地理信息系统主要包括 6 大基本功能:①数据采集、检验与编辑;②数据格式化、转换、概化,即数据操作;③数据的存储与组织,即数据集成的过程,也是建立地理信息系统数据库的关键步骤,涉及到空间数据和属性数据的组织;④查询、检索、统计、计算功能;⑤空间分析与模型分析功能,是地理信息系统的核心功能,也是地理信息系统与其他计算机系统的根本区别;⑥显示功能,即结果输出功能。

地理信息系统具有综合的性质,使其在许多方面得到广泛的应用。例如信息的查询与检索、空间数据的统计分析、区域地理综合研究与评价、环境动态监测与预报,以及区域的开发、管理、规划与决策。所有这些应用要通过系统所具有的多目标数据库、分析软件和应用模型来实现。但是,地理信息系统在每个领域的应用是与地理信息系统本身的特点有关的。在地理信息系统工具支持下,研制和建立应用系统通常有 3 种方式:第一,单纯地应用地理信息系统工具,进行地理信息输入、管理和输出,并在用户工具系统支持下完成应用任务;第二,在地理信息系统工具的基础上进行扩充和开发,通过地理信息系统工具提供的系统模型输入输出函数和功能调用函数,结合自行设计的专题分析模型开发应用程序,通过程序入口与地理信息系统工具结合为应用系统;第三,将地理信息系统工具软件作为原功能重新组织,在充分了解数据结构的基础上,开发由底层到高层的应用系统,设计实用的应用界面,形成高水平的 GIS 应用系统。第三种方式比较适合应用于生产部门和管理部门,第一、第二种方式则常为教学和科研部门所采用。分布式微机地理信息系统的应用,也在逐步完善之中。

三、地理信息系统在水文水循环中的应用

GIS 作为一种地学分析工具,它可以与众多的数学分析模型通过一定的中间环节建立起联系,从而快速和有效地分析、预测自然地理环境的变化规律及发展趋势,世界上发达国家对于资源与环境的研究多侧重于模拟、监测和管理,而这些工作与 GIS 数据及模型预测密不可分。

水文学研究和水资源管理主要与各水文要素的空间运动过程有关,换言之,这一领域空间信息量大,而对空间信息的管理与分析正是 GIS 的优势。因此,GIS 在水文学及水资源管理中的发展很快,内容涉及地下水水文学、地表水水文学、工程水文学、生态水文学及环境水文学等。

水文数据空间分布相当复杂,GIS 应用于水文学和水资源管理之前,水文数据的管理总是难尽人意。目前 GIS 对水文数据管理包括时空数据的综合、矢量与标量数据的综合、遥感数据处理以及作为水文模拟基础的 GIS 数据管理等。GIS 应用于水文数据的管理,最常见的是对水质数据、供水部门数据及遥感数据的管理与分析等。据 1991 年对美国 200 家水质部门调查结果显示,有 1/3 以上的地表水与地下水管理部门使用 GIS 管理水质数据,而且由于水质部门对水质数据共享要求很高,GIS 的使用使得数据资源共享具有很大潜力,因此未来的水质数据管理 GIS 的使用将更广泛。随着水文工作者的深入研究,GIS 的交互式图形(像)处理和自动制图工具开始得到较好的运用,增强了数据管理与分析的可视性,将数据管理的水平又提高到一个新的高度。

水循环是一类与空间特征紧密相连的自然过程。地理空间特征的差异,如气候、地貌、土壤、植被、地质结构以及人类活动的空间差异都必然会对水循环过程产生重大的影响。黄河流域面积广阔,流域内各要素的空间差异十分显著。探讨流域内的水循环过程,必须在特定的空间范围内展开,并充分考虑空间上复杂变化。在流域水循环研究中必然要涉及到大量的包含空间属性的数据信息,对于空间数据存储、管理、处理和分析,GIS 显然是一个强有力的辅助工具。

GIS 在水循环研究中的应用,其领域涵盖水循环的各个环节,包括地下水模拟、地表水模拟、水质模拟、供水管理以及水文水质监测点的设置等诸多方面的内容。就 GIS 在水循环研究中的作用看,包括:①基础地理信息的管理,如水文水质观测站信息的组织管理和更新,以及水文水质模型输出结果的存储;②为各类水循环模型提供输入参数,如应用 GIS 可以生成 MODFLOW 的计算网络、可以为 TOPMODEL 提供地形参数等;③提供模型处理结果的后处理功能,如流场图、等值线图以及空间分布图等。

GIS 在水循环研究中的应用有两种主要的发展趋势:一种是各种商业 GIS 平台在原有功能模块的基础上进一步拓展分析功能;另一种趋势是专业的水文模型吸收 GIS 的思想及空间分析功能,开发出具有相当一部分 GIS 功能的专业系统。总体上讲,在涉及水循

环的研究中融入 GIS 技术已成为潮流。

地理信息系统(GIS)是综合处理和分析空间数据的技术,它的发展为科研和管理决策人员提供了有关区域综合、方案优选和战略决策等方面可靠的地理和空间信息。

地理信息系统与流域水文模拟技术有很强的互补性,在技术途径上也有类似之处。分布式流域水文模型的数据与 GIS 中的矢量或栅格式数据模式有类似性,且都以一定的空间分辨率划分研究区以减少数据量和简化计算。其次,半分布式流域水文模型有子单元内均一的概念,严格地讲就是用"响应单元"来划分流域。而 GIS 中用分层分类,然后叠加不同层和/或不同空间分辨率的资料,也可以得出有实际意义的响应单元。水文模型中增加空间变量以及状态变量的过程与 GIS 中增加要叠加的数据层的做法是一致的。另外,流域的水文过程通常以描述地表、壤中和地下水流的非线性偏微分方程为基础来模拟。但由于三维描述在连续计算上的困难,通常用准三维的空间离散化来处理以得出近似解。方式上有规则的有限差栅形网格、不规则的有限元网格和不规则三角形网格。但在 GIS 中通常都有处理这些不同类型数据的能力,在实施中带来了很大的方便。GIS 一个很大的优点是它能在原有信息的基础上通过对空间数据和属性数据的分析计算得到新的信息,四维的 GIS 有空间数据(包括状态变量)的时间系列资料,再加上 GIS 很强的图形显示功能,能大大有利于水文工作者研究流域特征的空间分布和对产汇流的影响,并有助于了解降雨、土壤含水量以及产流面积在空间和时间上的变化,从而加深对产汇流等水文物理过程的认识,促进在新信息支持下水文科学自身的发展。

GIS 应用于黄河流域水文模型时主要包括 3 个步骤:①空间数据库的构建;②空间数据库中信息的复合与处理;③GIS 和应用模型(水文模型)的数据接口。

随着来源信息数据量的递增,上述第一步是一项极其耗时的工作,占 GIS 空间数据库构建的 70% ~ 80% 的工作量;第二步,凭借 GIS 处理系列空间属性数据层的能力和/或 GIS 项目规划管理能力,可派生出模型最终所需的数据层;第三步,实际上是 GIS 与水文模式的接口编程。

目前流域水文模型与 GIS 的结合有两种方式(李纪人,1997)。一种是松散的结合,以用户界面为中介,在 GIS 中加入一系列成因变量使之可以提供水文模型的参数,同时也是模型模拟结果的显示工具。另一种是紧密的结合,有统一的系统和数据模式,使数据传递可以减少到最大程度,建模者可以直接进入 GIS 的数据结构和数据处理过程,即可以在 GIS 中建模,从而使模型结构和参数能迅速地成形和优化。这种结合方式以 GIS 为平台,与其说它是 GIS,还不如说是流域水文模型的开发环境更为合适。与 GIS 紧密结合的流域水文模型往往不是一个固定的模型结构。它们在实质上是一系列可被用户采用和修改的有关流域水文模拟的概念,用户可以在比较模拟结果的基础上进行模型结构和参数的优化。作为结果比较之基础的目标函数可视预报要求确定。

第五节　遥感与地理信息系统在水循环要素中的综合应用

遥感技术可以提供土壤、植被、地质、地貌、地形、土地利用和水系水体等许多有关下垫面条件的信息,也可以测定估算蒸散发、土壤含水量和可能成为降雨的云中水汽含量。

由于栅格式的遥感数据与分布式流域水文模型的数据格式有一致性,以遥感为手段获取的上述信息在确定产汇流特性或模型参数时十分有用。

遥感与 GIS 作为地学分析的工具和手段,可以分别用于水文学各个方面的研究。但如果把这两者综合起来,发挥各自的特点与优势,那么将极大拓宽水文学研究的思路和方法,拓宽水文学研究的广度和深度。大量遥感图像的处理过程,GIS 的空间分析功能,数据库的查询、分析与修正,水文模型的构造与运行等,一系列复杂的过程就构建了一个"集成"系统。这就使得水文学工作者可以利用先进的技术与手段来分析和解决水文问题。

遥感可以以多种方式与地理信息系统结合:作为土地利用的测量方式,或提供洪水预报的基本数据,或监控洪水区域;也可将经校正、增强、滤波、监督或非监督分类等处理后的遥感数据(如地形图、土壤图、降水分布和土壤含水量等水文变量)输入到地理信息系统中,作为分布式(半分布式)流域水文模型建模与参数率定时的数据支持。例如 Kowuwen 等(1993)将卫星得到的土地利用数据与不连续气象要素区域或子区计算出的要素结合起来,提出 GRU(Grouped Response Unit)。Fortin 和 Bernier(1991)在 HYDROTEL 中提出将 SPOT 的 DEM 数据与土壤图相结合来定义均一水文单元(HHU)。在对 Mosel 河流域土地利用变化引起的影响的研究中,Ott 等(1991)和 Schultz(1993)利用 DEM 数据、土壤图和卫星得到的土地利用数据定义了水文相似像元(HSU)。他们也通过卫星数据来定义植被指数($NDVI$)和叶片含水量指数(WCI),这些指数结合了地表下的相应情况,有效地描述了植被情况。Baumgartner 和 Rango(1995)则利用遥感和 GIS 工具,建立了融雪模型,并利用此模型研究气候变化对积雪面积和融雪径流的可能影响。此模型由 5 个模块构成:图像处理、GIS、关系数据库、水文模型、图形显示与输出。Sharma 和 Anjaneyulu(1993)论述了遥感图像解译、GIS 和水文模型的"集成"。图 2-11 说明了遥感与 GIS 在水文水循环研究的集成情况。

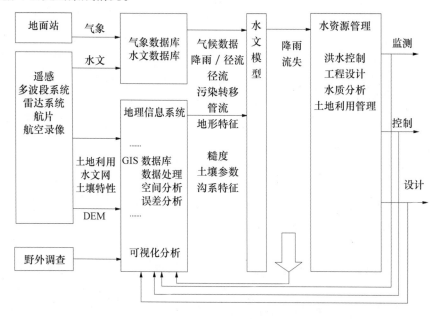

图 2-11　遥感与地理信息系统和水文学集成研究框架(毕华兴等,2002)

GIS 是一种对空间数据进行收集、存储、更新、管理、操作、分析及显示的一种系统工具。在它的支持下,遥感数据的解译、分析、处理和传输速率将大大提高,为遥感技术应用在深度和广度上扩充以及社会经济效益发挥,提供良好的技术环境与支持。另一方面,大量、实时和动态的遥感数据又在一定程度上解决空间数据库数据源相对"老化"和"静态"的问题,辅助 GIS 数据库的更新,从而提高水文模型的精度。因此,遥感技术与 GIS 相集成在水文学中的应用,不仅为传统的水文科学注入新的活力,拓宽了研究的领域和深度,提高了工作的效率和精度,而且是现代遥感技术在水文学中应用不断完善和提高的必然选择和重要标志。

数据类型是当今遥感和 GIS 在水文学中应用的制约因素之一。地理信息系统一般使用两种数据:图形数据和非图形数据。图形数据是地图属性的数字化表示,一般可存储为栅格或矢量格式,水文模型应用中一般倾向于栅格形式,这是因为水文模型中涉及到的水文参数往往是分区域的,有利于参数估算及模型运转。但另一方面,栅格类型导致空间数据文件过大,极大地降低了模型的运算速度。这是遥感和地理信息系统耦合在水文学中应用的关键问题。

第三章　黄河流域蒸散量的遥感估算

第一节　区域蒸散遥感估算方法概述

太阳辐射作为地表的能量源,到达陆地表面后,部分用于植物光合作用,部分以显热和潜热的形式返回到大气中,土壤－植被－大气系统内部这种能量和物质的传输转化过程控制着作物生长的微气候环境,因而对作物产量的形成有重要影响。其次,地表与大气能量、水分的交换也代表了大气物理气候系统的下边界条件,大气运动所需要的热能及水汽主要是通过边界层的湍流运动由地表输送到自由大气;同时,地表的热量通量及动量通量又决定了边界层内湍流及扩散的强度和稳定度,并且控制着平均风、温度和湿度的变化。因而准确地确定地表的水热通量对于理解气候及水分循环是极为重要的。因此,在国际地圈－生物圈计划(IGBP)核心项目中设置了水文循环生物圈方面(Biospheric Aspects of Hydrological Cycle, BAHC)计划,其中一项很重要的内容就是地表与大气之间水分及热量的传输过程,即土壤－植被－大气传输(Soil－Vegetation－Atmosphere Transfer, SVAT)。

土壤－植被－大气系统蒸散的观测研究起初只限于一维尺度陆面过程的研究,如农田、草原和森林生态系统内部的研究,这些研究的主要目标是观测土壤－植被－大气界面能量、水的垂直交换情况,在这个尺度上已发展了许多方法以计算及观测近地层水分及热量的湍流输送,如波文比－能量平衡法(BREB)、涡度相关法、空气动力学方法、廓线梯度迭代法等(刘昌明等,1997)。

随着流域水文及全球变化研究的需要,我们更多的是需要了解流域、区域或全球尺度上地－气系统的能量传输过程,因此应将斑块尺度的研究推广到更大尺度水平的研究。但在区域尺度上,土壤－植被－大气交换过程所需的参数与在局地尺度上模拟这些过程有所不同,由于测量只是在很少的位置上进行的,所以必须利用遥感数据把地面实测结果外推到更大尺度上。另外,由于地表植被覆盖、地形起伏等因素,在外推时须考虑陆面不均匀性这一特征,利用陆面试验取得的数据使模型和算法得到适当发展和验证。因此,自20世纪80年代后期以来,在国际地圈－生物圈计划(IGBP)和世界气候研究计划(WCRP)的"全球能量和水循环试验(GEWEX)"研究项目的协调组织下,以全球大气环流模式(GCM)网格为基本尺度,在世界不同地区进行了一系列大型的陆面过程试验,开发从植被斑块到GCM网格单元的时空尺度上土壤－植物－大气系统中的能量与水热通量的模型,着重研究这一尺度上的地表与大气之间动量、能量、水分和CO_2等的交换过程。

自SPAC研究以来,近几十年里人们提出和建立了多种形式的SVAT模型,用来研究土壤－植被－大气界面上能量、动量和质量的相互作用,这些模型现已用于研究地表蒸散及水文、气候和天气预报模型。在SVAT模型中通常需要有关植被结构(如LAI、冠层高度)、土壤与植被的光学特性、植被生理特性(如气孔传导、水分在土壤及植物体内的传输过程)、土壤的热力学及水力学特性以及大气状况(如气温、湿度、风速及入射辐射等)等。SVAT 模型的复杂程度也从最早的水桶方案(Bucket Scheme)到目前含有几个土壤层和植物层,尺度由树叶面积变化到气候模型网格,并考虑水平方向不均匀性的方案。国内在 SVAT 模型中研究方面也取得了一定的进展,并对不同类型下垫面与大气之间的水热交换进行了研究(刘树华等,1995,1996;牛国跃等,1997;莫兴国,1998;张晶等,1998),其中,张晶等(1998)在陆面过程模式 LPM – ZD 中考虑了降水的次网格分布特征及其对陆面水文过程的影响。

  SVAT 模型按其对植被冠层的处理可分为 3 类,即单层模型、双层模型和多层模型(见图 3-1)(Olioso 等,1999)。单层模型将整个下垫面包括土壤 – 植被看做一个整体,仅仅描述了土壤 – 植被系统与大气圈的交换,而没有考虑土壤 – 植被系统内部能量及水分的相互作用过程(见图 3-1(a))(Dickinson 等,1996;Kalluri 等,1998),比较常用的植被模式有 Dickinson 等(1996)的单层大叶面模式(Biosphere-Atmosphere-Transfer-Scheme,BATS)。这类模型能够反映大气和下垫面间总的能量、动量和物质交换过程,且因其计算简洁而被广泛采用,但这类模型忽略植被冠层与土壤二者间的水热特性差异。双层模型将冠层与土壤分开,分别考虑两者的动量吸收、能量和物质转化传输过程,以及两者的相互作用,植被蒸腾与土壤蒸散也是分别计算的(见图 3-1(b))(Camillo,1991;Sellers 等,1996;隋洪智等,1997),如 Sellers 等(1996)的 SiB2 模式。多层模型则将冠层分成若干层来描述冠层小气候、辐射分布及水热交换过程(见图 3-1(c))(Sellers 等,1986;Meyers 等,1987),如 Sellers 等(1986)的多层大叶面模式(Simple Biosphere Model,SiB)。单层模型和双层模型虽然对土壤和植被的通量进行了模拟,但对冠层内部过程的描述却不够详尽,因此在计算植被层的湍流交换系数和表面传导时比较困难。

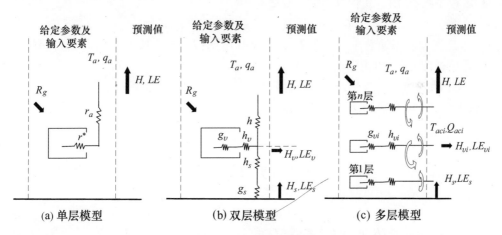

图 3-1 SVAT 模型示意图

R_g:入射太阳辐射;T_a:空气温度;q_a:空气湿度;H:显热通量;LE:潜热通量;H_s:土壤表面的显热通量;LE_s:土壤表面的潜热通量;H_v:植被层的显热通量;LE_v:植被层的潜热通量;H_{vi}:第 i 层植被的显热通量;LE_{vi}:第 i 层植被的潜热通量;r_a:空气动力阻抗;r^*:表面阻抗;g_s:土壤表面传导;g_v:植被层表面传导;g_{vi}:第 i 层植被的表面传导;h:冠层与大气之间的湍流交换系数;h_s:土壤表面与冠层内空气的湍流交换系数;h_v:植被与冠层内空气之间的湍流交换系数;h_{vi}:第 i 层植被的湍流交换系数

遥感技术的发展,从多时相、多分辨率、多光谱及多角度遥感信息可以提取地表覆盖状况(植被指数)、冠层结构(如 LAI)、地表反射率、地表辐射温度及土壤水分状况等,而这些因子都直接影响到土壤－植被－大气系统的水热交换过程;同时,卫星传感器的观测范围广,这为大面积蒸散的研究提供了一种不可替代的手段。因此,20 世纪 70 年代后期以来卫星遥感技术被广泛用于区域蒸散的研究。

用遥感数据估计蒸散主要基于地表能量平衡方程。在忽略植物光合作用及热贮存的能量消耗的情况下,地表能量平衡方程可表示为

$$R_n = \lambda E + H + G \tag{3-1}$$

式中:R_n 为到达地表的净辐射通量;λE 为潜热通量;H 为显热通量;G 为土壤热通量。由于用于计算潜热通量的水汽含量不易从遥感资料中获取,因而无法直接通过遥感数据计算地表蒸散。而能量平衡方程中其余三项均可借助遥感技术确定,因此潜热通量(蒸散)一般通过先估算净辐射、土壤热通量及显热通量,由余项法最后确定。

净辐射可以结合遥感资料及气象观测资料确定,其形式如下:

$$R_n = (1 - \alpha) R_s + \varepsilon \sigma (\varepsilon_a T_a^4 - T_s^4) \tag{3-2}$$

式中:α 是地表反照率;R_s 是地表入射太阳辐射;ε 和 ε_a 分别是地表和空气的比辐射率;σ 是斯蒂芬－波尔兹曼常数;T_a 和 T_s 分别是气温和表面温度。公式(3-2)中的地表反照率可由遥感可见光/近红外数据确定,地表比辐射率可结合遥感植被指数确定,地表温度由遥感热红外通道数据确定,例如可以通过劈窗算法由 NOAA/AVHRR 的 4、5 通道数据估算地表温度。

土壤热通量 G 与 R_n 之间有很好的经验关系,因此可以用它们之间的比值关系确定 G(田国良等,1990),为了估算更精确,也可以考虑地表反射率及植被覆盖度的影响。例如在 SEBS 模型中,G 用下式估算(Su, 2002):

$$G = R_n \cdot [\Gamma_c + (1 - f_c)(\Gamma_s - \Gamma_c)] \tag{3-3}$$

式中:Γ_c 是完全覆盖地表土壤热通量占净辐射比率;Γ_s 是裸地土壤热通量占净辐射比率;f_c 是植被覆盖度,可由植被指数确定。

知道了净辐射和土壤热通量,确定潜热通量或者蒸散量的关键在于如何较准确地确定显热通量 H。以方程(3-1)为基础,目前已有许多方法用于估算蒸散。

一、简化模型

在地表完全覆盖的情况下,一天 24 小时内土壤热通量可以忽略不计,因此方程(3-1)可以简化,Jackson 等在 1977 年提出如下模型:

$$\lambda E = R_n + B(T_s - T_a) \tag{3-4}$$

式中:λE 是日蒸散量;B 是半经验系数;T_a 和 T_s 分别是气温和表面温度。只需通过热红外遥感资料确定表面温度就可得到地表蒸散值。

Seguin 和 Itier (1983) 对这个模型进行了理论分析。由能量平衡方程可知,日蒸散(λE_d)与瞬时蒸散(λE_i)可表示如下:

$$\lambda E_d = R_{nd} - G_d - H_d \tag{3-5}$$

$$\lambda E_i = R_{ni} - G_i - H_i \tag{3-6}$$

Seguin 和 Itier 认为,在晴天,显热通量占净辐射的比例在一天中可近似为一个常数,因此:

$$H_d / R_{nd} = H_i / R_{ni} \tag{3-7}$$

$$H_d = H_i \cdot R_{nd} / R_{ni} = H_i \cdot C \tag{3-8}$$

在晴天条件下,净辐射的日总量与正午时的瞬时值之比是常数,即 C 是常数。从而日蒸散:

$$\lambda E_d = R_{nd} - G_d - H_d = R_{nd} - G_d - H_i \cdot C = R_{nd} - G_d - \rho C_p (T_s - T_a) / r_{ah} \cdot C \tag{3-9}$$

式中:ρ 是空气密度;C_p 是定压比热;r_{ah} 是空气动力学阻抗。假定 $A = -G_d$,$B = -\rho C_p / r_{ah} \cdot C$,经变换得到

$$\lambda E_d = R_{nd} + A + B(T_s - T_a) \tag{3-10}$$

他们发现模型中的参数随大气稳定度变化而变化。这种方法及对其的改进已成功地用于绘制 ET 图(特别是时间尺度在几天或几周时)(Lagouarde,1991),并且由于绘制 ET 图的遥感模型需要输入极少的参数,已经用于水文模型以改进水平衡的计算。这个模型的缺点在于只适用于地表植被完全覆盖的情况,当地表不完全覆盖时,效果不一定很好。并且这个模型是基于晴天的结果,由于日蒸散值是由瞬时的表面温度与气温的差值确定的,而在多云天由于瞬时蒸散变化比较大,所以用这种模型进行估计也会造成误差。Caselles 等(1998)在这个模型的基础上加以改进,结合由 NOAA/AVHRR 数据获得的地表温度及气象台站的蒸发观测资料对不均匀下垫面的日蒸散进行估算。

二、单层模型(大叶模型)

单层模型中,将下垫面看做是一个大叶片,没有将植被与土壤分开考虑,首先由空气动力学阻抗及表面温度与气温的差值确定显热通量,然后由能量平衡方程计算蒸散。显热通量的表达式如下(马耀明等,1999):

$$H = \rho C_p \frac{T_s - T_a}{r_a} \tag{3-11}$$

$$r_a = \frac{1}{\kappa^2 u} \left[\ln\left(\frac{z - d_0}{z_{0m}}\right) - \psi_m \right] \left[\ln\left(\frac{z - d_0}{z_{0h}}\right) - \psi_h \right] \tag{3-12}$$

式中:ρ 是空气密度;C_p 是定压比热;r_a 是空气动力学阻抗;z 是高度;z_{0m} 和 z_{0h} 分别是动量粗糙度和显热交换粗糙度,d_0 表示零平面位移,其中 z_{0m} 和 d_0 可通过植被冠层高度和叶面积指数等确定,z_{0h} 可通过其与动量粗糙度 z_{0m} 的经验关系确定;κ 是卡门常数;u 是风速;ψ_m 和 ψ_h 分别是热量和动量的稳定度校正项。严格说来,式(3-11)中的表面温度应是空气动力学温度,而用遥感资料得到的温度是辐射温度,用表面辐射温度取代空气动力学温度不可避免会产生误差。因此,Troufleau 等(1997)认为显热通量应当用下式计算:

$$H = \rho C_p \frac{T_{aer} - T_a}{r_a} \tag{3-13}$$

式中,T_{aer} 是空气动力学温度。实际上要确定空气动力学温度很困难,后来 Chehbouni 等(1997)提出用辐射温度 T_s 替代 T_{aer} 的关系式:

$$T_{aer} - T_a = \frac{1}{\exp\left[A / (A - LAI)\right] - 1}(T_s - T_a) \tag{3-14}$$

式中,A 是一个与植被类型和结构有关的经验参数,Chehbouni 等(1997)通过回归方法取其值为 1.5。

由于用辐射温度与空气动力学阻抗直接计算显热通量会带来误差,Kustas 等(1989)通过增加一个附加阻抗 r_x 来减小误差,模型中显热通量形式如下:

$$H = \rho C_p \frac{(T_s - T_a)}{r_a + r_x} \tag{3-15}$$

$$r_x = kB^{-1} \frac{1}{\kappa^2 u} \left[\ln \left(\frac{z - d_0}{z_{0m}} \right) - \psi_m \right] \tag{3-16}$$

其中,$kB^{-1} = \ln(z_{0m}/z_{0h})$,Kustas 等(1989)发现 kB^{-1} 也可用下面的经验表达式表示:

$$kB^{-1} = S_{kb} u (T_s - T_a) \tag{3-17}$$

式中,S_{kb} 是一个介于 0.05 ~ 0.25 的常数。

三、植(作)物缺水指数模型

植(作)物缺水指数($CWSI$)由实际蒸散与潜在蒸散的比值确定(Jackson 等,1981;田国良等,1990;申广荣等,1998),其中实际蒸散(λE)与潜在蒸散(λE_p)由 Penman-Monteith 模型计算:

$$CWSI = 1 - \frac{\lambda E}{\lambda E_p} \tag{3-18}$$

$$\lambda E = \frac{\Delta(R_n - G) + \rho C_p(e^* - e_a)/r_a}{\Delta + \gamma(1 + r_c/r_a)} \tag{3-19}$$

$$\lambda E_p = \frac{\Delta(R_n - G) + \rho C_p(e^* - e_a)/r_a}{\Delta + \gamma(1 + r_{cp}/r_a)} \tag{3-20}$$

式中:γ 是干湿表常数;Δ 是温度饱和水汽压曲线斜率;r_{cp} 是潜在蒸散时的冠层阻抗,它随作物种类的不同而变化;r_c 是水汽传输的冠层阻抗,它与叶气温差、土壤水分含量等有关;e_a 是空气水汽压;e^* 是温度 T_s 下的饱和水汽压。

经化简得到:

$$CWSI = \frac{\gamma(1 + r_c/r_a) - \gamma^*}{\Delta + \gamma(1 + r_c/r_a)} \tag{3-21}$$

$$\gamma^* = \gamma(1 + r_{cp}/r_a) \tag{3-22}$$

$$r_c/r_a = \frac{\gamma r_a R_n/(\rho C_p) - (T_s - T_a)(\Delta + \gamma) - (e^* - e_a)}{\gamma[(T_s - T_a) - r_a R_n/(\rho C_p)]} \tag{3-23}$$

从上式可知,$CWSI$ 可由净辐射以及表面温度与气温的差值确定,而表面温度可由热红外遥感资料反演得到,因此可以用遥感方法估计 $CWSI$,从而估计实际蒸散:

$$\lambda E = \lambda E_p (1 - CWSI) \tag{3-24}$$

由于作物缺水指数模型是针对完全覆盖植被的,在用于稀疏植被时会带来较大的误差,后来 Moran 等(1994)对 CWSI 模型加以改进,用所谓植被指数温度梯形法(VITT),直接由植被指数和热红外遥感资料求得作物缺水指数,使得这种方法也可以适用于部分植被覆盖地区。模型原理可由图 3-2 说明。

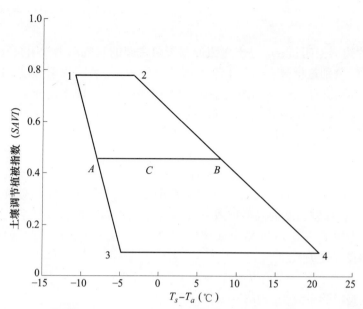

图 3-2　植被指数温度梯形法(VITT)确定植(作)物缺水指数(CWSI)示意图
(其中 CWSI 可由比值 AC/AB 确定, Moran 等, 1994)

图 3-2 表明了植被指数与地气温差的相互关系。图中 4 个角点分别表示在 4 种极端情况下点的分布情况,1 是充分湿润植被,2 是受水分协迫的植被,3 是充分湿润裸地,4 是干裸地。13 线是湿线,是在充分湿润情况下植被指数随地气温差的变化线;24 线是干线,是在土壤很干的情况下植被指数随地气温差的变化线。如果就一幅遥感影像的植被指数与地气温差进行点绘,这些点总在 1243 构成的四边形内,点(例如图中的 C 点)越靠近 13 线(如图中 A 点)说明越不缺水,越靠近 24 线(如图中 B 点)说明越缺水。因此,比值 AC/AB 可以很好地表示缺水状况,比值越大越缺水,比值越小就越不缺水。在实际计算时,可以从图像中统计分析得到在一定植被指数值情况下地气温差的最小值$(T_s - T_a)_{\min}$与最大值$(T_s - T_a)_{\max}$,然后由下式计算得到缺水指数:

$$CWSI = \frac{(T_s - T_a)_{\min} - (T_s - T_a)_{ref}}{(T_s - T_a)_{\min} - (T_s - T_a)_{\max}} \tag{3-25}$$

式中,$(T_s - T_a)_{ref}$表示某像元地气温差观测值(由遥感影像瞬时观测值确定)。这种方法在计算缺水指数时需在遥感影像范围内存在明显干湿点,否则会影响计算结果。

四、二源阻抗模型

二源阻抗模型在计算显热通量时,对土壤与植被的显热交换分别考虑,地表显热通量是土壤与植被显热通量之和(Lhomme 等, 1994a, 1994b; Anderson 等, 1997; Mecikalski 等, 1999)。1994 年 Lhomme 等(1994a)经过对复杂的二源模型简化得到用遥感资料计算显热通量的方法:

$$H = \rho C_p \frac{\left[(T_s - T_a) - c(T_g - T_v) \right]}{r_{ah} + r_e} \tag{3-26}$$

$$r_e = \frac{r_{af} r_{as}}{r_{af} + r_{as}} \tag{3-27}$$

式中:r_{af}是叶片边界层阻抗;r_{as}是土壤表面与冠层之间的空气动力学阻抗;c是一个半经验系数;T_v与T_g分别是植被表面和土壤表面的温度;T_s是表面辐射温度,由植被表面和土壤表面温度共同决定。r_{as}与r_{af}的大小如下(Choudhury 等,1988):

$$r_{as} = \frac{h_c \exp(\alpha)}{\alpha K_h} \left\{ \exp\left(\frac{-\alpha z_{0s}}{h_c}\right) - \exp\left[\frac{-\alpha(d_0 + z_{0m})}{h_c}\right] \right\} \tag{3-28}$$

$$r_{af} = \frac{50\alpha}{LAI[1 - \exp(-\alpha/2)]} \left(\frac{\omega}{u_h}\right)^{1/2} \tag{3-29}$$

式中:ω是叶片宽度;z_{0s}是土壤表面的动力学粗糙度;h_c是作物冠层高度;u_h是在作物高度的风速;K_h是在作物高度的涡度扩散系数;α是冠层内涡度扩散和风速阻尼系数。

式(3-26)中的$T_g - T_v$不容易由遥感资料求得,后来 Lhomme 等(1994b)发现它与$T_s - T_a$之间存在线性关系:

$$T_g - T_v = a_1 + b_1(T_s - T_a) \tag{3-30}$$

式中,a_1和b_1是经验系数,$a_1 = 0.76$,$b_1 = 1.0$。

另外,Norman 等(1995)用如下二源阻抗模型来计算显热通量:

$$H = \rho C_p \left(\frac{T_v - T_a}{r_{ah}} + \frac{T_g - T_a}{r_{ah} + r_s}\right) \tag{3-31}$$

其中,r_s是土壤表面的空气动力学阻抗,可用如下简化方程估算:

$$r_s = \frac{1}{a' + b' U_s} \tag{3-32}$$

式中:$a' \approx 0.004 \text{ms}^{-1}$,$b' \approx 0.012$;$U_s$是土壤表面以上某个高度处的风速,在这个高度土壤表面粗糙度的影响极小,其值可由冠层顶的风速和冠层高度来确定。

以上只是列出了其中几种遥感估算蒸散的方法,实际上还有许多如生长季累积 NDVI 方法、互补相关模型等也都可以用于估算流域蒸散。

综上所述,地表蒸散的研究,包括观测手段及模型计算都已取得了很大进展。另外,全球变化以及水文研究的需要,研究尺度也从传统的点上或局部研究转向区域或全球尺度,卫星遥感资料在地表蒸散研究中的作用也越来越大。卫星遥感估算蒸散量的方法也有其不足之处。首先,地表反照率及地表温度是蒸散估算中的关键因素,同时植被冠层的结构也会影响到地表粗糙度、空气动力学阻抗等,从而影响蒸散估算,而这些因素的精确测量还有一定的难度。其次,遥感无法提供一些重要的大气变量,如风速、气温、水汽压等,这些数据必须通过地面观测或者用大气边界层模型来模拟获得,在此过程中必然带来一定的误差。再次,卫星遥感所估算的是瞬时值,而水文研究往往更需要长时间段蒸散量。因此,如何利用地面资料与遥感资料相结合,使瞬时值外延到长时间段,实现时间尺度的转换,并利用多时相遥感资料监测地表水热过程的动态变化也是需要继续研究的课题。最后,由于地面观测资料只能是点上资料,而卫星遥感估算的是面上的资料,为了检验和改进遥感模型,必须进行由小到大、由点到面的尺度转换过程,但不同尺度的地表参数之间并不是一种简单的算术关系,因此研究一种行之有效的方法以实现这种空间尺度转换很有必要。

第二节　黄河流域典型地区日蒸散量的遥感估算

一、利用 SEBS 模型估算日蒸散

1993 年 Menenti 和 Choudhury(1993)提出与作物缺水指数概念相近的地表能量平衡指数 $SEBI$:

$$SEBI = \frac{\dfrac{(T_s - T_a)}{r_a} - \dfrac{(T_s - T_a)_w}{r_{aw}}}{\dfrac{(T_s - T_a)_d}{r_{ad}} - \dfrac{(T_s - T_a)_w}{r_{aw}}} \tag{3-33}$$

式中:r_a 是空气动力学阻抗;$r5_{ad}$、r_{aw} 分别表示在极端干和极湿情况下的空气动力学阻抗;$(T_s - T_a)_d$ 和 $(T_s - T_a)_w$ 分别表示在下垫面很干和很湿情况下的地气温差。下面我们以地表能量平衡系统(SEBS)模型(SuZ.,2002)为例说明 $SEBI$ 如何用于地表蒸散的估算。

在 SEBS 模型中,首先定义了相对蒸散(Λ_r,实际蒸散与潜在蒸散的比值):

$$\Lambda_r = \frac{\lambda E}{\lambda E_p} = 1 - SEBI \tag{3-34}$$

由 Penman-Monteith 公式我们可以推导得到地表与气温差值的表达式:

$$T_s - T_a = \frac{\dfrac{(r_a + r_c)(R_n - G_0)}{\rho C_p} - \dfrac{(e^* - e_a)}{\gamma}}{1 + \dfrac{\Delta}{\gamma} + \dfrac{r_c}{r_a}} \tag{3-35}$$

式中:γ 是干湿表常数;Δ 是温度饱和水汽压曲线斜率;r_c 是水汽传输的冠层阻抗,它与叶气温差、土壤水分含量等有关;e_a 是空气水汽压;e^* 是温度 T_s 下的饱和水汽压。由于式(3-35)中冠层阻抗不易获取,在实际计算时,地气温差由遥感图像反演得出的地表温度与气象观测气温计算得到。在极端湿润的下垫面,水汽充足,因此蒸发不受植被水分条件的限制,可假定 $r_c = 0$;在极端干旱的情况下,没有水汽以供蒸发,此时可假定 $r_c = \infty$。

空气动力学阻抗由奥布宁霍夫长度 L 计算:

$$r_a = \frac{1}{\kappa u_*}\left[\ln\left(\frac{z - d_0}{z_{0h}}\right) - \psi_h\left(\frac{z - d_0}{L}\right) + \psi_h\left(\frac{z_{0h}}{L}\right)\right] \tag{3-36}$$

$$L = -\frac{\rho C_p u_*^3 \theta_v}{\kappa g H} \tag{3-37}$$

$$u = \frac{u_*}{\kappa}\left[\ln\left(\frac{z - d_0}{z_{0m}}\right) - \psi_m\left(\frac{z - d_0}{L}\right) + \psi_m\left(\frac{z_{0m}}{L}\right)\right] \tag{3-38}$$

$$H = \rho C_p \frac{T_s - T_a}{r_a} \tag{3-39}$$

式中:u 是风速;u_* 是摩擦速度;θ_v 是近地表虚位温;g 是重力加速度;z 是高度;z_{0m} 和 z_{0h} 分别表示动量粗糙度和显热交换粗糙度,d_0 表示零平面位移,其中 z_{0m} 和 d_0 可通过植被冠层高度和叶面积指数等确定,z_{0h} 可通过其与动量粗糙度 z_{0m} 的经验关系确定;κ 是卡门常数;ψ_m 和 ψ_h 分别是热量和动量的稳定度校正项。四式联立迭代求解,即可求得动力学阻抗 r_a。

在极端干旱情况下,蒸发潜热项可忽略,因此显热通量 H_d 为

$$H_d = R_n - G_0 \tag{3-40}$$

此时的奥布宁霍夫长度、空气动力学长度及地气温差分别为

$$L_d = -\frac{\rho C_p u_*^3 \overline{\theta_v}}{\kappa g (R_n - G_0)} \tag{3-41}$$

$$r_{ad} = \frac{1}{\kappa u_*} \left[\ln\left(\frac{z - d_0}{z_{0h}}\right) - \psi_h\left(\frac{z - d_0}{L_d}\right) + \psi_h\left(\frac{z_{0h}}{L_d}\right) \right] \tag{3-42}$$

$$(T_s - T_a)_d = r_{ad} \frac{R_n - G_0}{\rho C_p} \tag{3-43}$$

其中,$\overline{\theta_v}$ 是地表与参考高度的平均位温。联立求解可得到 $(T_s - T_a)_d$ 和 r_{ad}。

在极端湿润情况下,能量平衡方程如下:

$$H_w = R_n - G_0 - \lambda E_w \tag{3-44}$$

由于潜热通量值达到最大,此时的奥布宁霍夫长度为

$$L_w = -\frac{\rho C_p u_*^3 \overline{\theta_v}}{\kappa g \cdot 0.61 \cdot (R_n - G_0)/\lambda} \tag{3-45}$$

空气动力学阻抗为

$$r_{aw} = \frac{1}{\kappa u_*} \left[\ln\left(\frac{z - d_0}{z_{0h}}\right) - \psi_h\left(\frac{z - d_0}{L_w}\right) + \psi_h\left(\frac{z_{0h}}{L_w}\right) \right] \tag{3-46}$$

地气温差为

$$(T_s - T_a)_w = \left(r_{aw} \frac{R_n - G_0}{\rho C_p} - \frac{e^* - e_a}{\gamma} \right) \bigg/ \left(1 + \frac{\Delta}{\gamma} \right) \tag{3-47}$$

蒸发占可利用能量的比例可用蒸发比例 Λ(evaporative fracton)表示:

$$\Lambda = \frac{\lambda E}{R_n - G_0} = \frac{\Lambda_r \cdot \lambda E_w}{R_n - G_0} \tag{3-48}$$

在假定蒸发比例一日当中不变的情况下,可由瞬时蒸发比例结合日总可利用能量计算得到日蒸散值。

利用 2001 年 9 月 4 日 1km 分辨率的 MODIS 产品数据,由 SEBS 模型计算了泾河北洛河流域(东经 106.1~110.2 度,北纬 34.2~27.2 度)的日蒸散量。所用 MODIS 产品数据包括:地表温度 LST、发射率 EMIS、归一化植被指数 NDVI、反射率 Albedo。其中地表温度与发射率是每日卫星过境时的观测值,NDVI 与反射照率是 16 天合成值,反照率采用白半球(white sky)全色波段的反照率。原始图像的投影为 Integerized Sinusoidal 投影,利用 MODISTOOL 投影转换软件将原始图像转换为等积圆锥投影。

气象资料包括日最高、最低、平均气温、水汽压、风速、气压、日照时数,经 Kriging 插值法插值得到 1km 分辨率的气象要素空间分布图。温度在插值时考虑了地形的影响,首先将站点温度订正到海平面温度进行插值,再通过 DEM 高程值反算回实际高程的气温。模型在计算时,气温观测时间与卫星过境时刻一致,而实际情况并不是这样,因此结合日最高、最低气温,采用两段正弦曲线拟合得到卫星过境时刻气温。卫星过境时刻的瞬时净辐射及日净辐射量结合天文辐射及日照百分率计算。SEBS 模型中需要大气边界层的信息,主要包括大气边界层高度及在大气边界层高度处的气压、风速、位温、相对湿度等,这些资料都取自 NCAR 再分析数据。

经计算得到瞬时蒸发比(图3-3(a))及日蒸散量结果(图3-3(b))。图3-3(a)中,黑色区域是无值区,主要是受云的影响,卫星无法观测到地表温度。从图上可以看出,蒸发比在0~0.8之间,在流域南部海拔较低地区蒸发比较大,而在北部,受气候及土壤水分状况的影响蒸发比很小。日蒸散量基本在0~5mm之间,且从南向北减小。尽管没有地面实测资料的验证,但计算结果也反映出了地形等的影响,空间分布比较合理,说明利用MODIS资料估算区域蒸散量是可行的。

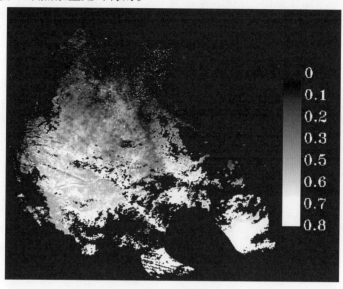

(a)瞬时蒸发比

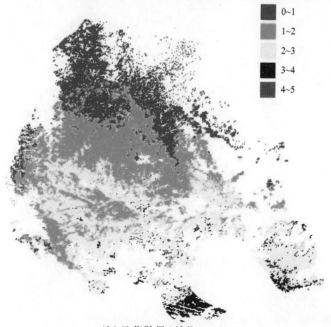

(b)日蒸散量(单位:mm)

图3-3　2001年9月4日泾河北洛河流域瞬时蒸发比和日蒸散量空间分布图

二、利用 LANDSAT - TM/ETM$^+$数据估算日蒸散量

传统方法采用 NOAA/AVHRR 遥感数据计算区域蒸散,国内外已取得了大量的研究成果(Zhang,1995;张仁华等,2001)。采用 NOAA/AVHRR 计算的区域蒸散,由于卫星传感器分辨率低(1.1km × 1.1km),在绝大多数情况下,计算的是混合像元下垫面的蒸散(发),计算结果相对比较粗糙。因此,非常有必要提高区域地表蒸散计算的分辨率。在黄河流域研究中建立了基于高分辨率 TM/ETM$^+$遥感数据的区域水热通量模型。本模型的关键是估算地表土壤水分,采用地表温度(T_s) - 植被覆盖度(f_c)的梯形关系,计算地表的土壤水分状况,采用"现状"三角计算模式,即直接根据遥感反演的 T_s 和 f_c 的三角(梯形)关系,建立估算地表温度 - 植被覆盖度指数($TVCI$)的计算模式。潜热通量基于 $TVCI$ 和潜在潜热通量(λE_p)计算,λE_p 分为植被潜在蒸腾速率和土壤潜在蒸发速率两部分进行计算。采用高分辨率的 LANDSAT - TM/ ETM$^+$遥感数据,结合地表同步的气象观测资料计算区域地表水热通量,并通过地表的水热通量试验结果验证模型模拟的地表水热通量。

(一)区域地表水热通量的算法

模型采用遥感技术结合地表同步的观测数据计算区域蒸散,共分为地表温度 - 植被覆盖度指数($TVCI$)、空气动力学阻力(r_a)、能量平衡各分量、潜热通量等 4 部分(见图 3-4)。模型需输入的数据包括遥感反演的地表温度、反照率和植被指数等,试验站与同步测定的气温(T_a)、水汽压(或相对湿度)、风速、太阳总辐射等数据。

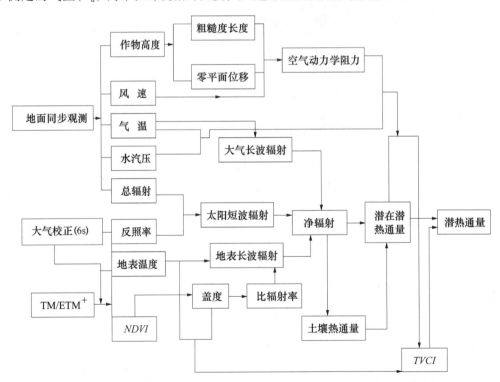

图 3-4　基于高分辨率 LANDSAT - TM/ETM$^+$数据的区域地表水热通量流程

1. 地表温度 – 植被覆盖度指数（$TVCI$）

计算地表温度 – 植被覆盖度指数，需构建 T_s – f_c "现状" 三角模型，首先建立以下 3 个假设：①计算区域地表土壤湿度变化较大，即在某种植被覆盖条件下（f_c），总是存在某些 "干燥点"，其地表蒸发接近于 0，同时在整个区域范围内存在某些 "湿润点" 像元，其地表蒸发接近于 λE_p；②在给定的植被条件下（$f_c > 0$），$TVCI$ 随着 T_s 的增加而线性增加；③在某种土壤湿度条件下，T_s 随着植被覆盖的增加而线性增加。根据以上 3 个假设，可用 "现状" 三角（或梯形）估算区域的 $TVCI$（见图 3-5）。$TVCI = 0$ 点可采用直线线性拟合，拟合的直线称为 "干边"，其斜率小于 0；$TVCI = 1$ 点可用直线拟合，直线称为 "湿边"，其斜率为 0。区域内的 $TVCI$ 可采取下式估算：

$$TVCI = \frac{T_s - T_{smin}}{T_{smax} - T_{smin}} \qquad (3-49)$$

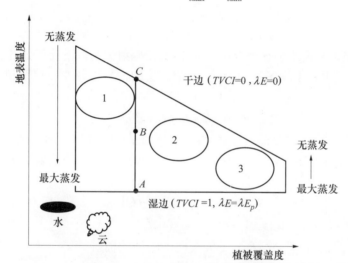

图 3-5 植被覆盖度（f_c）与地表温度（T_s）的 "现状" 三角关系分析

f_c 为植被覆盖度；$TVCI$ 为地表温度 植被覆盖度指数；λE 为实际潜热通量；λE_p 为潜在潜热通量；B 点的 $TVCI$ 为 BC 与 AC 的比值。1：裸土；2：部分植被覆盖；3：全部植被覆盖

式中，T_{smin} 和 T_{smax} 是 "湿边"（$\lambda E = \lambda E_p$）和 "干边"（$\lambda E = 0$）温度。首先从 0 ~ 1 按照一定的步长（0.01）选择植被覆盖度（f_c），然后在给定的 f_c 条件寻找 T_s 的极大值下，最后对寻找的极大 T_s 与 f_c 回归分析，进行参数拟合，拟合线性方程确定的直线为 "干边"，即

$$T_{smax} = a + bf_c \qquad (3-50)$$

式中，a 和 b 为截距和斜率。湿边的拟合相对比较困难，给定植被覆盖条件的地表温度极小值，受到云和地表滞水的影响而失真，非地表土壤湿润条件下的地表温度。本研究首先使 $f_c = 0.5$，然后以 0.01 的步长增加，寻找 f_c 大于 0.5 时，像元对应地表温度的最小值，直至 f_c 达到最大值；然后将选择的不同 f_c 条件下最小地表温度取平均，作为最小地表温度（T_{smin}）。这样做基本消除了云和地表滞水对最小地表温度的影响，因为通过对 f_c 与 T_s 的散点图分析发现，地表温度下陷时，f_c 一般都小于 0.5，且植被覆盖度越高时，对应的最小 T_s 变化较小，因此平均最小地表温度有代表性。f_c 最高值对应的最小地表温度与气温很

接近,当缺少地面气温资料时可用其代替气温。因此,"湿边"取为常数:

$$T_{smin} = c \tag{3-51}$$

估算的"湿边"在植被覆盖度小的时候可能会过高估算 $TVCI$。

f_c 可通过 $NDVI$(归一化差值植被指数)计算,公式为

$$f_c = \left(\frac{NDVI - NDVI_{min}}{NDVI_{max} - NDVI_{min}} \right)^2 \tag{3-52}$$

式中:$NDVI_{min}$ 是作物生育季的最小植被指数;$NDVI_{max}$ 为作物生育季的最大植被指数。$NDVI$ 可通过近红外和红光波段的地表反射率求算:

$$NDVI = \frac{\alpha_{nir} - \alpha_{red}}{\alpha_{nir} + \alpha_{red}} \tag{3-53}$$

式中:α_{nir} 和 α_{red} 分别为近红外和红光波段反射率,LANDSAT - TM 分别为第 4 和第 3 波段反射率。

2. 净辐射(R_n)和土壤热通量(G)

陆地表层能量的分配遵循地表能量平衡原理,净辐射分为以下几部分,包括大气湍流热交换、陆地植被蒸腾和土壤蒸发的耗热、土壤表层的传导性热交换以及植被光合耗热等,用公式表示为

$$R_n = \lambda E + H + G + P \tag{3-54}$$

式中:R_n 为净辐射通量;H 为显热通量;G 为土壤热通量;P 为植被光合、生物量累积消耗能量,P 相对于其他分量数量很小,实际计算中一般可以忽略。净辐射通量(R_n)的算法为

$$R_n = (1 - \alpha) Q + L \downarrow - L \uparrow \tag{3-55a}$$

$$R_n = (1 - \alpha) Q + \varepsilon \sigma (\varepsilon_a T_a^4 - T_s^4) \tag{3-55b}$$

式中:Q 是太阳短波辐射,W/m^2;$L \downarrow$ 是大气向下的长波辐射,W/m^2;$L \uparrow$ 是地表向上的长波辐射,W/m^2;T_s 是辐射地表温度,K;T_a 是气温,K;α 是地表反照率;ε 是地表比辐射率;σ 为 Stefan-Boltzmann 常数;ε_a 是大气有效辐射率,其计算公式为(Brutsaert,1975)

$$\varepsilon_a = 1.24 \left(\frac{e_a}{T_a} \right)^{1/7} \tag{3-56}$$

式中,e_a 是实际水汽压,hPa。地表比辐射率通过裸土和植被的加权平均计算而得,其计算公式为

$$\varepsilon = \varepsilon_v f_c + \varepsilon_s (1 - f_c) \tag{3-57}$$

式中:ε_v 是植被比辐射率,取 0.98;ε_s 是裸土比辐射率,取 0.96;f_c 是植被覆盖率。

土壤热通量(G)主要由 R_n 控制,同时受植被指数、地表温度、地表反射率的影响。在一定的植被覆盖条件下,G 可通过 R_n、植被指数、地表温度、地表反射率计算(Bastiaanssen,1995),即

$$G = \Gamma R_n \tag{3-58}$$

$$\Gamma = \frac{T_s - 273.16}{\alpha} (0.003\,2\alpha + 0.006\,2\alpha^2)(1 - 0.978 NDVI^4) \tag{3-59}$$

在裸地条件下,G 主要由 R_n 控制,G 约为 R_n 的 0.2 倍,即

$$G = 0.2R_n \tag{3-60}$$

3. 空气动力学阻力(r_a)

基于近地层相似性理论,空气动力学阻力可以通过热传输阻力(r_{ah})和剩余阻力(r_x)计算(Brutsaert,1982;Zhang,1995):

$$r_a = r_{ah} + r_x \tag{3-61}$$

$$r_{ah} = \frac{1}{\kappa^2 u}\left[\ln\left(\frac{z_r - d}{z_{0m}}\right) - \psi_m\right]\left[\ln\left(\frac{z_r - d}{z_{0h}}\right) - \psi_h\right] \tag{3-62}$$

$$r_x = \kappa B^{-1}\frac{1}{\kappa^2 u}\left[\ln\left(\frac{z_r - d}{z_{0m}}\right) - \psi_m\right] \tag{3-63}$$

式中:d、z_{0m}、z_{0h}分别为零平面位移、动量粗糙度和感热的粗糙度;κ为卡门常数(0.41);z_r为参考高度;u为参考高度z_r的风速;ψ_h、ψ_m分别为感热、动量的稳定度订正函数,ψ_h和ψ_m由Businger-Dyer方程决定(Businger,1988;Sugita和Brusaert,1990)。Carlson等(1995)认为参数κB^{-1}考虑了空气动力学与辐射地表温度差、辐射地表温度以及不同地表间能量的交换等因素的影响。$\kappa B^{-1} = \ln(z_{0m}/z_{0h})$,$z_{0h}$用下式估算:

$$z_{0h} = z_{0m}\exp^{\left(-6.27\kappa u^* \frac{1}{3}\right)} \tag{3-64}$$

$$u^* = \frac{\kappa u}{\ln\left(\dfrac{z_r - d}{z_{0m}}\right)} \tag{3-65}$$

式中,u^*为摩擦风速。

4. 潜热通量(λE)

潜热通量(λE)由$TVCI$和λE_p求算,计算公式为

$$\lambda E = (1 - TVCI)\lambda E_p \tag{3-66}$$

其中

$$\lambda E_p = \lambda E_{pv} + \lambda E_{ps} \tag{3-67}$$

式中,λE_{pv}和λE_{ps}分别为植被潜在蒸腾和土壤潜在蒸发,根据下面两式计算:

$$\lambda E_{pv} = \frac{\Delta R_{nc} + \rho_a C_p VPD/r_a}{\Delta + \gamma(1 + r_{cp}/r_a)} \tag{3-68}$$

$$\lambda E_{ps} = \frac{\Delta}{\Delta + \gamma}(0.92R_{ns} + 0.4R_{ns}^2/R_{nc}) \tag{3-69}$$

式中:Δ是饱和水汽压-温度曲线的斜率;λ为水的汽化潜热;γ为干湿球常数;ρ_a为空气密度;R_{ns}为土壤净辐射;R_{nc}为植被净辐射;VPD为水汽压差;r_a为空气动力学阻力;r_{cp}为潜在蒸散的冠层阻力($r_{cp} = r_{sp}/(0.5 \times LAI)$,$r_{sp}$为最小气孔阻力)。$R_{ns}$和$R_{nc}$可通过下面两式计算:

$$R_{ns} = R_n\exp(-0.55LAI) \tag{3-70}$$

$$R_{nc} = R_n - R_{ns} \tag{3-71}$$

其中,LAI为叶面积指数。

(二)遥感数据和地面数据的准备和处理

从中国遥感卫星地面站购买了黄河流域小浪底地区LANDSAT-5 TM的高分辨率遥

感数据,可见光、近红外波段(第1、2、3、4、5、7波段)的地面分辨率为30m×30m,热红外波段(第6波段)的地面分辨率为60m×60m。卫星过境时间为1993年4月25日上午10:50(北京时间)。遥感数据为经过系统校正后的2级产品(具有空间投影)。首先采用6s大气辐射校正软件对原始影像各波段的DN值进行了大气辐射校正,将经过大气辐射校正后的影像输入遥感图像处理软件ENVI3.6获取不同波段的地表反照率、归一化差值植被指数($NDVI$)、亮温等数据。由于LANDSAT-5 TM获取的是窄波段的反射率,我们首先对影像进行非监督影像分类,区分地表为裸地和植被覆盖条件,然后通过第2和第4波段的加权平均获取裸地和植被覆盖条件下的地表反照率(Brest和Goward,1987)。

气象数据来自于全国标准气象站数据,获取了本研究区域及其毗邻区域44个站点的气象数据,包括气压、气温、相对湿度、风速、日照时数等,其中气压、气温、相对湿度、风速为每天02:00、08:00、14:00和20:00的4次观测值。采用三次样条函数法将4点数据内插为卫星过境时的气压、气温、相对湿度和风速等。将44个站点的实际气温订正到海平面高度处的气温。然后在ARCGIS8.3中采用反距离权重法将44个站点的气压、气温、相对湿度、风速和日照时数等数据内插到本研究区域。DEM数据来自于USGS EROS数据中心,截取本研究区域,然后经重采样获取空间分辨率为60m×60m,DEM数据用于气温的校正。土地利用数据来自于中科院地理资源所数据中心1:10万的土地利用类型图(ETM分类结果,2000年度),截取本研究区域,经重采样获取空间分辨率为60m×60m,土地利用数据确定不同的下垫面类型,判断植被的高度,计算空气动力学导度等。

（三）结果分析

根据"现状"三角法计算黄河流域小浪底区域周围的$TVCI$,如图3-6所示为1993年4月26日研究区$TVCI$的区域分布。由图可见,在黄河干流南北沿岸$TVCI$普遍较高,研究区的西南地区$TVCI$比较低。$TVCI$的这种区域分异与区域内$NDVI$的区域分布基本一致,$NDVI$比较高的地区一般来说土壤水分供应比较充足。图3-7为卫星过境时刻$NDVI$区域分布,黄河干流北岸区域覆盖度比较高,$NDVI$值大,东南部一带$NDVI$普遍比较大。

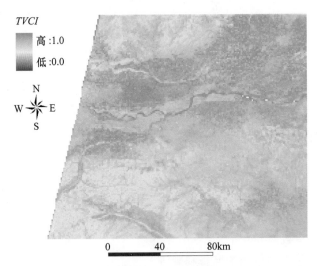

图3-6 "现状"三角法估算的小浪底周围地表温度-植被覆盖度系数($TVCI$)的区域分布(1993-04-26)

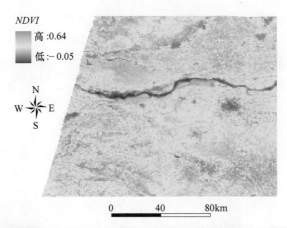

图 3-7 LANDSAT – TM 数据提取黄河小浪底周围归一化差值植被指数($NDVI$)的区域分布(1993 – 04 – 26)

图 3-8 为小浪底周围能量平衡各分量的区域分布图。区域内地表净辐射区域分布特征不明显,净辐射值一般为 $450W/m^2$ 左右; λE 具有明显的区域分布特征,在黄河干流南北两岸以及研究区东南部一带, λE 值比较高,其他地带相对较低,这与植被指数的区域分布特征是一致的(见图 3-7),反映了植被长势条件对潜热传输的影响作用。 H 的区域分布与 λE 的区域分布正好相反,在植被指数比较小的地带,地表潜热传输比较弱,反之湍流交换比较强烈;而植被指数大的地带,湍流热交换比较弱,土壤热通量区域变化比较小,其在地表能量平衡中不是主要分量。

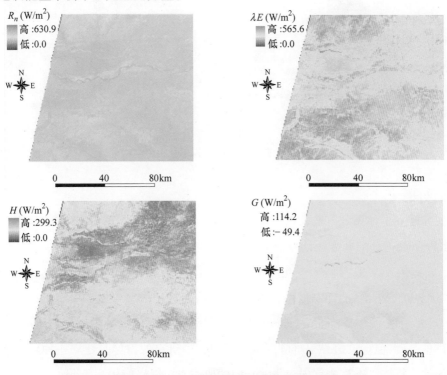

图 3-8 小浪底周围地表水热通量的区域分布特征(1993 – 04 – 26)

(R_n :净辐射; λE :潜热通量; H :感热通量; G :土壤热通量)

研究区地表能量平衡的频率分布特征接近正态分布(见图3-9)。R_n 的频率分布高值区出现在 450W/m² 左右;λE 频率分布的高值区约为 250W/m²;H 的频率分布高值约为 150W/m²;G 的频率分布为典型的正弦曲线,频率分布高值区约为 50W/m²。

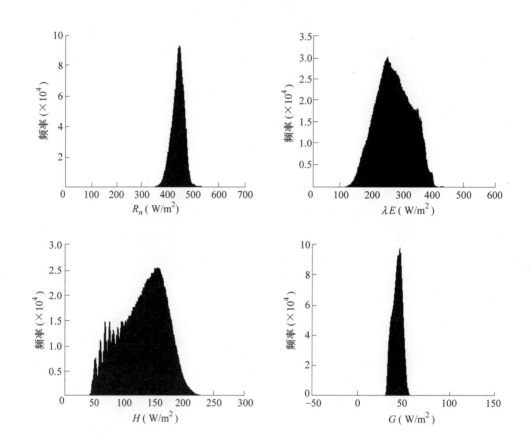

图 3-9　地表能量平衡的频率分布特征

(四)讨论

本研究建立了计算区域地表水热通量的算法。通过 VI - T$_s$ 三角法计算了地表的 *TVCI*,结合 Penman-Monteith 方法计算的 λE_p 估算了地表的实际蒸散。算法的关键是计算地表的 *TVCI*,运用 VI - T$_s$"现状"三角算法估算地表的 *TVCI*。三角算法虽然具有一定的经验性,其优势就是灵活、简单、适用,避免了许多物理过程的复杂计算。Moran 等(1994, 1996)的梯形算法通过 Penman-Monteith 方程计算地表与大气温差的四种理论边界,具有较强的理论基础,但理论边界很难应用于实践中。本研究的目标是建立一种计算地表水热通量的适用算法。本算法首先在华北平原的典型农田得以应用和验证。结果显示基于"现状"三角法计算的 λE 与地表波文比 - 能量平衡测定的 λE 比较一致。

第三节　互补相关模型估算黄河流域月蒸散量

1963 年,Bouchet 首先提出区域尺度上实际蒸散与潜在蒸散之间的互补相关性,并用该方法对地表蒸散进行了估算。这种方法成功地避开了复杂的"土壤－植物"系统,不需要径流和土壤湿度资料,只用常规气象资料,因此便于大范围推广。基于互补相关原理,Morton(1965,1976,1983)、Brutsaert 和 Stricker(1979)、Granger(1989)分别提出了估算区域蒸散量的模型。近 20 多年来,许多学者利用该类模型计算了区域蒸散量(Kovacs,1987;张志明,1988;冯国章,1994;胡凤彬等,1994;Hobbins 等,1999;徐兴奎等,1999),也有人利用观测资料或其他模型的模拟结果对一些互补相关模型进行比较并改进了模型(Lemeur 等,1990;Hobbins 等,2001a,2001b;Sugita 等,2001;Szilagyi,2001)。

遥感技术的发展,为监测地表植被及土壤水分的动态变化提供了可能,由于地表植被覆盖状况及土壤水分的变化会影响到地表反照率的变化,从而影响到地表净辐射的大小。因此,结合遥感资料估算蒸散量不但可以比较好地反映蒸散的季节变化和年际变化,而且所得到的蒸散的空间分布更加接近真实情况。1999 年,徐兴奎等人探讨了卫星遥感数据结合互补相关理论估算区域蒸散的可行性。

本节结合多时相遥感数据,对三种互补相关模型(平流－干旱模型、CRAE 模型和 Granger 模型)在黄河流域应用的结果进行分析,并探讨模型经验参数的变化规律(刘绍民等,2004)。

一、模型所需数据

遥感资料采用美国 NASA Pathfinder AVHRR 陆地数据集逐句第 1、2 通道反射率数据空间分辨率为 8km,时间为 1981～2000 年。在计算的时候对影像进行了初步的判断,对那些明显受云的干扰而使反射率增加的资料加以剔除,然后由一月三旬的反射率数据平均得到月反射率。初始影像的投影为古德投影,为了便于研究,首先将其投影转换为等积圆锥投影,并截取出黄河流域。

气候资料由中国气象局气候资料中心提供,包括黄河流域内及周围地区 157 个气象台站 1981～2000 年的月平均、最高、最低气温,地表温度,月降水量,日照时数,平均风速,湿度及云量等。气象站点的空间分布见图 3-10。点上气候资料经 Kriging 插值法插值得到流域面上的栅格数据。其中,气温在插值时进行了高程订正,即首先利用高程资料将台站地表温度和气温订正到海平面高度,然后进行插值,插值后的结果再利用 8km 分辨率的数字高程模型订正到实际高程。在订正时,采用的气温随高程的递减率为0.5℃/100m。同时,为了拟合地表太阳总辐射与天文辐射的回归方程,采用了同期 35 个辐射站的月总辐射资料。为了检验互补相关模型,我们选用兰州、头道拐、龙门、三门峡及花园口 5 个水文站(见图 3-10)1981～2000 年的年径流观测资料,利用水量平衡法,结合降水资料确定不同分区平均年蒸散量。

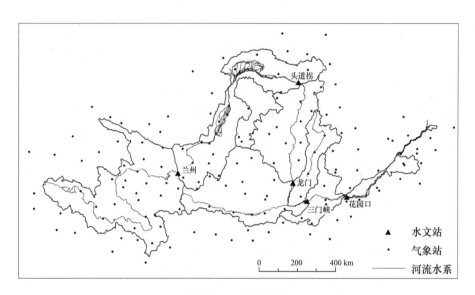

图 3-10　黄河流域分区及气象站点分布图

二、互补相关原理及模型

Bouchet（1963）提出：在长 1～10km 大而均匀的表面，外界能量不变，当水分充足时，表面上的蒸散为湿润环境蒸散 ET_w。若土壤水分减少，则实际蒸散 ET_a 也将减小，原先用于蒸散的能量过剩，则

$$ET_w - ET_a = q \tag{3-72}$$

当蒸散减少时，若无平流存在，能量保持不变，实际蒸散 ET_a 的减少将使该地区的温、湿度等发生变化，因而剩余能量将增加潜在蒸散 ET_p，其增加量应与剩余能量相等，即

$$ET_p = ET_w + q \tag{3-73}$$

两式联立，得到

$$ET_p + ET_a = 2ET_w \tag{3-74}$$

式（3-74）即为陆面实际蒸散与潜在蒸散互补关系的表达式，图 3-11 说明了二者之间的相互关系。当土壤供水充足情况下，实际蒸散、潜在蒸散的值相等，都等于湿润环境下的蒸散；当供水不足的情况下，潜在蒸散增加，实际蒸散减少。

本书对黄河的研究采用了 3 种互补相关模型：Brutsaert 和 Stricker 的平流干旱（Advection Aridity）模型、Morton 的 CRAE（Complementary Relationship Areal Evapotranspiration）模型以及 Granger 模型。

（一）平流－干旱模型

平流－干旱模型是 Brutsaert 和 Stricker（1979）依据 Bouchet 的互补相关原理，用 Penman 公式计算潜在蒸散，用 Priestley-Taylor 公式计算湿润表面蒸散，从而得到计算实际蒸散的模型：

$$ET_a = 2\alpha \frac{\Delta}{\Delta + \gamma}(R_n - G) - \left[\frac{\Delta}{\Delta + \gamma}(R_n - G) + \frac{\gamma}{\Delta + \gamma}E_a \right] \tag{3-75}$$

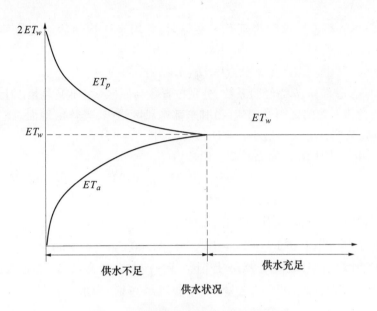

图 3-11　区域蒸散互补相关模型示意图

式中:α 为常数;Δ 是温度 – 饱和水汽压曲线的斜率;γ 是干湿表常数;R_n 是地表净辐射;G 是土壤热通量;E_a 是干燥力。Priestley 和 Taylor(1972)分析了海洋和大范围饱和陆面资料,认为常数 α 的最佳值为 1.26。

1. 地表净辐射的计算

地表净辐射 R_n(W/m^2):

$$R_n = (1 - r)Q - R_{nl} \tag{3-76}$$

其中:Q 是到达地表的太阳总辐射;r 是地表反照率;R_{nl} 是地表净长波辐射。Q 由天文辐射结合日照时数来计算,其中大气顶天文辐射 Q_0(W/m^2):

$$Q_0 = \frac{10^6}{24 \times 60 \times 60} \frac{24 \times 60 I_0}{\pi R^2}(\omega_0 \sin\varphi \sin\delta + \cos\varphi \cos\delta \sin\omega_0) \tag{3-77}$$

式中:I_0 为太阳常数(0.082 02MJ/m^2);R 为以日地平均距离为单位的日地距离;δ 为太阳赤纬;φ 为地理纬度;ω_0 为日出日落时角:

$$\omega_0 = \arcsin\sqrt{\frac{\sin(45 + \frac{\varphi - \delta + \delta'}{2})\sin(45 - \frac{\varphi - \delta - \delta'}{2})}{\cos\varphi\cos\delta}} \tag{3-78}$$

其中,δ' 为太阳在地平线处的屈折率,一般为 34′。

日地距离 R 由下式计算(左大康等,1991):

$$1/R^2 = 1.000\ 109 + 0.033\ 494\ 1\cos\theta + 0.001\ 472\sin\theta + 0.000\ 768\cos2\theta + 0.000\ 079\sin2\theta \tag{3-79}$$

式中,$\theta = 2\pi(d_n - 1)/365$,其中 d_n 表示太阳历的日期排列序号,以 1 月 1 号为 1。

太阳赤纬 δ(rad)由下式估算(左大康等,1991):

$$\delta = 0.006\ 894 - 0.399\ 512\cos\theta + 0.072\ 075\sin\theta - 0.006\ 799\cos2\theta +$$
$$0.000\ 896\sin2\theta - 0.002\ 689\cos3\theta + 0.001\ 516\sin3\theta \tag{3-80}$$

天文辐射日值经累加求和得到月天文辐射,并用来计算到达地表的月太阳总辐射 $Q(\mathrm{W/m^2})$:

$$Q = Q_0(a + bS) \tag{3-81}$$

式中:S 为日照百分率;a、b 为经验系数,分别按青藏高原区(主要是兰州以上区间)、西部干旱区(包括兰州—龙门区间及内流区)和东部季风区给出,具体由地面总辐射观测资料结合天文辐射、日照百分率用最小二乘法拟合得到。

反射率 r 由下式计算(Valiente 等,1995):

$$r = 0.545r_1 + 0.320r_2 + 0.035 \tag{3-82}$$

式中,r_1、r_2 为 AVHRR 通道 1、2 的反射率。

净长波辐射 $R_{nl}(\mathrm{W/m^2})$(孙治安等,1986):

$$R_{nl} = \varepsilon\sigma[T_0^4 - T^4(1.035 - 0.295\mathrm{e}^{-0.166W_\infty})](1 - 0.54\mathrm{e}^{0.02Z^2} \cdot n) \times 0.965\mathrm{e}^{0.18Z} \tag{3-83}$$

式中,ε 是地表比辐射率,取值 0.95;σ 是斯蒂芬－波尔兹曼常数;T_0 为地表温度;T 为气温,K;Z 为海拔高度,km;n 为总云量(以小数表示);W_∞ 为水汽含量,$\mathrm{g/cm^3}$,按下式计算:

$$W_\infty = (0.1054 + 0.1513e_d)\mathrm{e}^{0.06Z} \tag{3-84}$$

式中,e_d 为实际水汽压,hPa。

2. 土壤热通量的计算

土壤热通量 $G(\mathrm{W/m^2})$ 可表示为(Allen 等,1998):

$$G = 0.07\frac{10^6}{24 \times 60 \times 60}(T_{i+1} - T_{i-1}) \tag{3-85}$$

式中,T_{i+1}、T_{i-1} 分别为后一个月和前一个月的平均气温,℃。

3. 干燥力 E_a 的计算

干燥力 $E_a(\mathrm{W/m^2})$ 用饱和水汽压差和 2m 高度处风速 u_2 来估算(Prere 等,1979):

$$E_a = 0.26 \times 2.4702 \times \frac{10^6}{24 \times 60 \times 60}(e_s - e_d)(1 + Cu_2) \tag{3-86}$$

式中:e_s、e_d 分别为饱和水汽压和实际水汽压;C 为风速修正系数:

$$C = \begin{cases} 0.54 & (T_{max} - T_{min} \leqslant 12℃ \quad 或 \quad T_{min} \leqslant 5℃) \\ 0.07(T_{max} - T_{min}) - 0.265 & (T_{min} > 5℃, \quad 12℃ < (T_{max} - T_{min}) \leqslant 16℃) \\ 0.89 & (T_{min} > 5℃, \quad 16℃ < (T_{max} - T_{min})) \end{cases} \tag{3-87}$$

式中,T_{max}、T_{min} 是月平均最高温度和月平均最低温度。

(二)CRAE 模型

Morton(1983)根据 Bouchet 的互补相关理论,引入平衡温度概念,并联立能量平衡方程与水汽输送方程得出可能蒸散量 E_P:

$$E_P = Q_T - \lambda_P f_T(T_P - T_a) = f_T(e_P - e_d) \tag{3-88}$$

式中:Q_T 为可利用能量;λ_P 是热传导系数;f_T 为水汽输送系数;T_P 为平衡温度;T_a 为气温;e_P 为平衡温度下的饱和水汽压;e_d 为实际水汽压。

利用经验公式求解湿润环境蒸散量 E_w:

$$E_w = b_1 + b_2 \left[1 + \gamma P_0 (P/P_0)/\Delta_P \right]^{-1} Q_{T_P} \qquad (3\text{-}89)$$

式中：Q_{T_P} 为 T_P 对应的可利用能量；P 为大气压；P_0 为海平面大气压；b_1、b_2 为经验系数，b_1 表示湿润环境蒸散（E_w）可利用的最小能量，b_2 类似平流 – 干旱模型中的 Priestley 和 Taylor 系数 a。Morton（1983）应用美国、加拿大等地资料，得出：$b_1 = 14 \text{W/m}^2$；$b_2 = 1.2$。

在求出 E_P 和 E_w 后，代入式(3-88)计算出实际蒸散量 E_A：

$$E_A = 2 \left\{ b_1 + b_2 \left[1 + \gamma P_0 (P/P_0)/\Delta_P \right]^{-1} Q_{T_P} \right\} - \left[Q_T - \lambda_P f_T (T_P - T_a) \right] \qquad (3\text{-}90)$$

（三）Granger 模型

Granger（1989）依据 Bouchet 的原理，选择表面饱和、大气参量和表面温度不变时的蒸散量为潜在蒸散，选择表面饱和、大气参量和能量不变时的蒸散为湿润环境蒸散，运用 Dolton 的蒸发定律推导出实际蒸散与潜在蒸散的定量互补关系，进一步引进相对蒸散的概念，得出估算实际蒸散量 E_A 的方程：

$$E_A = \frac{\dfrac{\Delta}{\gamma} R (R_n - G) + R E_a}{\dfrac{\Delta}{\gamma} R + 1} \qquad (3\text{-}91)$$

式中，R 为相对蒸散，与相对干燥力 $D (D = E_a / (R_n - G + E_a))$ 的关系式为：

$$R = \frac{1}{1 + b_2 \exp(b_1 D)} \qquad (3\text{-}92)$$

式中，b_1、b_2 为经验系数，Granger（1989）利用不同下垫面上的观测资料（如农作物、牧草、休耕地、留茬地等）认为：$b_1 = 8.045$；$b_2 = 0.028$。

三、不同模型蒸散结果比较及误差分析

为了检验平流 – 干旱模型、CRAE 模型以及 Granger 模型的计算精度，用下式来计算水量平衡闭合误差 ε：

$$\varepsilon = \frac{\sum\limits_{i-1}^{20} \sum\limits_{j=1}^{12} (E_A^{Model} - E_A^W)}{\sum\limits_{i=1}^{20} \sum\limits_{j=1}^{12} P} \times 100\% \qquad (3\text{-}93)$$

式中：E_A^{Model} 为互补相关模型计算的蒸散量；E_A^W 是水量平衡方程计算的蒸散量；i、j 分别表示年份和月份。

1981～2000 年期间，平流 – 干旱模型、CRAE 模型和 Granger 模型估算的黄河流域年蒸散量与水量平衡方法计算值的变化趋势是基本相同的，但互补相关模型估算值的变化比较平缓（见图 3-12）。与水量平衡方法相比，平流 – 干旱模型的平均误差为 4.1%、CRAE 模型的误差是 6.1%、Granger 模型的误差为 6.1%（见表 3-1）。互补相关模型估算误差较大的年份为干旱的 1986、1991、1997 年（年降水量少于 380mm）以及转折年 1992 年（降水量大于 470mm），其余各年的误差都在 10% 以下。互补相关模型的最大误差出现的年份均为 1986 年，而误差最小的年份则不同，平流 – 干旱模型、CRAE 模型、Granger 模型分别为 1996、1999、1995 年。分析原因，一方面说明互补相关模型对环境的极端水分状

况(如极端干旱、湿润等年份)的响应存在滞后现象;另一方面由于在水量平衡计算中存在误差,水量平衡法是用水量平衡方程中一个剩余项来推求蒸发量的,所以容易产生一种未知误差。在黄河流域计算中,没有考虑土壤蓄水变化量,因此干旱年份水量平衡方法计算的年蒸散量偏小,而在湿润年份水量平衡方法计算的年蒸散量偏大。

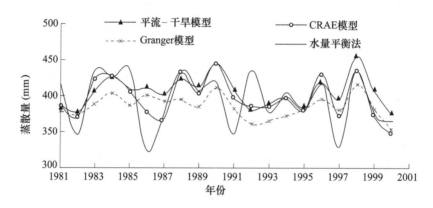

图 3-12　互补相关模型估算的黄河流域(花园口以上)蒸散量的年际变化比较

表 3-1　互补相关模型估算的黄河流域(花园口以上)蒸散量的误差比较(1981~2000 年)

模　　型	平流 - 干旱模型	CRAE 模型	Granger 模型
最大相对误差(%)	26.3(1986)	16.1(1986)	22.8(1986)
最小相对误差(%)	-0.5(1996)	-0.1(1999)	0.2(1995)
平均相对误差(%)	4.1	6.1	6.1

从图 3-13 中可看出,各种互补相关模型估算的黄河流域平均月蒸散量的变化趋势与降水量的季节变化一致。平流 - 干旱模型估算的黄河流域月蒸散量在 7、8 月份最高,达 90mm,而 1、2、11、12 月份最小,仅 3mm。其中平流 - 干旱模型估算的月蒸散量大部分时间都小于同期降水量,只有 4~6 月份大于降水量。4~6 月份正是黄河流域的枯水期,降水量比较少,农作物则进入旺盛生长期,此时黄河流域主要通过水库的调节进行灌溉来满足农作物正常生长的需要,蒸散量比较大,超过了降水供给。到 7 月份以后,黄河流域逐渐进入雨季,降水量又超过蒸散量。因此,平流 - 干旱模型估算的黄河流域月蒸散量的季节分布是合理的。CRAE 模型与 Granger 模型估算的黄河流域月蒸散量在 7、8 月份最高,为 60~75mm,而 1、2、11、12 月份最小,为 5~20mm。其变化规律基本与平流 - 干旱模型一致。但 CRAE 模型和 Granger 模型都存在冬季(11、12、1、2 月份)蒸散量估算过高的问题,其中 CRAE 模型估算的冬季月蒸散量在 15mm 左右,Granger 模型估算的冬季月蒸散量在 10mm 左右。

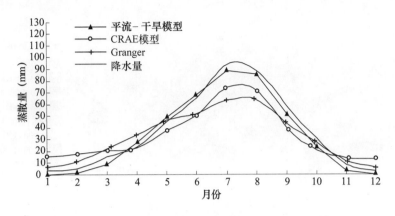

图 3-13　黄河流域(花园口以上)月蒸散量动态变化比较

四、1981～2000 年黄河流域蒸散量的变化规律

由于平流－干旱模型的计算结果误差比较小,因此我们利用其结果就 1981～2000 年 20 年的黄河流域蒸散量的变化规律进行了分析。

(一)黄河流域蒸散空间分布

1. 潜在蒸散

图 3-14 是利用互补相关模型计算得到的黄河流域 20 年平均年潜在蒸散量空间分布图(图 3-14(a))和蒸发皿观测的年蒸散量空间分布图(图 3-14(b)),其中图 3-14(b)是利用 20cm 口径蒸发皿观测资料,利用折算系数(水利部黄河水利委员会,1989)折算到 E_{601} 蒸发值,再乘以 0.8 得到大型蒸发池蒸发量。从图上可以看出,尽管计算值与观测值之间有误差,但总的趋势基本一致,呈纬向分布,由南向北增加,在西北部等值线的分布呈东北—西南走向,这是由于祁连山与贺兰山、贺兰山与狼山之间是两条沙漠入侵通道,为西北干燥气流入侵的主要风口,风速大,气温高,从而造成蒸发梯度与风向一致的现象。兰州以上地区多属青藏高原,气温较低,潜在蒸散最小,大部分地区小于 800mm。流域西北部潜在蒸散最大,如毛乌素沙地区可达 1 000mm,西北边缘区域超过 1 200mm。

2. 实际蒸散

图 3-15 是黄河流域 20 年平均年实际蒸散量的空间分布图。从图上可以看出,地表蒸散受供水条件的制约,其空间分布基本上呈从东南向西北递减的趋势,蒸散量从中下游的超过 500mm 减少到河套平原以北的不足 200mm,这与降水量的分布趋势基本一致。鄂尔多斯高原的蒸散量很小,基本小于 300mm;青藏高原上地表蒸散量基本在 300～500mm;而黄河流经地区蒸散量要比周围地区高,特别是河套平原灌区的蒸散量明显高于周边地区,比如银川平原的蒸散量为 400～600mm,而周围地区小于 400mm 甚至不到 300mm;秦岭山区,由于下垫面的影响,地面坡度较大,土壤覆盖薄,空气较湿润,蒸发能力小,降水量虽增至 800mm 以上,实际蒸散量却只有 400mm,这与朱晓原等人(1999)的分析结果相同。

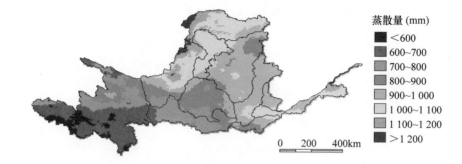

（a）互补相关模型计算结果

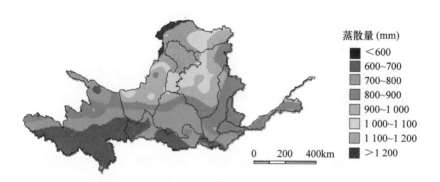

（b）蒸发皿观测值

图 3-14　黄河流域 20 年平均年潜在蒸散量空间分布图

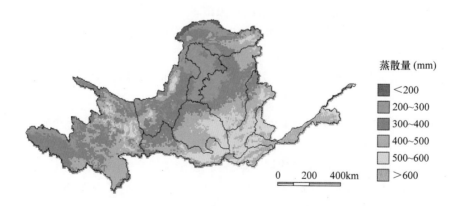

图 3-15　黄河流域 20 年平均年实际蒸散量空间分布图

从流域陆地蒸发量分布总的趋势来看,小于300mm的地区,除兰州以上青藏高原,其余多属于荒漠草原区;300~400mm的地区,多为干旱草原区;大于400mm以南的地区,则为森林草原区。

图3-16是黄河流域20年平均年降水量与估算所得平均年蒸散量之间差值的空间分布图,图上负值区是净耗水区,正值区是净产水区。图3-16表明,负值区主要分布在兰州—头道拐之间的黄河沿线及周边区、下游平原区,说明这些地区耗水量超过产水量。负值极值区在河套平原灌区,蒸散量超过降水量200mm,这些地区降水量很少,主要依靠黄河水的灌溉,耗水量远超过降水量。在青藏高原上除了河源区外,大部分地区差值超过100mm,说明该地区是净的产水区。在鄂尔多斯高原及黄土高原大部分地区,虽然差值也大于0,但都比较小,这说明降水大部被蒸发,只有在夏季降雨强度较大时才产生径流。

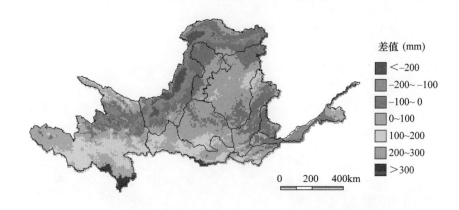

图 3-16   黄河流域 20 年平均年降水量与年实际蒸散量差值空间分布图

从图3-17可以发现,1981~2000年20年间黄河流域蒸散量的年际变化以鄂尔多斯高原为最大,相对变率在10%以上,部分地区相对变率超过20%,最高的接近50%;河源区蒸散量的年际变化比较小,相对变率在10%甚至5%以下。相对变率的分布与流域降水的空间分布有密切关系,鄂尔多斯高原地区降水量少,蒸散量的多少主要受限于降水量,这从20年蒸散量与年降水量的相关系数(图3-18)也可以看出,该区域年蒸散量与年降水量的相关系数超过0.4,内流区相关系数超过0.6,蒸散量与降水量显著正相关。由于降水的年际变化比较大,从而该区域蒸散量的年际变化也比较大。相反,在河源区,降水相对充沛,气温比较低,年降水量基本能够满足蒸散需求,蒸散量的年际变化比较小。需要指出的是,图3-18中河源区(青藏高原)及黄河中游的部分地区蒸散量与降水量的相关系数为负,但只有在河源区极少部分区域达到0.1水平的显著性检验,在这个区域海拔高,降水相对充沛,温度比较低,温度成为蒸散的重要限制因子,降水量的增多会伴随着气温的下降、太阳辐射的减少,从而导致蒸散量的下降。

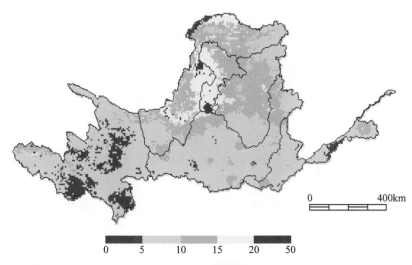

图 3-17　1981~2000 年黄河流域年蒸散量相对变率(%)分布图

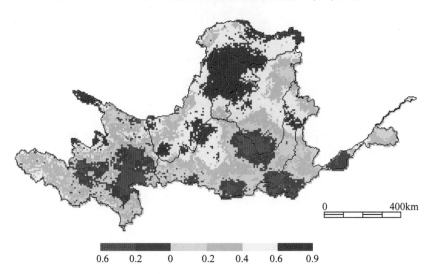

图 3-18　1981~2000 年黄河流域年蒸散量与年降水量相关系数分布图

(二)黄河流域地表蒸散年际变化及误差分析

由于受地面蒸散观测资料的限制,仅选区间平均蒸散进行误差分析。由兰州、头道拐、龙门、三门峡及花园口 5 个水文站 1981~2000 年的年径流观测资料及同期流域年降水量资料,利用水量平衡法确定不同分区实际蒸散量。图 3-19 显示了不同分区遥感估算值与观测值的对比情况,二者的相对误差见表 3-2。从图上可以看出,在兰州以上区间,估算值高于实测值,平均误差为 11.1%,且年际间的变化比实测值的平缓。实际上,在兰州以上特别是青藏高原,气象台站特别少,并且这些台站大都在相对低海拔处,用这些台站的降水量来代表全区降水量会存在较大问题。兰州—头道拐、头道拐—龙门区间估算值与实测值的年际变化吻合最好,其中后者平均误差仅为 3.5%。龙门—三门峡、三门峡—花园口两个区间也是估算值较观测值平缓,三门峡—花园口区间误差较大,最大误差超过50%。花园口以上区间包括除了黄河流域下游区和内流区外的所有范围,其蒸散基本上可认为是全流域蒸散,从图上可以看出,估算值较观测值平缓,平均误差为3.1%,最大误差为26.3%,并且最大误差出现在1986、1991、1997年三个干旱年(各分区间也基本如此),分析原因,应与式(3-75)中平流参数 α 取为常数有关。

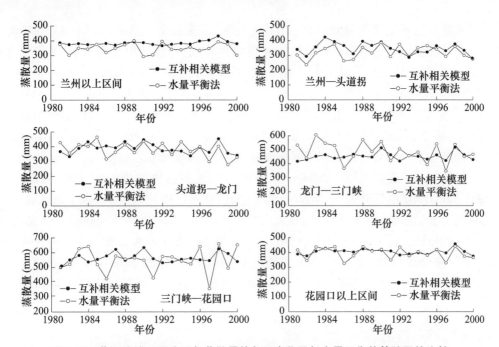

图3-19　黄河流域不同分区年蒸散量的年际变化及与水量平衡估算结果的比较

表3-2　年蒸散量估算误差

区间	兰州以上	兰州—头道拐	头道拐—龙门	龙门—三门峡	三门峡—花园口	花园口以上
最大误差(%)	31.8	39.3	28.1	−25.1	53.6	26.3
平均误差(%)	11.1	9.0	3.5	−4.9	5.7	3.1

(三)结论

(1)互补相关模型,结合遥感资料和气象资料可以比较好地估算流域蒸散量,特别是遥感资料的应用,可以较好地反映地表蒸散的真实情况。

(2)黄河流域多年平均蒸散量空间分布格局基本呈东南向西北递减趋势,灌区蒸散量明显高于周边地区。

(3)黄河流域的净耗水区主要在兰州—头道拐区间黄河流经区及周边、下游平原区,主要产水区在青藏高原。

(4)从年际变化看,干旱区蒸散量相对变率最大,且与年降水量呈显著正相关,河源区相对变率最小。

(5)黄河流域蒸散量的年内变化与降水量一致,其中4~6月份蒸散量大于降水量。

第四节　累积 *NDVI* 在黄河流域
年蒸散量估算中的应用

植被指数已被用于估算长时间段(如生长季)的蒸散量。其中 NOAA/AVHRR 时间分辨率高、观测范围广,其归一化差值植被指数 *NDVI* 已有效地用于降水量、干旱程度及地表蒸散的监测,特别在干旱半干旱地区生态系统研究中应用很广泛(Kerr 等,1989;Lo 等,1993;Srivastava 等,1997;Yang 等,1998;Di Bella 等,2000;Milich 等,2000)。如 Srivastava 等人(1997)在印度 6 个干旱区的研究中,从分析植被指数与植物干物质产量关系入手,建立了累积 *NDVI* 与蒸腾量之间的关系;Kerr 等人(1989)利用累积 *NDVI* 估算了非洲的蒸散量。我们也尝试利用累积 *NDVI* 估算黄河流域年蒸散量。

遥感资料采用美国 NASA Pathfinder AVHRR 陆地数据集的 8km 旬 *NDVI* 数据,时间为 1982～2000 年(由于 1994 年 *NDVI* 资料不全,因此不包括 1994 年)。这个数据集中,为了尽量消除云的影响,旬 *NDVI* 采用最大值合成法(Maximum Value Composite)合成,并且对气溶胶的影响进行了大气纠正(Agbu 等,1994)。气候资料包括黄河流域内及周围地区 76 个气象台站 1982～2000 年的月平均气温、月降水量,以及 1992 年月日照时数、平均风速、湿度等。最后点上气候资料经 Kriging 插值法插值得到流域面上降水量和气温的分布。

一、流域蒸散的计算

首先利用 1992 年地面气象资料,运用气候学方法和水量平衡方法估算地面气象台站所在地的实际蒸散,然后分析气象台站所在像元的累积 *NDVI* 与实际蒸散之间的关系,建立蒸散模型。

(一)地面实际蒸散的估算

利用气候学方法,由气温、日照时数和湿度等资料估算地表净辐射,并由 Penman 公式估算潜在蒸散 ET_p(Penman,1948):

$$ET_p = \frac{\Delta Q_n + \gamma E_a}{\Delta + \gamma} \tag{3-94}$$

式中:Δ 表示气温 T 时的温度－饱和水汽压曲线斜率,hPa/℃;Q_n 是地表净辐射;γ 表示干湿表常数;E_a 表示空气干燥力,即地表温度等于气温 T 时按水汽传输方法所计算的蒸发量。

实际蒸散量的计算基于水平衡方程。水平衡方程的形式如下:

$$\frac{dw}{dt} = P - ET - F \tag{3-95}$$

式中:dw/dt 表示土壤水分随时间的变化;P 代表降水强度;ET 代表实际蒸散量;F 表示径流损失。

实际蒸散量由蒸发比和潜在蒸散确定:

$$ET = \beta \cdot ET_p \qquad\qquad (3\text{-}96)$$

其中,蒸发比 β 可由如下经验公式确定:

$$\beta = \min\left(\frac{w}{w_k}, 1\right) \qquad\qquad (3\text{-}97)$$

式中:w 是土壤水分含量,mm;参数 w_k 表示临界土壤含水量,是指土壤蒸散速度由初始的大气状况所控制(潜在速率)转换为受土壤水分限制时的土壤水分含量,其值为田间持水量的 70% ~ 80% (Milly, 1992),本文取为田间持水量的 75%。

将水平衡方程作离散化处理,以月为步长,并假定当土壤水分含量超过田间持水量时,所超过部分当做径流损失项,经过简化得到估算土壤水分含量及实际蒸散量的公式:

$$w_i = \min\left[\left(w_{i-1} + P_i - ET_i\right), w_{FC}\right] \qquad\qquad (3\text{-}98)$$

式中:w_i、w_{i-1} 分别表示 i 月和 $i-1$ 月的土壤水分含量,mm;P_i 表示 i 月降水量,mm;ET_i 表示 i 月实际蒸散量,mm;w_{FC} 代表田间持水量,mm,由土壤质地确定。

综合式(3-96)、式(3-97)及式(3-98),土壤水分含量可由下式计算:

$$w_i = w_{i-1} + P_i - ET_i = w_{i-1} + P_i - \min\left(\frac{w_i}{w_k}, 1\right) \cdot ET_{pi} \qquad\qquad (3\text{-}99)$$

式中,ET_{pi} 是 i 月的潜在蒸散量。式(3-99)可分解为

$$\left.\begin{aligned} w_i = w_{i-1} + P_i - ET_i = w_{i-1} + P_i - \frac{w_i}{w_k} \cdot ET_{pi} \qquad (w_i < w_k)\\ w_i = w_{i-1} + P_i - ET_i = w_{i-1} + P_i - ET_{pi} \qquad\qquad (w_i \geqslant w_k) \end{aligned}\right\} \qquad (3\text{-}100)$$

因此,

$$\left.\begin{aligned} w_i = \frac{w_k(w_{i-1} + P_i)}{w_k + ET_{pi}} \qquad\qquad (w_i < w_k)\\ w_i = w_{i-1} + P_i - ET_{pi} \qquad (w_i \geqslant w_k) \end{aligned}\right\} \qquad (3\text{-}101)$$

最后,土壤水分含量为 $w_i = \min(w_i, w_{FC})$。每月 ET 可由该月土壤水分含量及潜在蒸散量计算得到。模型在计算实际蒸散量时,只考虑了1m深度土层内的土壤水分。另外,在计算每月土壤水分含量时,需要输入土壤水分含量初始值。该初始值的确定是通过先假定1992年1月份的降水为土壤水分含量初值,经过 1 ~ 12 月多次循环计算直到土壤水分含量比较稳定时为止。

(二)建立实际蒸散与累积 NDVI 之间的关系

如前所述,累积 NDVI 已用于干旱半干旱区蒸散量的估算,这些模型中考虑的因子也不尽相同,如 Srivastava 等人(1997)建立了累积 NDVI 与蒸腾的相关性;Kerr 等人(1989)的蒸散模型中只利用累积 NDVI 资料,Di Bella 等人(2000)在模型中还考虑了地表温度(由遥感反演)的影响。实际上影响蒸散的因子很多,在黄河流域,地表蒸散量的大小与降水量的多少有直接的关系,降水量的多少决定了土壤水分含量的多少,同时降水量的多少与气温的高低决定了该地区的干燥度(或湿润度),从而决定着蒸散量的大小。为了更准确地估算地表蒸散量,我们将相对湿润指数(RMI)作为模型中的一个变量以反映气候的年际间变化:

$$RMI = MI/\overline{MI} \tag{3-102}$$

式中:MI 是湿润指数;$\overline{MI}$ 是 1982～2000 年间的平均湿润指数,MI 的表达式如下:

$$MI = \frac{P}{0.10\sum T_{>0}} \tag{3-103}$$

式中:P 是年降水量;$\sum T_{>0}$ 是大于 0℃的积温。

对每个像元,我们首先由三旬的 $NDVI$ 求月平均 $NDVI$。由于当 $NDVI < 0.05$ 时,地表基本无植被生长(Justice 等,1985),因此我们在计算累积 $NDVI$ 时,取阈值 0.05 作为 $NDVI$ 的下限,年累积 $NDVI$ 则通过累加月平均温度大于 0℃其间的 $NDVI$ 得到,即

$$\sum NDVI = \sum (NDVI - 0.05)_{T>0}$$

图 3-20 是 1992 年 76 个台站的蒸散量和对应位置累积 $NDVI$ 的散点图,通过比较分析蒸散量和累积 $NDVI$、相对湿润指数值,我们得到估算蒸散量的模型:

$$ET = \frac{463 \times RMI}{1 + \exp[-1.79 \times (\sum NDVI - 1.34)]} + 150 \tag{3-104}$$

复相关系数在 0.8 以上,达到了显著水平。图 3-21 显示了 1992 年计算的蒸散值结果与实际蒸散量(由气候学方法和水量平衡法计算得到)的比较,模拟效果比较好。

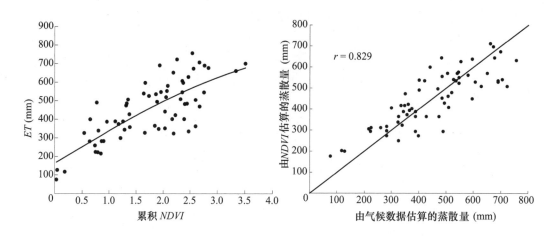

图 3-20　1992 年年蒸散量与累积 $NDVI$ 散点图　　　图 3-21　1992 年年实际蒸散量与由累积 $NDVI$ 估算的蒸散值的比较

二、结果分析

(一)黄河流域年蒸散量的时空分布

由公式(3-104),我们利用 1982～2000 年降水、气温及遥感 $NDVI$ 资料估算了黄河流域不同年份的年蒸散量,结果表明,近 18 年来,黄河流域多年平均蒸散量为 390mm。18 年平均年蒸散量的空间分布见图 3-22。从图 3-22 可见:黄河流域年蒸散的空间分布格局是东南部蒸散量最大,年蒸散量基本在 400mm 以上;其次是兰州以上区间,大部分地区年

蒸散量在300~450mm;而在宁蒙河段及鄂尔多斯高原,蒸散量最小,年蒸散量不到300mm;在银川平原和河套平原两个大灌区,年蒸散量明显高于周围地区,周围地区在200mm左右,而在灌区蒸散量甚至可以达到500mm。与图3-15进行比较可发现,两种模型估算的年蒸散量空间分布有一定的差异,主要表现在植被长势不好的地区(如宁蒙河段、晋陕区间)累积NDVI法估算的ET值略低于互补相关模型结果,而在部分高山森林植被区(如黄龙山、子午岭、秦岭等),累积NDVI法估算结果比互补相关模型的结果大,这可能与累积NDVI法对气候因素如温度对蒸散的影响考虑不全面有关。在一定程度上也说明了累积NDVI法在较大范围内应用时,由于气候、地形、植被类型等的多样性,用一个统一的模型来估算全流域蒸散量,会造成一定误差。为了减少误差,比较可行的方法就是分不同气候植被区域建立不同的模型。

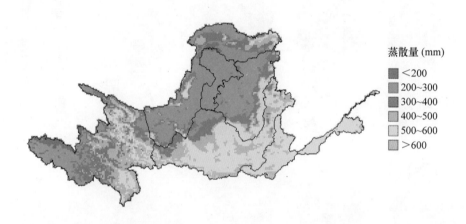

图3-22 黄河流域1982~2000年18年平均年蒸散量的空间分布

从图3-23可以看出,流域蒸散的年际间变化也很大,以流域东南部为例,1997年年蒸散量基本在350~450mm,而1996年年蒸散量在600mm左右。

(二)模型的验证

图3-24是花园口以上流域(不含内流区和黄河下游区)平均蒸散量的估算值与观测值的比较,可以发现,观测值与估算值之间总体吻合得比较好,平均绝对误差为7.6mm,最大绝对误差为34.1mm,相对误差基本在10%以内(见表3-3)。

图3-25显示了在不同分区累积NDVI法估算的ET平均值与观测值的对比情况,从图上可以看出,就分区平均值来说,除了兰州以上区间估算值比实测值总体偏高、头道拐—龙门区间估算值比实测值偏低外,其他几个区间估算值与实测值都很接近。并且模型估算结果能够很好地反映蒸散的年际间变化。18年中,平均相对误差都小于10%;最大相对误差出现在兰州以上区间,1990年相对误差为21.9%;最大绝对误差出现在三门峡—花园口区间,2000年绝对误差为112.5,估算值偏低约17%(见表3-3)。

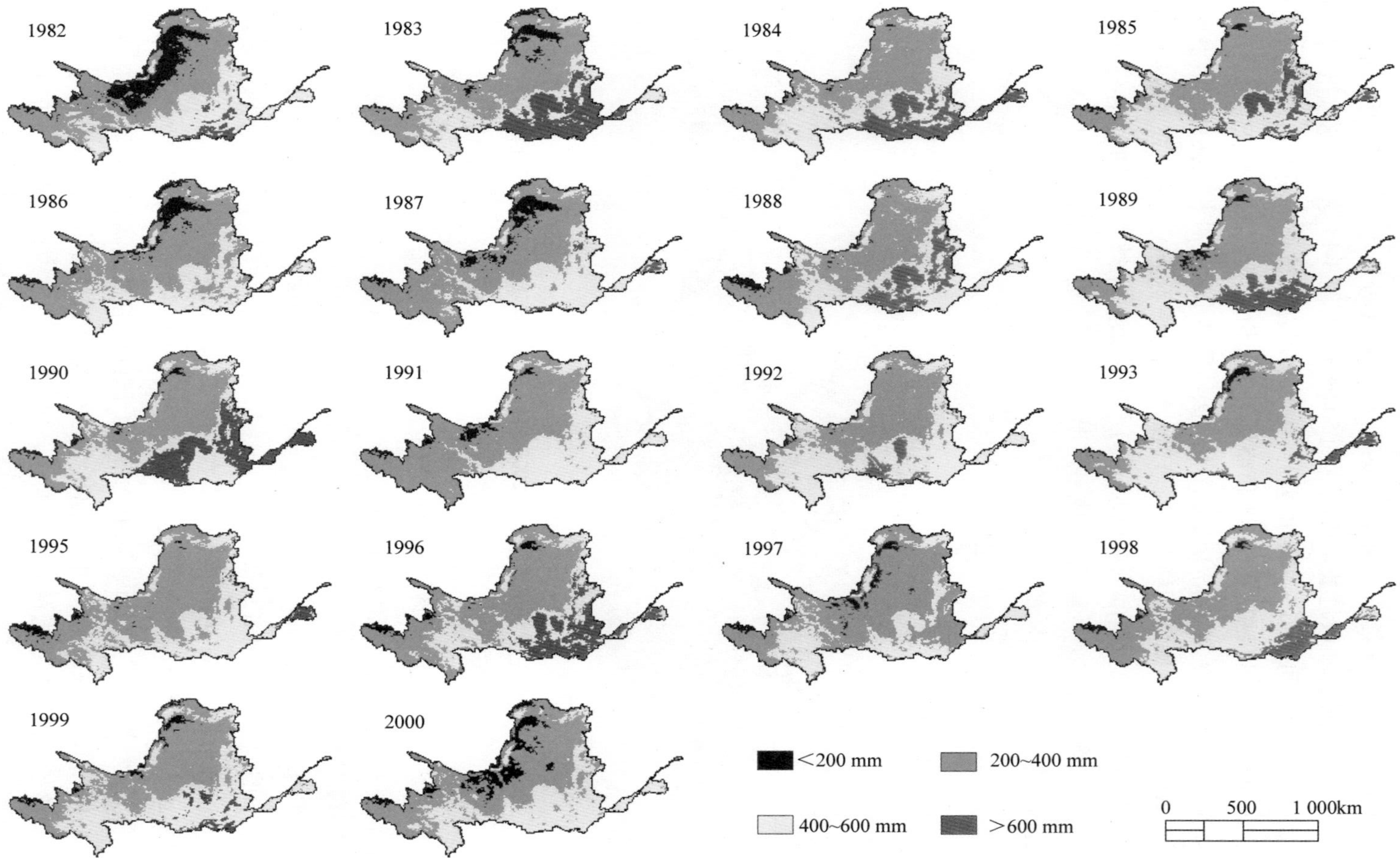

图 3-23　黄河流域年蒸散量的年际变化

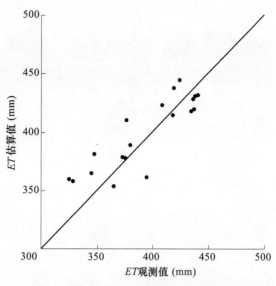

图 3-24 花园口以上流域平均蒸散量的估算值与观测值的比较

表 3-3 黄河流域不同分区蒸散量估算误差

项目	兰州以上区间	兰州—头道拐区间	头道拐—龙门区间	龙门—三门峡区间	三门峡—花园口区间	花园口以上区间
最大绝对误差(mm)	64.3	−36.6	−89.9	50.1	−112.5	34.1
最大相对误差(%)	21.9	11.9	−19.4	14.4	18.9	10.5
平均绝对误差(mm)	20.2	2.7	−10.7	6.3	8.5	7.6
平均相对误差(%)	6.3	1.5	−2.1	2.1	2.5	2.3

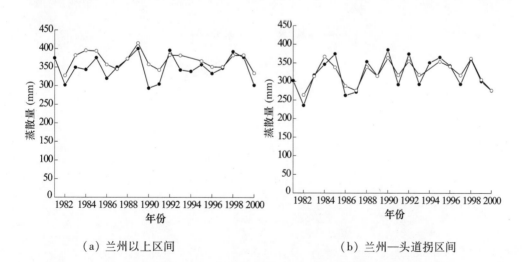

(a) 兰州以上区间　　　　　　　　　　(b) 兰州—头道拐区间

图 3-25 黄河流域不同分区平均蒸散量观测值与估算值的比较

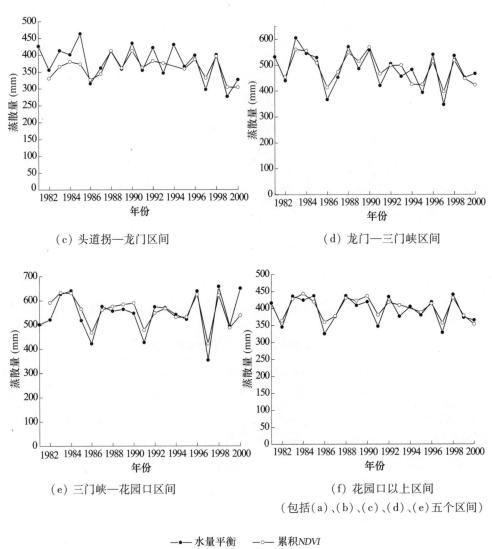

（c）头道拐—龙门区间 　　　　　　　　　（d）龙门—三门峡区间

（e）三门峡—花园口区间 　　　　　　　　　（f）花园口以上区间

（包括(a)、(b)、(c)、(d)、(e)五个区间）

—●— 水量平衡 　　　—○— 累积*NDVI*

续图 3-25

第四章　黄河流域土壤水分遥感估算

　　土壤水分是生态环境中水分存在形式和转换的主要环节之一,认清它在"四水"转换中的基本规律,模拟出它的动力学机制,是研究区域水循环的基础性问题。目前对土壤水分方面的研究很多,有从气象和地形因素通过经验公式和数理统计方法研究土壤水分的;有应用微气象学方法(包括能量平衡、空气动力、能量平衡－空气动力、涡度相关)研究土壤水分的;有从土壤水本身的运动规律出发研究土壤水分(包括土壤水量平衡计算,零通量面;测渗学法,土壤水动力学等)的;还有用遥感方法监测土壤水分变动的;等等。这些方法中微气象学方法和土壤水运动学方法确立在小尺度范围内的土壤水及其在生态环境中的转换已取得了很大的进展(李保国,2000;雷志栋,1999),但是多数方法主要偏重于均匀下垫面、均匀介质下的土壤水分状况和土壤水分转换问题,解决非均匀下垫面、非均匀介质复杂条件下的土壤水分状况监测和土壤水分转换的机理研究是今后研究所面临的重要课题之一,建立土壤水分的随机模型是土壤水分研究发展的主要方向。

　　遥感技术的发展,已经将遥感仅从宏观尺度观测地球表面,拓宽到应用高空间分辨率、高光谱分辨率和高时间频度数据反演地表物质、能量因子及其转换过程的深层次。所以,应用遥感方法是获取非均匀下垫面、非均匀介质参数最有效、最经济的方法,是解决复杂条件下,大尺度区域范围土壤水分状况及其在生态环境中转换机理研究的有力武器(陈怀亮,1999),目前已经进行了大量的土壤水分遥感试验研究(申广荣,1998;张仁华,2001)。黄河流域面积广大,水资源十分匮乏,研究黄河流域水循环机制不仅需要了解黄河流域一时一地的土壤水分,更重要的是要认识清楚黄河全流域长时间阶段的土壤水分状况及其变化规律。

第一节　条件温度植被指数估算黄河流域土壤水分

一、条件温度植被指数

　　从农业生产考虑,干旱是在水分胁迫下,作物及其生存环境相互作用构成的一种旱生生态环境。影响作物生长的因素很多,主要有气候、土壤、生产水平和天气等,在这些因素中,对某一地区来说,在连续几年的时间尺度内,可以认为气候、土壤和生产水平处于相对不变的状态,只有天气变化对作物生长有短期的效应。因此,植被指数的时空变化与干旱有一定的相关性。植被指数(Vegetation Index,VI)是遥感监测地面植被生长状况的一个指数,它是由卫星传感器可见光和近红外探测数据的线性或非线性组合形成的,可以较好地反映地表绿色植被的生长和分布状况。一般来讲,当作物缺水时,作物的生长将受到影响,植被指数将会降低。目前,国内外的研究者已开发出了条件植被指数(Vegetation Condition Index,VCI)、条件温度指数(Temperature Condition Index,TCI)、距平植被指数

（Anomaly Vegetation Index，AVI)等干旱监测的方法。这些方法均适用于年度间相对干旱程度的监测,也就是说,以多年(如10年)第 i 个时期 $NDVI$ 值或第4波段亮度温度的历史最大值和最小值为标准,研究某一年第 i 个时期 VCI、TCI、AVI 的相对变化。对某一研究区域来说,这三种方法均可得出区域内某一时期的干旱程度及范围,并可得到像素尺度的监测结果。然而,由于干旱发生的时间和地点存在着时空变异,所以在像素水平上,上述三种指数法所使用的指标,如研究年限内最大的 $NDVI$ 和平均 $NDVI$ 就有可能不同,进而造成某一特定时期内不同像素间的监测结果的可比性较差。因此,我们提出了条件温度植被指数(Vegetation-Temperature Condition Index，VTCI)的概念,它是在前面几种指数进行干旱监测的基础上,研究一特定年内某一时期整个区域相对干旱的程度及其变化规律。将 $VTCI$ 定义为

$$VTCI = \frac{LST_{NDVIi,\max} - LST_{NDVIi}}{LST_{NDVIi,\max} - LST_{NDVIi,\min}} \tag{4-1}$$

其中

$$LST_{NDVIi,\max} = a + bNDVI_i$$
$$LST_{NDVIi,\min} = a' + b'NDVI_i \tag{4-2}$$

式中: $LST_{NDVIi,\max}$、$LST_{NDVIi,\min}$ 分别表示在研究区域内,当 $NDVI_i$ 值等于某一特定值时的土地表面温度的最大值和最小值; LST_{NDVIi} 表示某一像素的 $NDVI$ 值为 $NDVI_i$ 时的土地表面温度; a、b、a'、b' 为待定系数。在本研究中,式(4-2)中的系数值通过作研究区域内的 $NDVI$ 和 LST 的散点图近似地获得,也就是说,通过绘制散点图得到 $LST_{NDVIi,\max}$、$LST_{NDVIi,\min}$ 与 $NDVI_i$ 间的线性方程。

$VTCI$ 的定义既考虑了区域内 $NDVI$ 的变化,又考虑了在 $NDVI$ 值相同条件下 LST 的变化,即高温对作物生长不利。式(4-1)中的分母表示在研究区域内,当 $NDVI_i$ 值等于某一特定值时的像素的土地表面温度的最大值和最小值之差,分子表示 $NDVI_i$ 值等于这一特定值时的土地表面温度的最大值与该条件下某一像素土地表面温度值之差。因此, $VTCI$ 的取值范围为 $[0,1]$, $VTCI$ 的值越小,相对干旱程度越严重。王鹏新等通过试验证实了 $VTCI$ 是一种近实时的干旱监测模型。它的缺点是对研究区域选择的要求较高,必须满足土壤表层含水量应从萎蔫含水量到田间持水量的条件,对于研究区域环境背景如气象条件、地表覆盖类型、土壤属性、水系分布和灌溉状况以及作物栽培等的充分了解,有助于判别是否满足该条件。在实际应用中应按下述情况进行判别:

（1)b 的负值越大,说明研究区域内存在干旱。若 b 的值与 b' 的值接近,则表明整个区域内均存在干旱,相对干旱程度最严重, $VTCI$ 的值较小。

（2)b 的负值越小并接近于0,说明研究区域内不存在干旱, $VTCI$ 的值较大。

（3)b' 与 b 的差值越大,说明研究区域内存在不同程度的干旱。$VTCI$ 的值越小,相对干旱程度越严重; $VTCI$ 的值越大,相对干旱程度越轻。

第(1)、(2)种情况可以认为是第(3)种情况的特殊情况。在第(1)种情况下,研究区域内的土地表面温度向线性方程 $LST_{NDVIi,\max} = a + bNDVI_i$ 逼近;在第(2)种情况下,则向线性方程 $LST_{NDVIi,\min} = a' + b'NDVI_i$ 逼近。a、b、a'、b' 为确定区域"干边"和"湿边"的截距与斜率。在实际计算中,分别按月建立以 $NDVI$ 和 LST 为坐标的黄河流域空间散点图,根据

NDVI 和 *LST* 组成的梯形确定各月"干边"和"湿边"的截距与斜率,见表 4-1。

表 4-1　黄河流域条件温度植被指数参数

月份	参　数			
	a	*b*	*a'*	*b'*
3	325. 52	− 19. 77	178. 60	77. 76
4	393. 29	− 39. 16	197. 42	90. 95
5	385. 57	− 21. 11	263. 13	6. 67
6	412. 63	− 63. 87	264. 80	29. 31
7	405. 56	− 50. 82	245. 00	21. 77
8	376. 95	− 35. 94	247. 84	28. 54
9	366. 04	− 45. 45	286. 47	7. 23
10	332. 02	− 20. 70	207. 03	66. 32

二、土壤水分计算方法

(一)计算原理和流程

遥感方法不能直接探测出深层土壤水分,但能获取土壤表层(耕层)的土壤水分信息,本文土壤水分计算的基本原理是:首先通过遥感条件温度植被指数(王鹏新,2001)和降水与蒸发数据计算黄河流域土壤表层(0～10cm)土壤水分,然后利用黄河流域多年土壤水分各层观测数据,建立从表层逐层向下各层土壤水分相关模型,计算出黄河流域土壤水分状况。土壤水分计算流程见图 4-1。

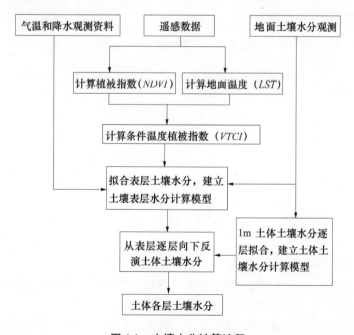

图 4-1　土壤水分计算流程

(二)土壤水分计算模型的实现

在土壤水分的具体计算中,首先用 AVHRR 的 *NDVI* 第4、5 通道数据计算地面温度以及条件温度植被指数,然后将黄河分为兰州以上青藏高原区、龙门以上黄土高原区和龙门以下平原区(见图4-2),分别按月建立土壤表层水分值与条件温度植被指数、降水和蒸发间相关模型,最后再利用地面土壤水分观测资料建立从表层逐层向下各层土壤水分相关模型,并根据已计算出的土壤表层土壤水分,逐层向下计算出各层土壤水分,最后完成黄河流域 1m 土体土壤水分的计算。由于黄河流域冬季植被冠层叶片稀少,地面 *NDVI* 不敏感;同时在冬季土壤水分基本上处于季节性冻结状态,可以忽视土壤水分月变化,所以在实际计算中仅考虑一年中 3~10 月份的情况。

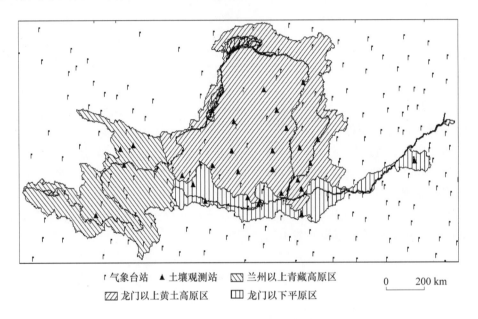

气象台站　▲ 土壤观测站　◥◤ 兰州以上青藏高原区
◥◤ 龙门以上黄土高原区　◫ 龙门以下平原区　　　0　　200 km

图 4-2　气象台站、土壤水观测站及计算区图

1. 植被指数

植被指数使用归一化植被指数(Normalized Difference Vegetation Index,NDVI),即近红外波段与可见光波段数值之差和这两个波段数值之和的比值:

$$NDVI = \frac{\rho_2 - \rho_1}{\rho_2 + \rho_1} \tag{4-3}$$

式中,ρ_1、ρ_2 为 AVHRR 数据中第1、2波段反射率。在 AVHRR 的 pathfinder 数据中直接提供 *NDVI* 数据。

2. 地面温度

地面温度(Land surface temperature,LST)的提取利用劈窗算法。根据气象卫星 NOAA/AVHRR 的第4、5波段亮温和比辐射率计算:

$$LST = T_4 + [1.34 + 0.39 \times (T_4 - T_5)] \times (T_4 - T_5) + 0.56 + \alpha(1 - \varepsilon) - \beta\Delta\varepsilon \tag{4-4}$$

式中:*LST* 是地面温度;T_4、T_5 是第4、5波段亮温;其他参数计算如下:

$$\left.\begin{array}{l} \alpha = W^3 - 8W^2 + 17W + 40 \\ \beta = 150 \times (1 - W/4.5) \end{array}\right\} \tag{4-5}$$

式中,W 为大气水气压,g/cm^2,计算中用中纬度大陆性气候均值。

$$\left.\begin{array}{l} \varepsilon = (\varepsilon_4 + \varepsilon_5)/2 \\ \Delta\varepsilon = \varepsilon_4 - \varepsilon_5 \end{array}\right\} \tag{4-6}$$

式中,ε_4、ε_5 分别为地物在第 4、5 波段的比辐射率,其计算公式为

$$\varepsilon = \varepsilon_v P_v + \varepsilon_g (1 - P_v) + 4\omega P_v (1 - P_v) \tag{4-7}$$

式中,ε_v 为植被比辐射率,计算中取 0.985 ± 0.007;ε_g 为土壤比辐射率,计算中取 0.960 ± 0.01;ω 为第 4、5 通道参数,计算中分别取 0.02 和 0.01;P_v 为植被覆盖度,用如下公式计算:

$$P_v = \frac{NDVI - NDVI_{\min}}{NDVI_{\max} - NDVI_{\min}} \tag{4-8}$$

式中,$NDVI_{\max}$、$NDVI_{\min}$ 分别为区域中最大 $NDVI$ 值和最小 $NDVI$ 值。

3. 条件温度植被指数

其计算方法见本章第一节。

4. 土壤表层水分计算模型

利用地面观测土壤表层土壤水分与条件温度植被指数、降水和蒸发间建立的相关模型:

$$\theta = p_1 + p_2 \times e^{-VTCI/p_3} + p_4 \times e^{-MI/p_5} \tag{4-9}$$

$$MI = \frac{P}{E} \tag{4-10}$$

式中:p_1、p_2、p_3、p_4、p_5 为区域和月份参数;P 为月降水量;E 为蒸发皿月蒸发量。以上建立的各区域中各月相关模型相关显著性检验均在一般显著性以上(见表 4-2),说明具有较好的相关效果。

表 4-2 土壤表层水分计算模型显著性检验

月份	兰州以上样本数	青藏高原区相关系数	显著性	龙门以上样本数	黄土高原区相关系数	显著性	龙门以下样本数	平原区相关系数	显著性
3	25	0.59	*	152	0.62	* *	54	0.57	*
4	36	0.72	* *	173	0.58	*	52	0.55	*
5	35	0.64	* *	171	0.58	*	66	0.64	* *
6	27	0.62	* *	146	0.69	* *	58	0.58	*
7	36	0.63	* *	155	0.62	* *	66	0.69	* *
8	37	0.68	* *	179	0.62	* *	54	0.86	* * *
9	34	0.81	* * *	166	0.69	* *	59	0.58	*
10	21	0.89	* * *	162	0.67	* *	60	0.62	* *

注:*表示一般性显著;* *表示比较显著;* * *表示极显著。

5. 各层土壤水分计算模型

利用黄河流域 1982～1998 年各土壤水分观测点 0～1m 土层土壤水分观测值,分析从表层逐层向下各层间土壤水分相关性(见图 4-3)。分析结果表明,从表层逐层向下各层间土壤水分相关系数均在 0.95 以上,有很好的线性相关性,由此建立了从表层逐层向下各层土壤水分相关模型。

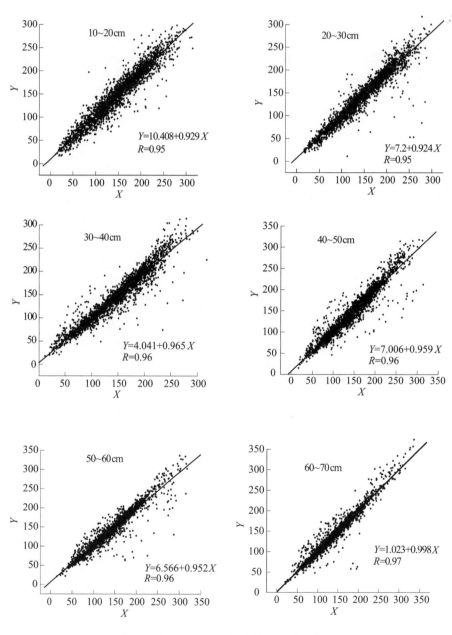

图 4-3 0～1m 土体各层土壤水分相关模型

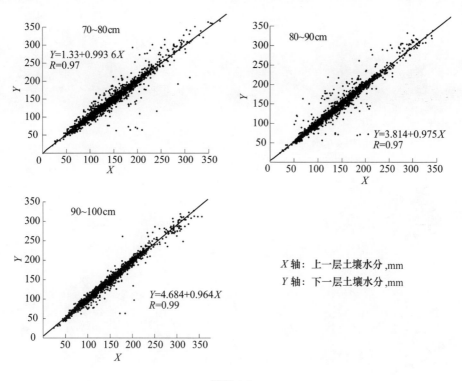

续图 4-3

三、计算结果与检验

通过以上土壤水分遥感估算方法计算,获得黄河流域 1m 土体各层土壤水分值,为了与有关土壤水分资料进行对比,统计了黄河流域 3 ~ 10 月份 0 ~ 50cm 土壤水多年平均值(见图 4-4)。从图 4-4 中可以看出,计算值和有关资料数据吻合比较好,仅在极端干旱地区偏差较大,主要是因为建立土壤表层水分与条件温度植被指数、降水和蒸发相关模型时缺少极端干旱地区观测资料。

根据水量平衡方程,一个地区多年平均土壤水分增量等于零,按照这一原理进一步检验计算结果。因此,分别统计黄河流域 1m 土体 1982 ~ 1998 年各月土壤水分总量,计算黄河全流域 17 年平均土壤水分增量为 - 0.017mm,检验结果符合水量平衡原理。

四、黄河流域土壤水分状况分析

在遥感信息和地面观测数据支持下,通过遥感条件温度植被指数、降水与蒸发数据计算黄河流域土壤表层(0 ~ 10cm)土壤水分,利用黄河流域多年土壤水分各层观测数据,建立从表层逐层向下各层土壤水分相关模型,建立了大区域、连续时间段、厚层土体土壤水分遥感估算方法及其框架,同时计算出黄河流域 1982 ~ 1998 年中,各年 3 ~ 10 月份 1m 土体各层土壤水分含量,图 4-5 显示的是 1982 ~ 1998 年各年 1m 土体土壤水分年均含量状况。

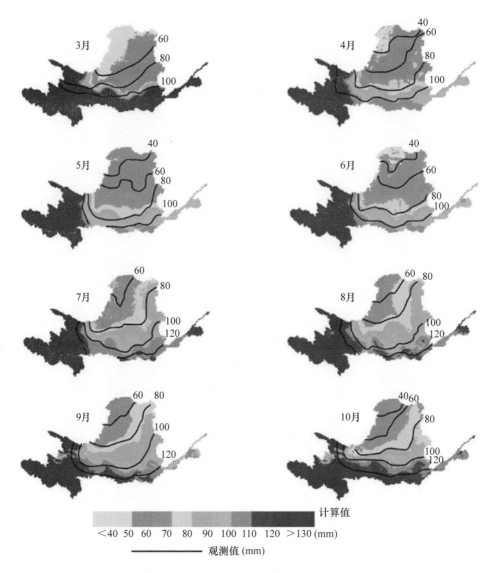

图4-4 黄河流域多年平均0～50cm土壤水计算结果和实际观测值(郭建平等,2001)

(一)黄河流域土壤水空间分布

将黄河流域1m土体各层土壤水分相加,得到1m土体的土壤含水量,并计算出1982～1998年17年1m土体土壤平均含水量(见图4-6)。从图中可以看出,黄河流域土壤水空间分布极不均匀,土体中最低含水量为38mm,最高为333mm。兰州以上黄河上游地区土壤含水量较高,绝大部分地区在223mm以上,是黄河全流域土壤水资源最丰富的地区。渭河流域和黄河下游地区土壤含水量在185～222mm,是黄河流域土壤水资源比较丰富的地区。黄土高原和汾河流域的绝大部分地区土壤含水量在111～148mm,是黄河流域土壤水资源比较少的地区。毛乌素沙地土壤含水量在74mm以下,是黄河流域土壤水资源匮乏的地区。

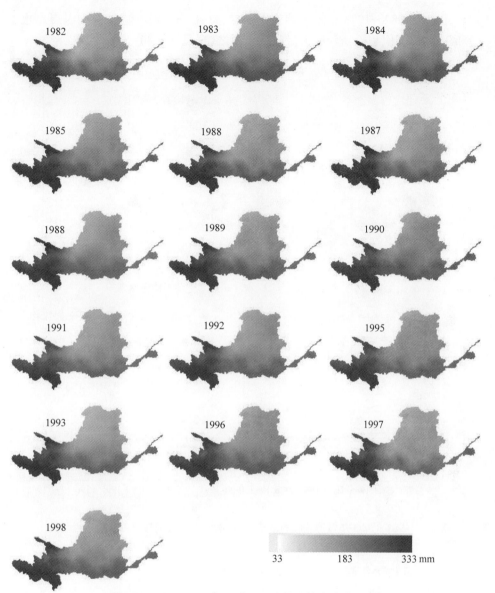

图4-5　1982～1998年17年1m土体土壤水分平均含量

(二)17年来黄河流域土壤水时间动态

根据水量平衡原理,一个区域的总水量应保持总量平衡,即

$$P = E + R + \Delta S \tag{4-11}$$

式中,P是降水量;E是蒸散发量;R是径流量;ΔS是土壤水变化量。以黄河利津水文站1982～1998年天然年径流量为黄河流域径流值,以及黄河流域年降水观测值插值和土壤水含量的计算值,计算得出黄河流域年蒸散发量,从而得出1983～1998年16年来的黄河流域降水量P、蒸散发量E、径流量R和土壤水变化量ΔS的相互关系图(见图4-7);同时根据土壤水储量(土壤水资源量)Q应等于地面蒸散发总量和土壤水变化量之和,即

$$Q = E + \Delta S \tag{4-12}$$

计算出黄河流域1983～1998年各年的土壤水储量(土壤水资源量),并同时得出土壤水资源量和降水量之比,以及黄河径流量和降水量之比(见图4-8)。

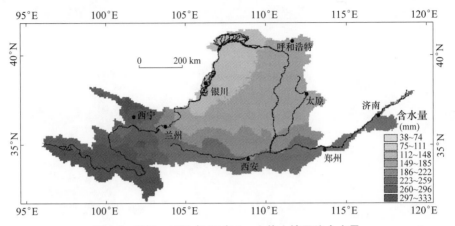

图4-6　1982～1998年17年1m土体土壤平均含水量

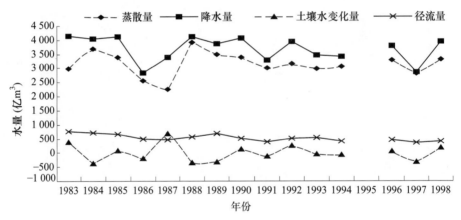

图4-7　1983～1998年黄河流域降水量P、蒸散发量E、径流量R和土壤水变化量

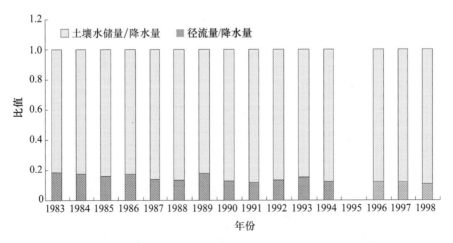

图4-8　1983～1998年土壤水储量和降水量之比及径流量和降水量之比

从图 4-7 中可以看出,黄河流域年降水量一般在 3 700 亿 m³,蒸散量一般在 3 000 亿~3 500 亿 m³,年径流量为 500 亿 m³ 左右,土壤水年变化量在 ±500 亿 m³ 之间。从 1983 年到 1998 年间,降水量有一定的下降趋势,其中,1986 年和 1997 年的年降水量最少,90 年代以后,年降水量基本上在 3 500 亿 m³ 左右。降水量的变化影响着蒸散量、径流量和土壤水变化量的变化,从年变化上分析,年蒸散量和年径流量也有一定的下降趋势,年蒸散量变化略滞后于降水量变化,径流量变化基本和降水量变化保持一致。土壤水变化量在降水量减少比较明显时,也有明显下降,但从长年变化看,土壤水变化量的增减基本保持不变。图 4-8 中显示了土壤水储量、径流量和降水量的比例关系年际变化,从中可以分析出径流量和降水量的比值有下降趋势,说明年降水量减少主要导致径流量减少,虽然年蒸散量在图中呈现出减小的趋势,但当将年蒸散量加上土壤水变化量后所得出的土壤水储量与降水量的比值却有增加趋势,说明黄河流域降水量的变化首先满足于蒸散发,然后才供于径流。

从图 4-9(a)中可以看出,兰州以上河段年降水量一般在 1 200 亿 m³,蒸散量一般在 800 亿 m³,年径流量为 300 亿 m³ 左右,土壤水年变化量在 ±200 亿 m³ 之间。从 1983 年到 1998 年间,降水量有一定的下降趋势,其中,1986 年和 1997 年的年降水量最少,90 年代以后,年降水量基本上在 1 000 亿 m³ 左右。降水量的变化影响着蒸散量、径流量和土壤水变化量的变化,从年变化上分析,年蒸散量和年径流量也有一定的下降趋势,年蒸散量变化略滞后于降水量变化,径流量变化基本和降水量变化保持一致。土壤水变化量在降水量减少比较明显时,也有明显下降,但从长年变化看,土壤水变化量的增减基本保持不变。图 4-9(b)中显示了土壤水储量、径流量和降水量的比例关系年际变化,从中可以分析出径流量和降水量的比值比较大,但有下降趋势,说明年降水量减少主要导致径流量减少,虽然年蒸散量在图中表现出减小趋势,但当将年蒸散量加上土壤水变化量后所得出的土壤水储量与降水量的比值却有增加趋势,说明兰州以上河段降水量的变化首先满足于蒸散发,然后才供于径流。

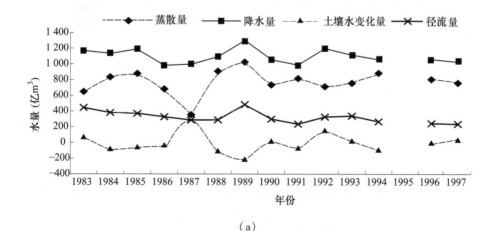

(a)

图 4-9　兰州以上河段情况

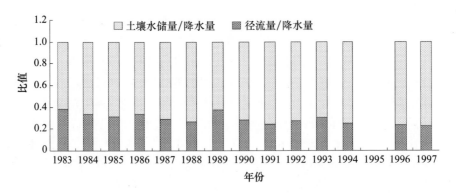

（b）

续图 4-9

从图 4-10(a) 中可以看出，内流区没有径流产生，年降水量和年蒸散量的年际变化基本一致，在 150 亿 m^3 左右，从年际变化看，常年变化没有增减趋势。土壤水变化量在 ±25 亿 m^3 间，常年也没有增减趋势。从图 4-10(b) 中可以看出，在内流区土壤水储量和降水量之比较大，在一些年份甚至大于 1。

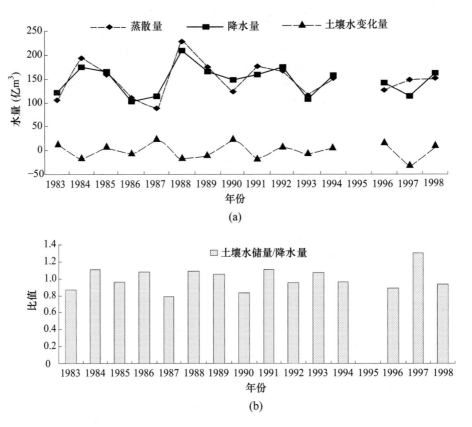

（a）

（b）

图 4-10　内流区河段情况

从图 4-11(a)中可以看出,宁蒙河段径流很少,年降水量和年蒸散量的年际变化基本一致,在 500 亿 m^3 左右,从它们的年际变化看,长年变化没有增减趋势。土壤水变化量在 ±50 亿 m^3 间,长年也没有增减趋势。从图 4-11(b)中可以看出,在内流区土壤水储量和降水量之比较大,表现出和内流区一样的干旱特征。

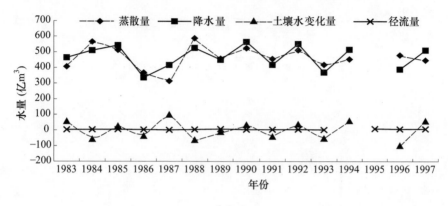

（a）

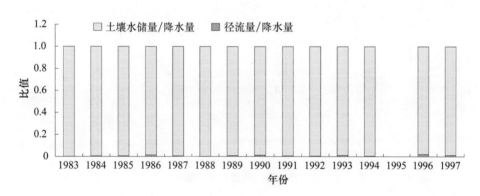

（b）

图 4-11　宁蒙河段情况

从图 4-12(a)中可以看出,晋陕河段年降水量一般在 500 亿 m^3,蒸散量在 400 亿～500 亿 m^3,年径流量为 40 亿 m^3 左右,土壤水年变化量在 ±100 亿 m^3 之间。从 1983 年到 1998 年间,降水量有一定的下降趋势,但并不明显。从 1983 年到 1998 年间年径流量变化不大。土壤水变化量在降水量减少比较明显时,也有明显下降,但从长年变化看,土壤水变化量的增减基本保持不变。图 4-12(b)显示了土壤水储量、径流量和降水量的比例关系年际变化,从中可以分析出径流量和降水量的比值比较大。

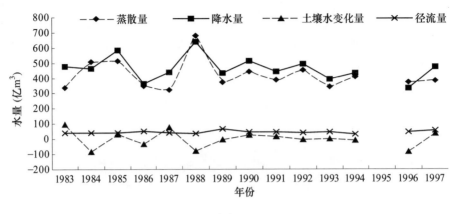

（a）

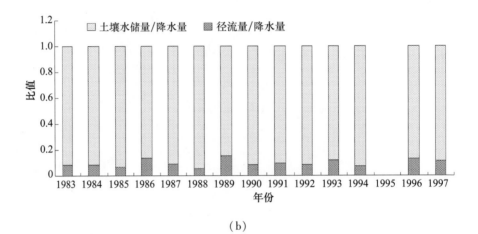

（b）

图 4-12　晋陕河段情况

从图 4-13（a）中可以看出,渭河汾河流域年降水量变化较大,降水量高峰主要在 80 年代初中期及 90 年代初期,降水量一般在 1 400 亿 m³;在 1987 年及 90 年代后降水量少,在 1 200 亿 m³ 以下。蒸散量和降水量变化基本一致,高峰值在 1 200 亿 m³,低峰值在 800 亿 m³ 以下,土壤水变化量在 ±100 亿 m³ 之间。从 1983 年到 1998 年间,降水量有明显的下降趋势。降水量的变化影响着蒸散量、径流量和土壤水变化量的变化,从年变化上分析,年蒸散量和年径流量也有明显的下降趋势,年蒸散量变化略滞后于降水量变化,径流量变化基本和降水量变化保持一致。土壤水变化量在降水量减少比较明显时,90 年代后土壤水变化量有减少趋势。图 4-13（b）显示了土壤水储量、径流量和降水量的比例关系年际变化,从中可以分析出径流量和降水量的比值比较大;在 1983 年到 1998 年间,径流量和降水量的比值,以及土壤水储量和降水量的比值没有增减趋势。

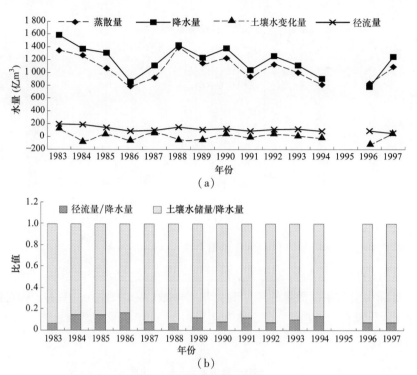

图 4-13　渭河汾河流域情况

　　从图 4-14(a)中可以看出,三花区间年降水量变化较大,降水量高峰主要在 80 年代初中期及 90 年代初期,降水量一般在 300 亿 m³;在 1987 年及 90 年代后降水量少,在 300亿 m³ 以下。蒸散量和降水量变化基本一致,高峰值在 300 亿 m³,低峰值在 250 亿 m³ 以下,土壤水年变化量在 ±50 亿 m³ 之间。从 1983 年到 1998 年间,降水量有明显的下降趋势。降水量的变化影响着蒸散量、径流量和土壤水变化量的变化,从年变化上分析,年蒸散量和年径流量也有明显的下降趋势,年蒸散量变化略滞后于降水量变化,径流量变化基本和降水量变化保持一致。土壤水变化量在降水量减少比较明显时,90 年代后土壤水变化量有减少趋势。图 4-14(b)显示了土壤水储量、径流量和降水量的比例关系年际变化,从中可以分析出径流量和降水量的比值比较大;在 1983 年到 1998 年间,径流量和降水量的比值,以及土壤水储量和降水量的比值没有增减趋势。

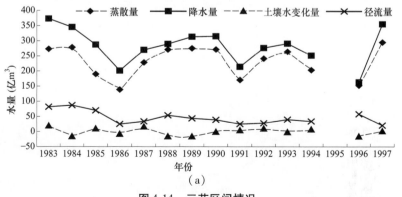

图 4-14　三花区间情况

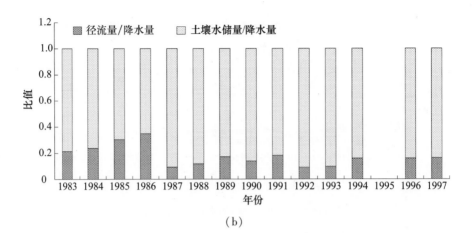

（b）

续图 4-14

从图 4-15（a）中可以看出，黄河下游河段径流很少，这是由黄河下游积水面积小的原因造成的，年降水量和年蒸散量的年际变化基本一致，在 200 亿 m³ 左右，从它们的年际变化看，长年变化没有增减趋势。土壤水变化量很小，长年也没有增减趋势。从图 4-15（b）可以看出，在黄河下游河段土壤水储量和降水量之比较大。

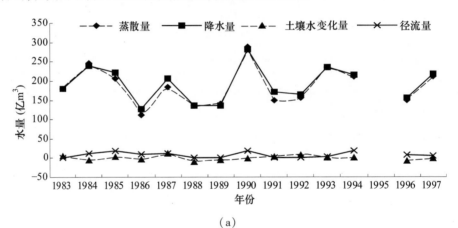

（a）

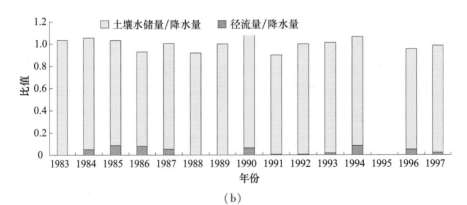

（b）

图 4-15　黄河下游情况

同理,根据式(4-11)可以计算出黄河各子流域的蒸散发量,将各子流域的蒸散发量比上降水量得到 1983~1998 年各年每个子流域的蒸散发比率情况(见图 4-16),图 4-17 显示的是 1983~1998 年各子流域的平均蒸散发比率情况。从图 4-16 和图 4-17 可以分析出,黄河流域各子流域的蒸散发比率各不相同,蒸散发比率最小的是兰州以上河段,蒸散发比率为 0.5~0.6,所以兰州以上河段是黄河流域相对最湿润的地区;蒸散发比率较小的地区是黄河下游和三门峡—花园口河段,蒸散发比率为 0.6~0.7,是黄河流域相对比较湿润的地区;蒸散发比率较大的地区是宁蒙河段和渭河汾河流域,蒸散发比率为 0.76 左右,是黄河流域相对比较干旱的地区;蒸散发比率最大的地区是内流区和山陕河段,蒸散发比率为 0.78 左右,最高达 0.94,是黄河流域最干旱的地区。

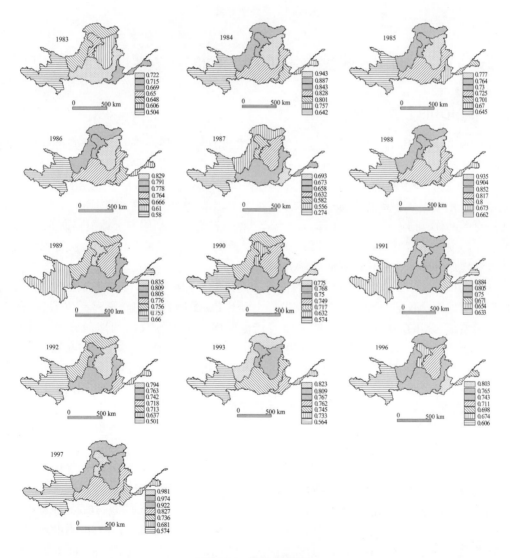

图 4-16　蒸散发比率

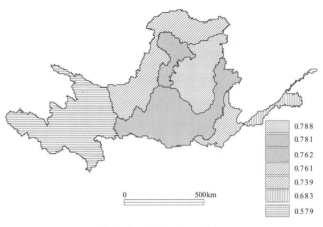

	0.788
	0.781
	0.762
	0.761
	0.739
	0.683
	0.579

0　　　　　500km

图 4-17　平均蒸散发比率

第二节　MODIS 遥感数据的土壤水分敏感性分析及应用

一、MODIS 遥感数据的应用

1999 年 1 月 18 日,美国成功地发射了地球观测系统(EOS)的第一颗先进的极地轨道环境遥感卫星 Terra(EOS - AM1)。这颗卫星是美国国家宇航局(NASA)地球行星使命计划中总数 15 颗卫星的第一颗,也是第一颗提供对地球过程进行整体观测的系统。它的主要目标是实现从单系列极轨空间平台上对太阳辐射、大气、海洋和陆地进行综合观测,获取有关海洋、陆地、冰雪和太阳动力系统等信息,进行土地利用和土地覆盖研究、气候季节和年际变化研究、自然灾害监测和分析研究、长期气候变率和变化研究等,进而实现对大气和地球环境变化的长期观测和研究的总体目标。

MODIS 是 EOS - AM1 系列卫星的主要探测仪器,也是 EOS Terra 平台上唯一进行直接广播对地观测仪器。MODIS 是当前世界上新一代;图谱合一的光学遥感仪器,具有 36 个光谱通道,分布在 0.4~14μm 的电磁波谱范围内。MODIS 仪器的地面分辨率分别为 250、500m 和 1 000m,扫描宽度为 2 330km,在对地观测过程中,每秒可同时获得 6.1Mbps 的来自大气、海洋和陆地表面信息,每日或每两日可获取一次全球观测数据。多波段数据可以同时提供反映陆地、云边界、云特性、海洋水色、浮游植物、生物地理、化学、大气中水汽、地表温度、云顶温度、大气温度、臭氧和云顶高度等特征的信息,用于对陆地、生物圈、固态地球、大气和海洋进行长期的全球观测。每一个 MODIS 仪器的设计使用寿命为 5 年,将计划发射 4 颗卫星。由此估计,利用 MODIS 仪器至少将获得 15 年、36 个光谱波段的地球综合信息,这些数据对于开展自然灾害与生态环境监测、全球环境和气候变化研究以及进行全球变化的综合性研究等将是非常有意义的。应用卫星图像数据调查海洋进程已经成为海洋学研究和监测的重要组成部分。来自 CZCS(Coastal Zone Color Scanner)的数据第一次提供了从空中观测世界海洋中浮游植物叶绿素的含量与分布能力的示范。利用该数据可对海洋食物链和海洋在重要的生物地球化学循环(包括 C 和 N)中的位置有更好的了解。由于传统的平台不能以合适的时空尺度充分覆盖辽阔的、快速变化的海洋,极轨卫星提供的快速的全球数据满足了海洋科学家的基本需要。自 1981 年以来，AVHRR 数据业务化使用，提供了 km 级的 SST 估计，该估计广泛地用于研究上层海洋动力学、海洋大气地热和湿气通量以及海洋生物和物理动力学之间的耦合。MODIS 既满足了 SST 和海洋水色的基本需要，也将提供长期的观测。在产品方面，重要的目的是改进的时空覆盖、新的经过验证的产品。本节目的是在顾及科学目标和算法开发情况下阐述当前 MODIS 的改进能力、讨论主要产品的特点和提及发射后验证和研究的一些重要的领域。MODIS 的陆地产品包括表面辐射及能量预算产品·生态系统的特征产品和陆地覆盖产品。而其产品的验证途径有很多，主要是通过野外、高地、机载测量数据与高分辨率卫星数据的结合来生产一种高分辨率产品，然后可以通过这个产品验证 MODIS 相应的产品。验证技术中主要包括收集、比较野外和飞行数据，以及与其他卫星数据的对比。为了实现这个目的，以及在一定范围的陆地覆盖类型上为陆地生物物理动力学扩展当前的尺度，MODLAND 将建立一个测试场的半永久阵列，这些场通常包括一个通量塔。为了验证全球生物物理变量，还必须为每一个变量的全球可变性测试一个合适的例子。MODLAND 在不同阶段有不同的任务。其验证位置随产品的不同而不同，其中有土地覆盖试验场、土地覆盖变化试验场、地表温度试验场、雪和海冰试验场等。除了建立验证的特定场所与 EOS 研究员合作，和在现存的网络中发展基础设施外，MODLAND 还在发射前收集对验证有用的野外和图像数据、开发和配置验证仪器、发展验证草案、测试算法和调整验证活动。发射后的验证就是将这些成果应用到以后的野外工作中，用已确定的分析程序来评估实际的 MODLAND 产品。火灾应用是各学科间共有的一种应用，包括 MODIS 块、大气群以及为一体化研究地球改变所作的设计。这种应用是对用参数表示外空间数据的增长和确认不同区域和地球模型而做出的响应。火灾应用是由示踪气体、微粒散射模式、气候模式、大气传输、化学模式、生态系统动力模式、区域使用价值改变模式等部分组成的。MODIS 火灾产品是以 NOAA – AVHRR 和 GOES 资料火灾监测技术为基础开发研制的。目前，还没有哪个遥感系统的仪器特征能够满足全球火灾监测计划的需求。MODIS 遥感器的仪器特征参数从设计上考虑了火灾监测，因此从火灾监测角度来看其监测能力远远超越了现存的其他遥感仪器。其火灾监测产品包括异常高温点识别、火灾地区能量释放总量、明火区与闷烧区比率和燃烧面积估算等。利用 MODIS 资料昼夜均可生成火灾产品。今后，不同光谱信息的综合应用，将给火灾产品带来新的发展。

二、方法原理与模型建立

（一）方法原理

通常可以认为地面组成成分主要有植被和土壤，根据电磁波传输理论可知遥感传感器接收的近红外遥感信息可以表示为

$$\rho_{surface} = (1 - f) \cdot \rho_{soil} + f \cdot \rho_{vegatation} \tag{4-13}$$

式中：$\rho_{surface}$ 为地面反射率；ρ_{soil} 和 $\rho_{vegatation}$ 分别为土壤和植被的反射率；f 为植被覆盖度。Bowers，S. A 等的研究早已说明土壤水分含量的多少影响土壤的光谱信息，一般随土壤水分含量的增加，土壤光谱曲线下降，所以式（4-13）中 ρ_{soil} 是土壤水分的敏感项。在干旱半干旱地区，土壤水分基本上处于田间持水量以下，土壤水分的多少直接影响到地面植被的生长；当忽视植被类型的差异时，可以看到土壤水分好的区域植被覆盖度高，植被的叶

面积指数也较大。因此,式(4-13)中 $\rho_{vegatation}$ 和 f 也是土壤水分的敏感项。在干旱半干旱区,以往应用近红外光谱信息监测土壤水分主要是利用一系列的植被指数进行土壤水分的分析,显然这主要利用了式(4-13)中的 f 项,信息使用还不够充分。地物光谱研究成果表明,大气、植被和土壤中的水分在近红外 980、1 200nm 和1 400nm处有吸收现象,该水分吸收谷信息均在式(4-13)中 ρ_{soil}、$\rho_{vegatation}$ 和 f 项有所体现。本研究即是利用这一基本原理,在进行大气水汽校正的前提下,分析地面(含植被冠层和土壤背景)1 400nm处吸收谷对土壤水分的敏感性,建立遥感光谱信息模型,通过直接地面(含植被冠层和土壤背景)水分的变化来达到监测土壤水分的目的。

(二)模型的建立

为了进一步验证干旱半干旱区植被覆盖条件下地面(含植被冠层和土壤背景)1 400nm处吸收谷遥感探测的灵敏性,建立土壤水分反演的光谱模型,我们进行了 OMIS 航空飞行试验。OMIS 是一种高光谱遥感传感器,128 个波段覆盖了 455~11 981nm 的范围,飞行高度 2 400m,地面空间分辨率7m,飞行时间是 2001 年 4 月 12 日 11:00~14:00,配合航空飞行进行了大气水汽探空观测,同时也进行了地面土壤水分的观测,地面观测样地位于 40°11′16. 17″N~40°11′20. 46″N,116°34′1. 27″E~116°35′16. 25″E ,37 个 GPS 精确定位的土壤水分观测点分布在试验样地中(见图4-18),分别在 2001 年 3 月 26 日、4 月1 日和 4 月 11 日,利用中子仪进行了 5、10、20、40、60、100cm 土壤容积含水量观测。数据处理时我们将 OMIS 的 128 个波段合并为 MODIS 对应的波段,将土壤 5、10cm 和 20cm 处的 3 次观测数据平均,用这些平均值反映在飞行试验时影响植被生长的土壤耕层水分状况,以下均以这些数据为基础进行分析。

图 4-18　OMIS 影像及地面土壤水分观测点(870nm)

1. 大气水汽校正

与植被冠层一样,大气水汽在 1 400nm 处也有一个吸收谷,去掉大气中水汽的影响是获取地面水分吸收信息的关键,因此必须对大气的水汽吸收进行有效校正。大气校正已经有比较长的历史,综观大气校正方法,可以分为 4 类:地物校正(Invariant-Object)、直方图匹配(Histogram Matching)、暗物体(Dark Object)和反差减小处理(Contrast Reduction)。

(1)地物校正法。地物校正法首先假设影像中有些像元的反射率是不变的,而且这些像元的各波段反射率成线性关系,因此可以利用这种地物的线性相关关系校正不同时相的遥感影像数据。该方法成功地应用在 FIFE 试验的遥感数据大气校正中。虽然这种方法是一种相对校正方法,但是当地物光谱数据可直接获得,地面状况的假设成立时,这种方法仍可以进行遥感数据绝对大气校正。这种方法的优点是比较简单易行,但只是一种统计校正方法,只能进行相对校正,也很难进行大气汽溶胶散射校正处理。

(2)直方图匹配。在直方图匹配方法中,首先假设在没有大气干扰地区和有大气干扰地区的直方图是一致的,然后在确定无大气干扰的地区后,将有大气干扰地区的直方图匹配到无大气干扰地区的直方图上。这种方法的优点也是比较简单易行,因此在 ERDAS 和 PCI 中都有该种处理方法。但是,当地面组成物质比例不同或者地面光谱不同时,这种方法的假设条件便不成立。另外,当大气状况空间变化比较大时,这种方法也很难处理。

(3)暗物体方法。当遥感影像数据中包含暗物体时,如洁净水域和浓密林地等,由于在近红外和可见光波段地物的反射率有较大的相关性,而且这些暗物体的反射率很低,所以可以通过近红外波段的遥感数据校正可见光波段的信息。目前这种方法应用较广,如在 MODIS 和 MERIS 中均使用这种算法进行大气校正,但是暗物体大气校正方法也有较大的局限性,首先它要求被大气影响的暗物体面积要大,其次冬季中暗物体难以找到也限制该方法的使用,最后不同暗物体近红外和可见光波段的相关关系不同同样限制了这种大气校正方法的应用。

(4)反差减小方法。一般假设地面反射率是不变的,而变的是大气条件,在不同的时间内地面反射率的变化主要由不同的大气光学特性造成,因此可以根据这种不同时间地面反射率的变化进行大气校正。另外,当大气汽溶胶含量较高时,地表地物的反差会减小,所以常常使用这种方法进行大气汽溶胶的监测。但是,在实际中,地面反射率本身是随时间和空间而变化的,所以这种方法的假设条件本身限制了该方法的应用。

由于以上四种方法均有许多假设条件,而且也不能绝对地计算出大气水汽的吸收状况,所以它们均不能进行有效的大气水汽吸收校正,为此我们利用 Modtran4 模拟计算真实大气状况下传感器接收地面辐射值进行大气水汽吸收校正。

大气中辐射传输模型是

$$L_{TOA}(\mu_s,\mu_v,\phi) = L_0(\mu_s,\mu_v,\phi) + \frac{T(\mu_s)T(\mu_v)F_0\mu_s\rho_s(\mu_s,\mu_v,\phi)}{\pi[1-\rho_s(\mu_s,\mu_v,\phi)S]} \tag{4-14}$$

式中:$L_{TOA}(\mu_s,\mu_v,\phi)$ 是传感器接收的经过大气吸收和散射后的总辐射值;$L_0(\mu_s,\mu_v,\phi)$ 是路程辐射值;$T(\mu_s)$ 是入射太阳光谱从大气顶部到地表沿路径的总透过率;$T(\mu_v)$ 是由地表到大气顶部沿传感器观测方向的总透过率;F_0 是大气顶部太阳辐射;$\rho_s(\mu_s,\mu_v,\phi)$ 是无大气条件下表面反射率;S 是大气对各向同性入射光的反射率;μ_s 是太阳天顶角的余弦值;μ_v 是观测方向角的余弦值;ϕ 是上述两个角度的相对方位角。

令

$$E = \frac{T(\mu_s)\,T(\mu_v)\,F_0\mu_s}{\pi}$$

则式（4-14）简化为

$$L_{TOA}(\mu_s,\mu_v,\phi) = L_0(\mu_s,\mu_v,\phi) + \frac{E\rho_s(\mu_s,\mu_v,\phi)}{1-\rho_s(\mu_s,\mu_v,\phi)S} \qquad (4\text{-}15)$$

此时分别设

$$\rho_s(\mu_s,\mu_v,\phi)=0$$
$$\rho_s(\mu_s,\mu_v,\phi)=0.3$$
$$\rho_s(\mu_s,\mu_v,\phi)=0.7$$

并将大气探空的水汽含量数据输入 Modtran4 中，模拟计算出对应地面反射率为 0、0.3 和 0.7，真实大气条件下传感器接收的总辐射值 $L_{TOA}(\mu_s,\mu_v,\phi)$，于是解除式（4-15）中的 $L_0(\mu_s,\mu_v,\phi)$、E 和 S。所以，当已知传感器接收的总辐射值时，可以通过式（4-16）反演出经过大气水汽校正后的地面真实反射率 $\rho_s(\mu_s,\mu_v,\phi)$。

$$\rho_s(\mu_s,\mu_v,\phi) =$$

$$\frac{L_{TOA}(\mu_s,\mu_v,\phi)-L_0(\mu_s,\mu_v,\phi)}{E+S[L_{TOA}(\mu_s,\mu_v,\phi)-L_0(\mu_s,\mu_v,\phi)]}$$

$$(4\text{-}16)$$

图 4-19 中（a）、（b）、（c）分别显示的是对应 MODIS 第 1、2、17、19、5、26、6 和 7 波段地面反射率为 0、0.3 和 0.7 时，Modtran4 模拟计算的试验区航空飞行传感器接收的总辐射值；图 4-19（d）显示的是经过大气水汽吸收校正后，试验区 37 个地面土壤水分观测点对应 MODIS 波段的光谱曲线，从图中可以看出，经过大气水汽校正后，1 400nm 处的地面光谱水分吸收谷仍然存在。

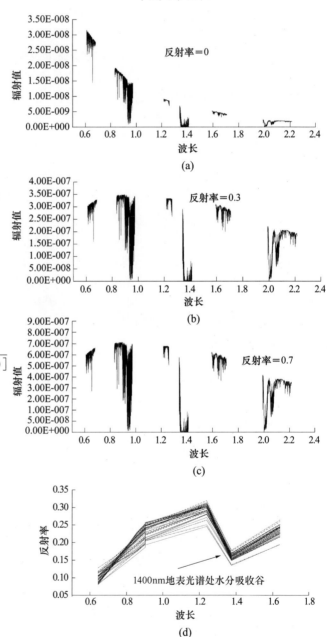

图 4-19　Modtran4 模拟计算值和地面真实反射率

2. 模型建立

当植被覆盖度比较高时，MODIS 第 5、26 和第 6 波段地面水分吸收谷的光谱曲线简化如图 4-20 所示。A 点是 MODIS 第 5 波段中心波长位置，对应波长为 1 240nm；C 点是 MODIS 第 26 波段中心波长位置，对应波长为 1 385nm，E 点是 MODIS 第 6 波段中心波长位置，对应波长为 1 640nm。由于 MODIS 第 5、6 波段对水分不敏感，只有第 26 波段能反映出水分的变化，因此根据图 4-20 可以分析出，当植被水分含量高时，水分吸收谷比较深，在图中对应 DG 线段比较长；相反，当植被水分含量比较低时，水分吸收谷相对较浅，DG 线段比较短。为了将水分吸收谷深度 DG 的绝对长度转换为相对可比值，我们定义水分吸收深度指数 $WADI$（Water Absorbing Depth Index）为

$$WADI = \frac{DG}{EF} \tag{4-17}$$

$WADI$ 愈小说明植被水分含量低，$WADI$ 愈大说明植被水分含量高。

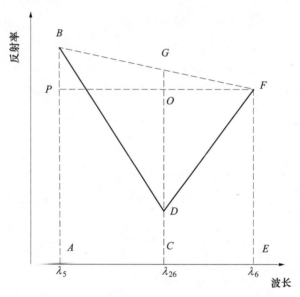

图 4-20　MODIS 第 5、6、26 波段植被光谱曲线

进一步有：

$$DG = OD + OG$$

因为

$$\frac{OG}{PB} = \frac{EC}{EA}$$

所以

$$OG = \frac{EC \times PB}{EA}$$

$$DG = OD + \frac{EC \times PB}{EA}$$

设第 5 波段的植被反射率为 ρ_5，中心波长为 λ_5；第 6 波段的植被反射率为 ρ_6，中心波长为 λ_6；第 26 波段的植被反射率为 ρ_{26}，中心波长为 λ_{26}。则有：

$$DG = (\rho_6 - \rho_{26}) + \frac{(\lambda_6 - \lambda_{26})}{(\lambda_6 - \lambda_5)} \times (\rho_5 - \rho_6)$$

根据定义式(4-17)有:

$$WADI = \frac{DG}{EF} = \frac{(\rho_6 - \rho_{26}) + \dfrac{(\lambda_6 - \lambda_{26})}{(\lambda_6 - \lambda_5)} \times (\rho_5 - \rho_6)}{\rho_6} \qquad (4\text{-}18)$$

三、模型检验与验证

(一)土壤背景对模型的影响分析

地面光谱信息是植被和土壤的混合信息,在干旱半干旱区,植被生长和土壤水分有密切的联系,植被的光谱信息在一定程度上反映出土壤的水分状况,所以植被的 $WADI$ 对土壤水分有指示性。但是土壤背景对 $WADI$ 会有怎样的影响呢? 下面我们分析土壤背景对 $WADI$ 模型的影响。

1. 土壤背景对模型计算的影响分析

当植被覆盖度比较低时,MODIS 第 5、26 和第 6 波段植被冠层水分吸收谷的光谱曲线简化如图 4-21(a)所示。A 点是 MODIS 第 5 波段中心波长位置,C 点是 MODIS 第 26 波段中心波长位置,E 点是 MODIS 第 6 波段中心波长位置,根据定义式(4-17)有:

$$WADI = \frac{DG}{EF}$$

进一步有:

$$DG = OD + OG$$

因为

$$\frac{OG}{PF} = \frac{AC}{AE}$$

所以

$$OG = \frac{AC \times PF}{AE}$$

$$DG = OD + \frac{AC \times PF}{AE}$$

最终有:

$$DG = (\rho_5 - \rho_{26}) + \frac{(\lambda_{26} - \lambda_5)}{(\lambda_6 - \lambda_5)} \times (\rho_6 - \rho_5)$$

$$WADI = \frac{DG}{EF} = \frac{(\rho_5 - \rho_{26}) + \dfrac{(\lambda_{26} - \lambda_5)}{(\lambda_6 - \lambda_5)} \times (\rho_6 - \rho_5)}{\rho_6} \qquad (4\text{-}19)$$

将式(4-18)、式(4-19)展开,可以证明这两个公式的计算结果相等。当土壤背景影响出现图 4-21(b)中的光谱曲线,$\rho_5 = \rho_6$ 时,也可证明式(4-18)、式(4-19)相等。所以,土壤背景对 $WADI$ 模型计算没有影响。

2. 土壤背景对模型敏感性的影响分析

土壤水分含量明显地影响着土壤的光谱信息,利用 David B 观测的不同土壤水分含量下的土壤光谱曲线,计算出对应 MODIS 第 5、6 和第 26 波段的反射率(见表 4-3),并利

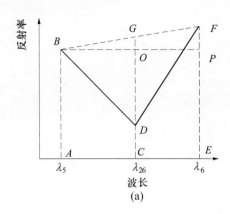
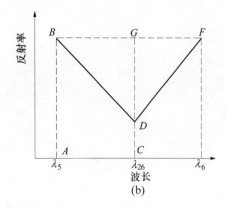

图 4-21 土壤背景对 WADI 模型计算的影响分析

用这些数据计算出它们的 *WADI* 值(见图 4-22),从图中可见,裸土的 *WADI* 和土壤水分含量成正相关。地面的 *WADI* 反映出植被覆盖以及植被和土壤光谱信息受土壤水分含量影响的综合状况,即

$$WADI_C = (1-f) \cdot WADI_s + f \cdot WADI_V \qquad (4\text{-}20)$$

式中:$WADI_C$、$WADI_s$ 和 $WADI_V$ 分别为地面、土壤和植被的 *WADI* 指数;f 表示植被覆盖度。从式(4-20)中可以分析出,由于 $WADI_s$、$WADI_V$ 和 f 均和土壤水分含量成正比关系,在相同土壤类型情况下,土壤水分含量高则 $WADI_C$ 值随之增大,反之则 $WADI_C$ 值随之减小,所以土壤背景不会降低地面 *WADI* 模型对土壤水分的敏感性。同时从式(4-20)中还可以看出,$WADI_C$ 不仅通过 f 反映出植被覆盖状况,还通过 $WADI_s$、$WADI_V$ 反映出植被和土壤本身的水分状况,因此该模型比通过用 *NDVI* 模型反映土壤水分状况信息更为丰富。

表 4-3 不同土壤水分含量下土壤反射率值

干旱新成土(温带灌丛)				干旱淀积土(干旱灌丛)				夏旱干旱土(温带针叶林)			
土壤水分(%)	5 波段反射率	26 波段反射率	6 波段反射率	土壤水分(%)	5 波段反射率	26 波段反射率	6 波段反射率	土壤水分(%)	5 波段反射率	26 波段反射率	6 波段反射率
0	0.187	0.186	0.190	0	0.254	0.252	0.261	0	0.222	0.222	0.230
5	0.162	0.157	0.162	2	0.232	0.227	0.234	4	0.186	0.186	0.200
9	0.140	0.133	0.136	6	0.203	0.195	0.203	9	0.150	0.152	0.164
16	0.124	0.118	0.119	10	0.190	0.178	0.183	13	0.132	0.130	0.140
23	0.112	0.106	0.107	13	0.180	0.166	0.170	19	0.122	0.120	0.132
36	0.099	0.089	0.089	17	0.171	0.158	0.161	24	0.115	0.111	0.120
44	0.090	0.078	0.078	21	0.161	0.144	0.144	41	0.108	0.103	0.111
				24	0.153	0.136	0.134	49	0.101	0.096	0.106
				28	0.147	0.129	0.125	56	0.100	0.089	0.101

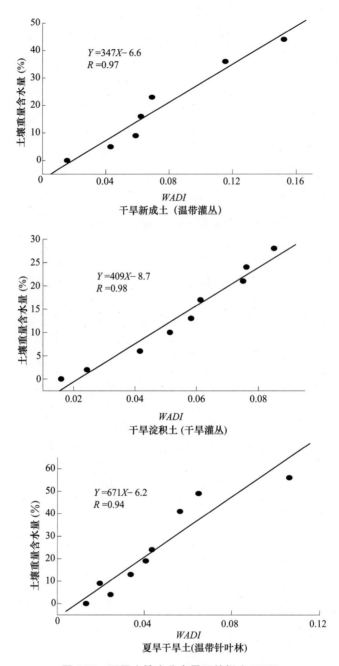

图 4-22　不同土壤水分含量下的裸土 *WADI*

（二）模型验证

利用式(4-18)计算出试验区地面 *WADI*（见图 4-23），分别选取对应土壤水分观测点的地面 *WADI*，得出土壤水分含量和地面 *WADI* 的相关图（见图 4-24），二者的相关模型是：

$$\theta = A + B\mathrm{e}^{-WADI/t} \tag{4-21}$$

式中：θ 是土壤含水量，在试验区 A 等于 29.45，在试验区 B 等于 -57.34，t 等于 0.36；相关系数 R 等于 0.63，说明了土壤含水量和植被 *WADI* 相关性较好。图 4-25 显示根据式(4-21)计算的试验区的土壤含水量,从图中可以分析出,在已播种小麦的地块,由于进行了灌溉,土壤水分含量明显高于无灌溉的地块;在灌溉的地块中,灌溉程度不同,土壤含水量也不同,这一分析结果也完全符合试验区的实际情况。

图 4-23　试验区地面 *WADI*

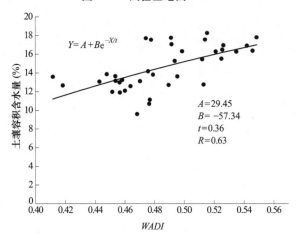

图 4-24　土壤含水量与地面 *WADI* 相关分析

为了进一步验证地面 *WADI* 和植被指数对土壤水分敏感性的差异,分别计算试验区归一化植被指数(*NDVI*)和土壤调整植被指数(*SALI*,调整参数 *L* 分别取 0.5、0.6 和 0.4),同样取对应土壤水分观测点的 *NDVI* 和 *SALI*,得出土壤水分含量和对应 *NDVI* 与 *SALI* 的相关图(见图 4-26)。从图中可以看出,*NDVI* 和土壤水分的相关系数是 0.387,*SALI* 和土壤水分含量的相关系数为 0.4 左右,说明植被指数在一定程度上反映出土壤水分的差异,但地面 *WADI* 和土壤水分的相关系数为 0.63,远好于植被指数的情况,由此进一步证明本节分析原理的正确性。

图 4-25 试验区土壤含水量

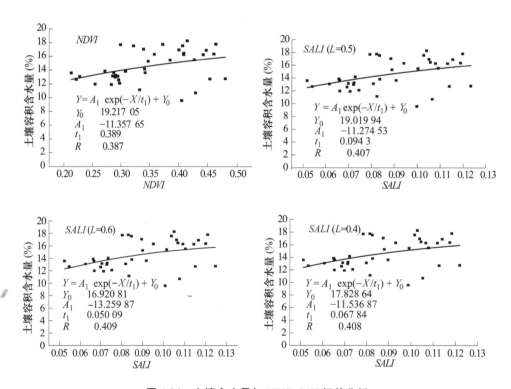

图 4-26 土壤含水量与 *NDVI*、*SALI* 相关分析

四、黄河流域土壤湿度状况估算与检验

(一)试验区植被冠层 *WADI* 计算

选择黄河流域中游地区作为模型应用的试验区,该区包括毛乌素沙地、黄土高原以及银川和河套两个灌区($36°3'N \sim 41°26'N, 105°12'E \sim 111°51'E$),面积 360 000km²,属于典型的干旱半干旱气候类型。MODIS 资料时间是 2001 年 5 月 19 日,晴空天气,对遥感数据中云和水体进行覆盖处理,因此可以认为大气中水汽空间分布均匀,假设大气中水汽吸收率不随反射率变化而变化,在试验区 *WADI* 计算中忽略大气水汽造成的空间差异性。应用式(4-18)计算出试验区地面 *WADI*(见图 4-27)。

图 4-27　黄河中游试验区地面 *WADI*

(二)模型应用检验

地面植被覆盖和土壤水分含量的高低有一定的相关关系,植被指数能够反映出土壤水分含量的变化,我们利用 Pathfinder AVHHRR 1982 ~ 1999 年 5 月份的 *NDVI* 数据和黄河中游试验区相同时间的地面土壤水分含量观测数据(见图 4-28)进行统计分析(见图 4-29),得出试验区 5 月份 *NDVI* 和土壤水分含量间的统计模型为

$$\theta = 33.5 - 43.4 \times e^{-NDVI/0.23} \tag{4-22}$$

其中,相关系数 $R = 0.85$,说明 *NDVI* 和土壤水分含量相关性高,该统计模型可靠。

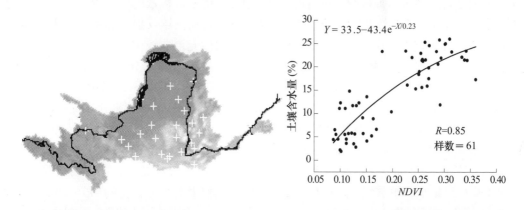

图 4-28　试验区土壤水分含量观测点　　　图 4-29　试验区土壤水分含量与 *NDVI* 相关分析

利用计算试验区地面 *WADI* 同样的 *MODIS* 数据,在进行同样的云和水体覆盖处理后,用 MODIS 第 1、2 波段计算 *NDVI*:

$$\theta = A + Be^{-WADI/t} \qquad (4\text{-}23)$$

并应用式(4-23)计算出试验区土壤水分含量。逐一像元对比分析试验区土壤水分含量和地面 $WADI$ 间的相互关系(见图4-30),可以得出二者的相关关系式为

$$\theta = 35 - 710.9 \times e^{-WADI/0.15} \qquad (4\text{-}24)$$

其中,二者相关系数 $R = 0.82$,说明在试验区中地面 $WADI$ 完全反映出地面土壤水分状况。

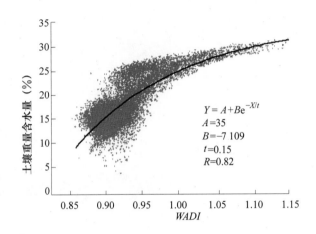

图4-30 试验区土壤水分含量和植被冠层 $WADI$ 相关分析

五、误差分析与讨论

通过以上分析可以得出以下结论:

(1)在干旱半干旱区,土壤水分是影响植被生长的主要因素,遥感传感器接收的近红外信息主要决定于土壤反射率、植被反射率和植被覆盖度等。通常,近红外遥感监测土壤水分是通过计算各种植被指数来进行的。实际上,利用植被指数的方法仅仅是利用了地面光谱信息中植被覆盖度这一项土壤水分敏感性因子,而土壤反射率和植被反射率信息并没有全部计算进去。我们的田间试验结果表明,地面光谱曲线中 1 400nm 处水分吸收谷包含了土壤反射率、植被反射率和植被覆盖度的信息,对土壤水分的反应比较敏感。当土壤水分含量高时,这个吸收谷较深,反之则较浅。由于 MODIS 数据中第 26 波段在 1 400nm 的吸收谷内,因此地面 1 400nm 处的光谱信息具有反演土壤水分含量的价值。

(2)选取 MODIS 第 5、26 和第 6 波段建立的水分吸收深度指数模型 $WADI$,能综合反映出植被覆盖、植被和土壤本身水分含量的变化特点,比使用植被指数来反映土壤水分状况的信息更加丰富。通过试验区 OMIS 航空遥感和地面土壤水分试验数据的检验,表明了 $WADI$ 和土壤水分相系数到达 0.63,而 $NDVI$、$SALI$ 和土壤水分含量的相关系数则分别为 0.387 和 0.4。虽然 $NDVI$、$SALI$ 能在一定程度上反映出土壤水分状况,但仍不及地面 $WADI$ 反映土壤水分灵敏。因此,$WADI$ 可以作为在干旱半干旱区植被水分和土壤水分监测的一项遥感指标。

(3)通过对黄河中游区大范围的 MODIS 遥感数据的应用,在试验区内地面 $WADI$ 和

土壤水分含量的相关系数达到 0.82,说明了在 *WADI* 模型基础上建立的 MODIS 遥感监测方法,能反映出试验区土壤水分状况。

　　本章的基本原理是依照植被和土壤在近红外区的光谱变化规律,通过直接观测地面水分的变化来达到间接监测土壤水分状况的目的。植被叶面积和植被覆盖等因素对土壤水分反应有滞后性,这就影响了该方法的监测精度。另外,虽然同样的土壤类型不会降低 *WADI* 对土壤水分的敏感性,但是不同土壤类型间的 *WADI* 会有所差异,因此不同区域中的植被类型和土壤类型是造成误差出现的主要因子。在实际监测工作中应分区、分类型区别对待,建立分区、分类型的监测模型。同时,本章在黄河中游试验区的计算中,选择了大气比较干燥的 5 月份晴空天气,并对云和地面水域进行了覆盖处理,忽略了大气水汽的空间差异,在具体的实际计算中,特别是大气中水汽空间分布不均匀时,应进行大气水汽吸收校正,在这方面 MODIS 的第 17、18 和第 19 波段将提供有关大气水分的信息,为 *WADI* 的应用提供了比较好的大气水汽校正基础。

第五章　黄河流域植被覆盖变化分析

植被覆盖是主要的地球生态系统指标,大区域范围植被覆盖变化体现了自然和人类活动对生态环境的作用。近 20 年来,随着遥感对地观测技术的发展,国内外应用遥感技术进行了大量的植被覆盖研究。美国和欧洲空间局等国际组织开展了利用 AVHRR 监测土地覆盖和植被季节变化的研究项(Deferis R S,1994);Tucker(1985)等也利用 AVHRR 数据对非洲大陆的干旱和沙漠化等植被进行了监测;孙红雨(1988)、李小兵(2000)等利用不同时间序列的 AVHRR – NDVI 数据分析了植被变化及植被和降水间的相互关系。这些成果促进了应用遥感技术对大区域范围植被覆盖变化的研究。

黄河流域主要分布在我国的干旱、半干旱区地区,气候环境变化深刻地影响着黄河流域的植被状况,几十年生态保护和建设工作也改善了流域的植被情况。孙睿等(2001)利用遥感数据分析了黄河流域植被覆盖和降水间的相互关系,取得了一些成果,认为从 20 世纪 80 年代初到 90 年代末,黄河流域平均植被覆盖有增加的趋势,而且汛期降水量对植被年际变化起主要作用,然而研究工作未进行气候、人为活动对植被覆盖的影响分析。本文利用 1982 ~ 1999 年 AVHRR – NDVI 数据和对应年份黄河流域气象观测数据,以及部分的植树造林数据进行了黄河流域春季、夏汛及伏秋植被覆盖年际间变化情况分析,并初步评估了黄河流域近 20 年来的生态建设工作成效。

第一节　植被指数的发展及分类

在应用遥感技术研究植被状况中,一般是通过建立植被指数进行的,田庆久等(1998)对植被指数的研究进行了归纳总结,表 5-1 列出了大部分植被指数。为了估算和监测植被覆盖,最早发展了比值植被指数(RVI)。但 RVI 对大气影响敏感,而且当植被覆盖不够浓密时(小于 50%),它的分辨能力也很弱,只有在植被覆盖浓密的情况下效果最好。归一化差异植被指数(NDVI)对绿色植被表现敏感,它可以对农作物和半干旱地区降水量进行预测,该指数常被用来进行区域和全球的植被状态研究。对低密度植被覆盖,NDVI 对于观测和照明几何非常敏感。在农作物生长的初始季节,将过高估计植被覆盖的百分比;在农作物生长的结束季节,将产生估计低值。继之,将各波段反射率以不同形式进行组合来消除外在的影响因素,如遥感器定标、大气、观测和照明几何条件等。这些线性组合或波段比值的指数发展满足特定的遥感应用,如作物产量、森林开发、植被管理和探测等。农业植被指数(AVI)针对作物生长阶段测量绿色植被;多时相植被指数(MT-VI)将两个不同日期的数值简单相减,是为了观测两个日期植被覆盖条件的变化和作物类型的分类,并用来探测由于火灾和土地流失造成的森林覆盖变化。

表 5-1 各种植被指数

名称	简写	公式	作者及年代
比值植被指数	RVI	R/NIR	Pearson 等(1972)
转换型植被指数	TVI	$\sqrt{NDVI+0.5}$	Rouse 等(1974)
绿度植被指数	GVI	$-0.283MSS4-0.66MSS5+0.577MSS6+0.388MSS7$	Kauth 等(1976)
土壤亮度指数	SBI	$-0.283MSS4-0.66MSS5+0.577MSS6+0.388MSS7$	Kauth 等(1976)
黄度植被指数	YVI	$-0.283MSS4-0.66MSS5+0.577MSS6+0.388MSS7$	Kauth 等(1976)
土壤背景线指数	SBL	$MSS7-2.4MSS5$	Richardson 等(1977)
差值植被指数	DVI	$2.4MSS7-MSS5$	Richardson 等(1977)
Misra 土壤亮度指数	$MSBI$	$0.406MSS4+0.60MSS5+0.645MSS6+0.243MSS7$	Misra 等(1977)
Misra 绿度植被指数	$MGVI$	$-0.386MSS4-0.53MSS5+0.535MSS6+0.532MSS7$	Misra 等(1977)
Misra 黄度植被指数	$MYVI$	$0.723MSS4-0.597MSS5+0.206MSS6-0.278MSS7$	Misra 等(1977)
Misra 典范植被指数	$MNSI$	$0.404MSS4-0.039MSS5-0.505MSS6+0.762MSS7$	Misra 等(1977)
垂直植被指数	PVI	$\sqrt{(\rho_{soil}-\rho_{veg})_R^2+(\rho_{soil}-\rho_{veg})_{NTR}^2}$	Richardson(1977)
农业植被指数	AVI	$(2.0MSS7-MSS5)$	Ashburn(1978)
裸土植被指数	$GRABS$	$GVI-0.09178SBI+5.58959$	Hay 等(1978)
多时相植被指数	$MTVI$	$NDVI(date\ 2)-NDVI(date\ 1)$	Yazdani 等(1981)
绿度土壤植被指数	$GVSB$	GVI/SBI	Badhwar 等(1981)
调整土壤亮度植被指数	$ASBI$	$(2.0YVI)$	Jackson 等(1983)
调整绿度植被指数	$AGVI$	$GVI-(1+0.018GVI)YVI-NSI/2$	Jackson 等(1983)
归一化差异绿度指数	$NDGI$	$(G-R)/(G+R)$	Chamadn 等(1991)
红色植被指数	RI	$(R-G)/(R+G)$	Escadafal 等(1991)
归一化差异指数	NDI	$(NIR-MIR)/(NIR+MIR)$	Mc Nairn 等(1993)
归一化差异植被指数	$NDVI$	$(NIR-R)/(NIR+R)$	Rouse 等(1974)
垂直植被指数	PVI	$(NIR-aR-b)/\sqrt{a^2+1}$	Jackson 等(1980)
土壤调整植被指数	$SAVI$	$\dfrac{(NIR-R)}{(NIR+R+L)}(1+L)$	Huete 等(1988)
转换型土壤调整指数	$TSAVI$	$[a(NIR-aR-B)]/(R+aNIR-ab)$	Baret 等(1989)
改进转换型土壤调整植被指数	$TSAVI$	$[a(NIR-aR-B)]/[R+aNIR-ab+X(1+a^2)]$	Baret 等(1989)
大气阻抗植被指数	$ARVI$	$(NIR-RB)/(NIR+RB)$	Kanfman 等(1992)
全球环境监测指数	$GEMI$	$\eta(1-0.25\eta)-(R-0.125)/(1-R)$; $\eta=[2(NIR^2-R^2)+1.5NIR+0.5R]/(NIR+R+0.5)$	Pinty 等(1992)
转换型土壤大气阻抗植被指数	$TSARVI$	$[a_{rb}(NIR-a_{rb}RB-b_{rb})]/[RB+a_{rb}NIR-a_{rb}b_{rb}$ $+X(1-a_{rb}^2)]$	Bannar 等(1994)
修改型土壤调整植被指数	$MSAVI$	$(2NIR+1-\sqrt{(2NIR+1)^2-8(NIR-R)})/2$	Qi 等(1994)
角度植被指数	AVI	$\arctan\{[(\lambda_3-\lambda_2)/\lambda_2](NIR-R)^{-1}\}$ $+\arctan\{[(\lambda_2-\lambda_1)/\lambda_2](G-R)^{-1}\}$	Plumme 等(1994)
导数植被指数	DVI	$\int_{\lambda_1}^{\lambda_2}\dfrac{dp}{d\lambda}d\lambda$	De metriades 等(1990)
生理反射植被指数	PRI	$(R_{ret}-R_{531})/(R_{ret}+R_{531})$	Gamom 等(1992)

植被指数按发展阶段可分为 3 类:第一类植被指数基于波段的线性组合(差或和)或原始波段的比值,由经验方法发展,没有考虑大气影响、土壤亮度和土壤颜色,也没有考虑土壤、植被间的相互作用(如 RVI 等)。它们表现了严重的应用限制性,这是由于它们是针对特定的遥感器(LandsatMSS)并为明确特定应用而设计的。第二类植被指数大都基于物理知识,将电磁波辐射、大气、植被覆盖和土壤背景的相互作用结合在一起考虑,并通过数学、物理、逻辑经验以及通过模拟将原植被指数不断改进而发展的(如 PVI、$SAVI$、MSA-VI、$TSAVI$、$ARVI$、$GEMI$、AVI、$NDVI$ 等)。它们普遍基于反射率值、遥感器定标和大气影响,并形成理论方法,解决与植被指数相关的但仍未解决的一系列问题。第三类植被指数是针对高光谱遥感及热红外遥感而发展的植被指数(如 DVI、Ts-VI、PRI 等)。这些植被指数是近几年来基于遥感技术的发展和应用的深入而产生的新的表现形式。尽管许多新的植被指数考虑了土壤、大气等多种因素并得到发展,但是应用最广的还是 $NDVI$,经常用 $NDVI$ 作参考来评价基于遥感影像和地面测量或模拟的新的植被指数,$NDVI$ 在植被指数中仍占有重要的位置。

第二节　遥感数据与气象数据处理

研究区域为黄河全流域,位于 96°~119°E、32°~42°N 之间,东西长 1 900km,南北宽 1 100km,流域面积 752 443km^2。

一、$NDVI$ 数据处理

选取 1982~1999 年 AVHRR 的 pathfinder 中的 $NDVI$ 遥感数据进行植被覆盖分析,该遥感数据空间分辨率为 8km×8km,已用旬 $NDVI$ 最大值进行了检云处理。为了获得黄河流域 1982~1999 年 $NDVI$ 的各季节年际间的变化,对原始 $NDVI$ 遥感数据进行以下处理:

(1)以月为单位,对每月 3 旬的 $NDVI$ 值进行进一步的最大值检云处理,去掉局部区域云覆盖影响,保证 $NDVI$ 反映的是每月的地表植被覆盖状况。

(2)分别以 3~5 月(春季)、6~8 月(夏汛)和 9~10 月(伏秋)为季节单位(11 月~次年 2 月为冬季,植被落叶,因此未对其进行分析),求出这三个季节 $NDVI$ 的平均值,并按式(5-1)计算各季节距平 $NDVI$ 值

$$NAVI_{i,j} = \frac{DNVI_{avg,j} - NDVI_{i,j}}{NDVI_{avg,j}} \tag{5-1}$$

式中:$NDVI_{i,j}$ 为第 i 年第 j 季节 $NDVI$ 均值;$NDVI_{avg,j}$ 为 1982~1999 年第 j 季节 $NDVI$ 的平均值;$NAVI_{i,j}$ 为第 i 年第 j 季节的距平 $NDVI$ 值。

(3)为了反映出植被覆盖的总体变化趋势,以 5 年为单位对以上距平 $NDVI$ 值进行滑动平均处理。

二、湿润指数数据处理

选取 1982~1999 年黄河流域附近 76 个气象站降水和蒸发数据进行湿润指数计算,具体步骤如下。

(1)计算湿润指数 MI:

$$MI = \frac{P}{E} \tag{5-2}$$

式中:MI 是湿润指数;P 是气象站月降水量观测值;E 是气象站月蒸发量观测值。

（2）对以上计算出的1982～1999年各个月的湿润指数进行空间插值,插值空间分辨率为8km×8km。

（3）分别以3～5月（春旱）、6～8月（夏汛）和9～10月（伏秋）为季节单位,求出这三个季节MI的平均值,并按式(5-3)计算各季节距平MI值：

$$NAMI_{i,j} = \frac{MI_{avg,j} - MI_{i,j}}{MI_{avg,j}} \qquad (5\text{-}3)$$

式中：$NAMI_{i,j}$为第i年第j季节MI均值；$MI_{avg,j}$为1982～1999年第j季节MI的平均值；$MI_{i,j}$为第i年第j季节的距平MI值。

（4）为了反映出湿润指数的总体变化趋势,以5年为单位对以上计算出的距平值进行滑动平均处理。

第三节　研究方法与结果分析

一、全流域各季节距平NDVI、MI值年际变化分析

利用以上处理好的各季节距平$NDVI$值和距平MI值,以黄河全流域为空间单位进行统计分析,作出各季节距平$NDVI$值和距平MI值的年际变化曲线,并对距平$NDVI$值进行线性拟合（见图5-1）。

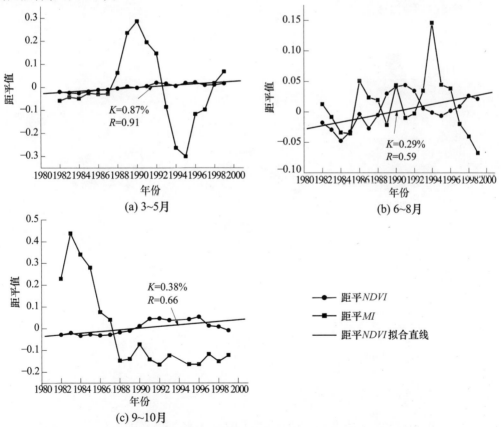

图5-1　各季节全流域距平$NDVI$值和距平MI值年际变化

从图 5-1 中可以分析出,各季节距平 NDVI 值总体呈上升趋势,上升速率各有差异,春季的上升速率最大,为 0.87%;汛期和伏旱上升速率分别为 0.29% 和 0.38%。各季节距平 MI 值变化幅度较大,春季中 20 世纪 80 年代末为一相对湿润时期,90 年代后为一相对干旱时期;夏汛中湿润程度也基本分成两个阶段,80～90 年代初基本是一个湿润程度相对上升的阶段,1994 年后湿润程度迅速下降,变成相对比较干旱的阶段;伏秋中 80 年代中期为相对湿润阶段,80 年代末～90 年代为相对干旱阶段。

从以上全流域各季节距平 NDVI 值和距平 MI 值年际间变化趋势分析说明:黄河流域植被覆盖度在逐渐增大,而且在春季表现更为突出,增长速率为 0.87%,夏汛和伏秋增长速率分别为 0.29% 和 0.38%;黄河流域的湿润状况在各季节的年际变化中有所不同,但基本可以分成 80～90 年代初相对湿润阶段和 90 年代中后期相对干旱阶段。

1982～1999 年 3～10 月黄河流域距平 NDVI 值和 MI 值变化见图 5-2、图 5-3。

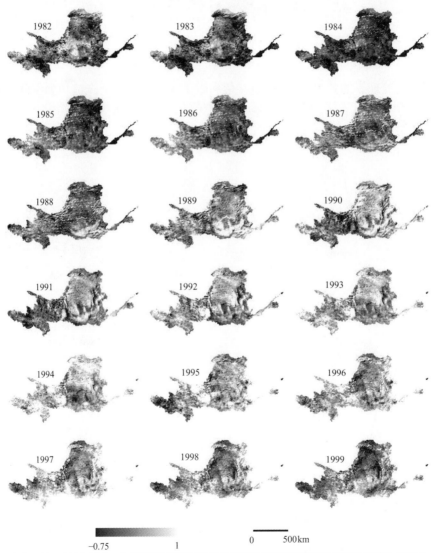

（a）1982～1999 年 3～5 月距平 NDVI 值变化状况(黄河流域距平 NDVI 值第 1 部分)

图 5-2　1982～1999 年 3～10 月黄河流域距平 NDVI 值变化状况

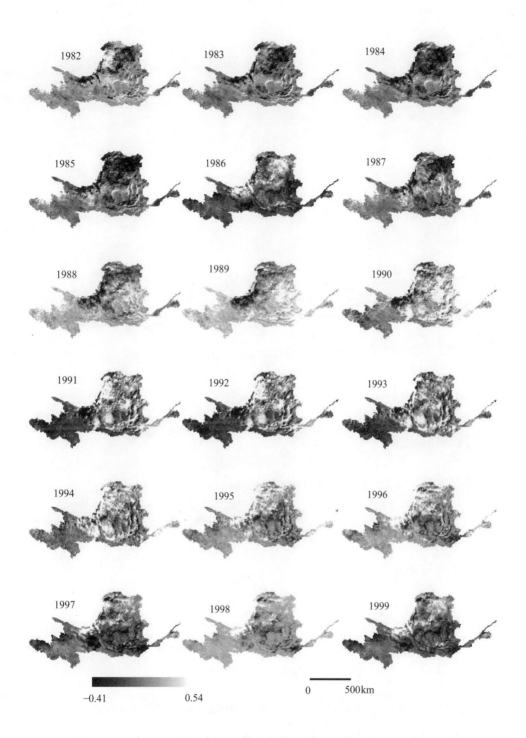

（b）1982～1999 年 6～8 月距平 *NDVI* 值变化状况（黄河流域距平 *NDVI* 值第 2 部分）

续图 5-2

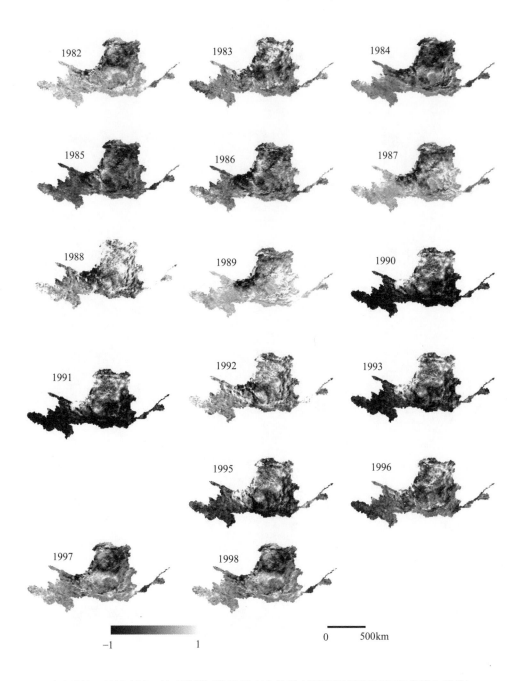

（c）1982～1999 年 9～10 月距平 NDVI 值变化状况（黄河流域距平 NDVI 值第 3 部分）

续图 5-2

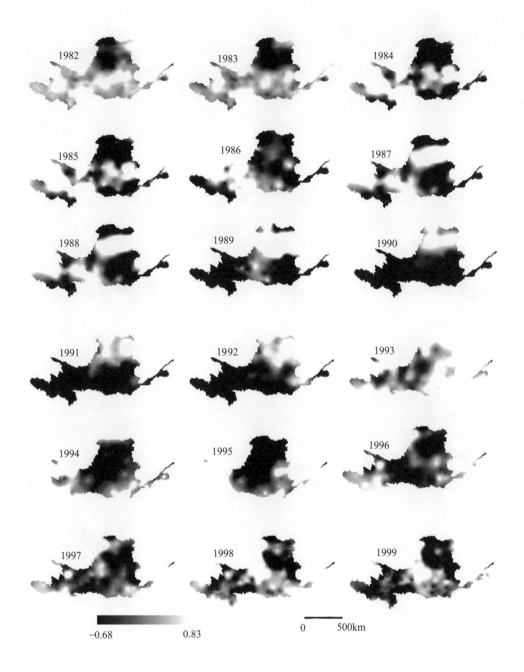

（a）1982～1999 年 3～5 月距平 *MI* 值变化状况（黄河流域距平 *MI* 值第 1 部分）

图 5-3　1982～1999 年 3～10 月黄河流域距平 *MI* 值变化状况

（b）1982～1999 年 6～8 月距平 MI 值变化状况（黄河流域距平 MI 值第 2 部分）

续图 5-3

· 124 ·

（c）1982～1999年9～10月距平 *MI* 值变化状况（黄河流域距平 *MI* 值第3部分）

续图5-3

二、分区域各季节 NDVI、湿润指数年际变化分析

已取得的研究成果说明,气候的湿润程度对 NDVI 的变化有较大影响,在干旱半干旱地区湿润程度高,则 NDVI 大,反之也成立(孙红雨,1988)。为了进一步分析黄河流域植被覆盖和气候湿润间的相互关系,进行各季节距平 NDVI 值和距平 MI 值相关分析,得出各季节距平 NDVI 值和距平 MI 值相关系数空间分布图(图5-4)。从图中可以分析出,在春季,黄河流域距平 NDVI 值和距平 MI 值成正相关区域主要集中在黄土高原以东的大部分地区;夏汛中全流域大部分地区距平 NDVI 值和距平 MI 值成正相关,正相关区域为三个季节中最大;伏秋中距平 NDVI 值和距平 MI 值成正相关区域零星分布,大部分地区距平 NDVI 值和距平 MI 值成负相关。由于黄河流域降水主要集中在夏汛期间,所以这一结果进一步证明降水对植被覆盖有影响作用。

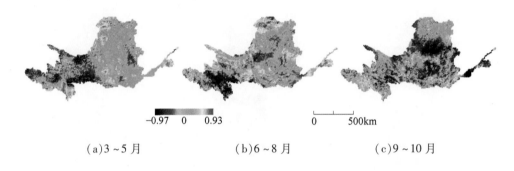

-0.97　0　0.93　　　　　0　　500km

(a)3~5月　　　　　　　(b)6~8月　　　　　　　(c)9~10月

图5-4　各季节距平 NDVI 值和距平 MI 值相关系数空间分布图

进一步按距平 NDVI 值和距平 MI 值相关系数≥0 的正相关区域和相关系数<0 的负相关区域进行空间统计(见图5-5)。

从图5-5 中首先可以分析出,无论在正相关还是负相关区域,距平 NDVI 值和距平 MI 值均保持它们在图5-4 中显示的全流域的变化规律,即距平 NDVI 值在逐渐增大,距平 MI 值可以分成20 世纪80 年代~90 年代初相对湿润阶段和90 年代中后期相对干旱阶段。其次可以分析出,春季中距平 NDVI 值增长速率正、负相关区域变化不大,分别是0.85% 和0.90%,相差5%,说明春季气候并没有对 NDVI 变化造成较大差异。夏汛中距平 NDVI 值增长速率在正、负相关区域相差较大,分别为0.29% 和0.18%,相差37%,说明夏汛中气候的湿润程度对 NDVI 的影响较大,在对 NDVI 的增长作用方面,气候湿润比气候干燥提高了近40%。伏秋中距平 NDVI 值时间序列相关性在正相关区域差,相关系数仅0.18,其速率不具有代表性,在负相关区域,距平 NDVI 值增长速率为0.57%。

从以上分区域各季节距平 NDVI 值、湿润指数年际间变化结果可以分析出黄河流域植被变化和气候湿润的相互关系是:①在春季、夏汛和伏秋三个季节中,各区域植被覆盖总体仍呈上升趋势;②气候湿润对黄河流域植被覆盖的增长有积极的促进作用,气候湿润条件比气候干旱条件下植被覆盖增长速率提高了近40%。

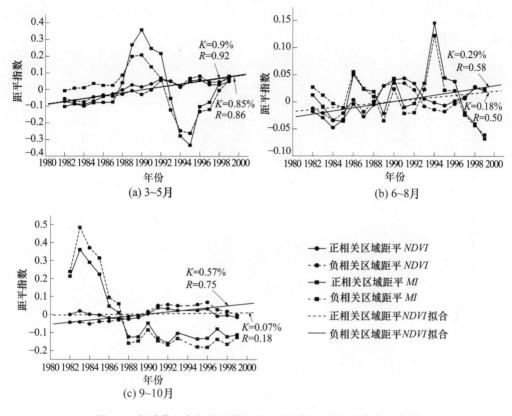

图 5-5　各季节正负相关区域距平 *NDVI* 值和距平 *MI* 值年际变化

第四节　生态保护和建设效益评估

从上面的分析结果可以看出,20 世纪 80 年代~90 年代初是黄河流域相对湿润时期,90 年代中后期是相对干燥时期,黄河年径流统计也表明其径流在逐渐减少,在一定程度上说明黄河流域是向干旱方向发展。然而在黄河流域干旱化发展的同时,植被覆盖总体上处于上升趋势。

应用遥感技术对全国的植被覆盖研究也表明我国从 80 年代以来植被覆盖在不断提高(朴世龙,2001)。黄河流域一直是我国生态保护和建设的重点地区,据黄河流域水资源保护局不完全统计,1991~1995 年间黄河流域植树造林面积 38.46 万 hm²,1996~1999 年造林 14.13 万 hm²。因此,可以初步认为黄河流域植被覆盖总体处于上升趋势是几十年我国生态保护和建设的结果。对年平均距平 *NDVI* 值的每个像元进行年际间线性拟合,得出黄河流域 1982~1999 年植被覆盖增长平均速率空间分布图(图 5-6)。从图 5-6 中可以看出,黄河流域植被覆盖总体处于上升趋势,全流域植被覆盖增长平均速率为 0.58%。在郑州以下的黄河流域、黄土高原北部毛乌素沙地东侧地区,以及兰州—银川河段植被覆盖增长速率最高,在 1%~3.8%;黄土高原大部分地区、渭河流域和青藏高原东部地区植被覆盖增长速率在 0~1%。这些植被覆盖增长地区基本上都是我国生态保护和建设地区,也是进行大面积植树造林的地区。而在毛乌素沙地和黄河源头地区植被覆盖处于下降趋势,下降速率为0~3.0%,反映出气候干旱的发展趋势。

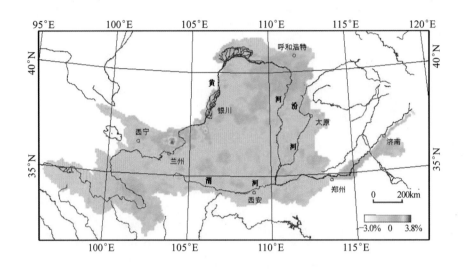

图5-6 植被覆盖增长平均速率空间分布图

通过以上研究得出以下结论:

(1)黄河流域植被覆盖变化和气候湿润程度的变化并不一致,对黄河流域1982~1999年春季、夏汛和伏秋湿润指数研究表明,20世纪80年代~90年代初黄河流域处于相对湿润阶段,90年代中后期处于相对干旱阶段。而植被覆盖度总体一直处于上升趋势。

(2)对黄河流域1982~1999年春季、夏汛和伏秋三个季节距平 NDVI 值和距平 MI 值的相关分析表明:春季气候对植被覆盖的影响差异不大,春季表现出的植被覆盖增长速率为0.87%;夏汛期间表现出的植被覆盖增长速率为0.29%,气候湿润对植被覆盖的影响较大;伏秋表现出植被覆盖增长速率为0.38%,气候湿润和干旱对植被覆盖的影响作用不明显。

(3)黄河流域1982~1999年间植被覆盖增长速率为0.58%,这一增长速率是自然和人类活动共同作用的结果,由于黄河流域自20世纪80年代以来总体处于干旱化发展的趋势,因此植被覆盖的增加更多地体现了我国几十年来进行生态保护和建设的结果,在黄河流域中一些重点生态保护和建设区植被覆盖增长速率达到1%~3.8%,而在一些不易开展生态保护和建设的干旱、高寒地区植被覆盖呈下降趋势,下降速率为0~3.0%,反映出气候干旱的发展趋势。

第六章　黄河流域地表干旱状况变化特征分析

地表干旱程度(状况)直接影响降雨径流。其内涵十分广泛,从不同角度出发,各个学科对干旱有不同的科学认识。通常将其分为气象干旱、农业干旱、水文干旱和社会经济干旱等(王密峡,1998)。国内外许多学者利用降水、气温等气象观测数据,建立各种地表干旱指标,进行了大量的研究工作(William M. Alley,1984;Karl T R,1996;吴洪宝,2000)。近20年来,随着遥感对地观测技术的发展,又开始利用遥感技术监测干旱状况(李亚春,1999),其方法主要是通过分析地表干旱状况下植被生物生理特性和生长状况,达到干旱遥感监测的目的(陈维英,1994;李晓兵,2000)。黄河流域面积广大,占据我国北方大部分地区,地表干旱是黄河流域的主要生态环境特征,涉及的因素十分复杂。所以,分析黄河流域的干旱状况,对认识黄河流域水循环、进行水资源科学管理具有重要意义。目前的分析研究工作主要是针对我国北方的局部地区,其方法也主要是从气象要素单方面进行(李小泉,1999;李久生,2001;张强,1998),缺乏从多个角度对黄河流域进行干旱状况变化的分析。本研究综合应用干旱的气候分析方法和遥感监测方法,利用1982~1998年气象观测数据和1982~1999年AVHRR-NDVI遥感数据,从气候与植被特征方面,分析了黄河流域近18年来的地表干旱变化情况。

第一节　地表干旱指标研究状况

干旱,尤其是农业干旱的发生与发展有着极其复杂的机理,它不可避免地受到各种自然的或人为因素的影响,气象条件、水文条件、农作物布局、作物品种及生长状况、耕作制度及耕作水平都可对农业干旱的发生与发展起到重要的影响作用。因此,与气候区划中所采用的干旱分类指标不同,农业干旱指标的确定必然要涉及到与大气、作物、土壤有关的因子,亦即大气干旱或土壤干旱对作物旱情发生与发展的影响。

王密峡(1998)研究干旱的各种各样定性和定量指标,将它们分为降水量指标、土壤含水量指标、作物旱情指标及综合性旱情指标等。

降水是农田水分的主要来源,是影响干旱的主要因素之一。对于地下水水位较深而又无灌溉条件的旱地农业区,降水则为农田土壤水分的唯一来源。干旱地区的降水明显地影响甚至支配着农作物的布局及其产量的高低和稳定性。降水量指标一般多采用降水距平百分率法、百分比法及无雨日数等。虽然其指标形式多样,但其实质都是以某地某一时段(年、季、月、旬或作物某一生长阶段)的降水量(观测值或预报值)与该地区该时段内的多年平均降水量相比较而确定其旱涝标准的。它是一种反映某一时段内降水与其多年平均降水值相对多少的一种定量指标。它可以直观地反映出时段内降水量与多年平均值的相对多少,能大致反映出干旱的发生趋势,但不能直接表示农作物遭受干旱影响的程度。虽然如此,由于降水量指标所需资料仅为历年降水统计资料及本时段内降水值或预测值,资料容易获得,简单明了,直观性好,目前在农业生产实际中得到广泛的应用,仍不失为一种有用的评价农业干旱的指标。

常用的土壤含水量指标有两种：一种是以作物不同生长状态下（正常、缺水、干旱等）土壤水分的试验数据作为判定指标,以实时监测的土壤实际含水率判定旱情。另外一种是用土壤水分消退模式来拟定旱情指标,根据农田水量平衡原理,计算各时段末的土壤含水量,预测农业干旱是否发生。目前一般认为,当土壤相对含水率小于40%时,作物受旱严重;当土壤相对含水率为40%~60%时,作物呈现旱象;相对含水率为60%~80%时为作物生长的适宜土壤水分含量;当相对含水率大于80%时,则表明土壤水分过多,其具体数值随作物类别、品种及生长阶段而变化。土壤含水量指标是目前研究比较成熟、能较好反映作物旱情状况的可行指标。

作物形态指标是一种利用作物长势、长相来进行作物缺水诊断的定性方法。由于作物生长对水分亏缺比较敏感,我们可以采用经验方法,根据作物的长势、长相来进行作物旱情诊断。作物形态指标直观,观测方便,可用于进行小范围内作物旱情诊断。但作物形态上的改变是作物体内已受到水分亏缺危害时的表现,也就是说这些形态症状是生理生化过程改变的后果,表现出来时可能已影响到作物正常生长发育。另外,由于它属于定性指标,不能量化,难免带有主观性,一般不易掌握好,难以应用于大范围的旱情诊断。

作物生理指标包括叶水势、气孔导度、细胞汁液浓度和冠层温度指标等。

（1）叶水势。叶水势与作物的水分状况直接相关,也是常用的作物旱情诊断指标,它可以比较灵敏地反映作物水分供应状况。当作物缺水时,叶水势下降。不同作物、同一作物的不同生育期发生干旱危害的叶水势临界值不同。另外,由于叶水势是由单个叶片测定的,植物间及叶片间的变异性很大,不同叶片、不同时间取样测定的叶水势值是有差异的,除非进行大量取样,否则很难代表农田的水分供应状况。

（2）气孔导度（阻力、开度）。气孔导度与土壤供水能力及叶片水分状况密切相关。由于气孔导度或气孔阻力的测定比较困难,生产实际中也常用气孔开度来判别作物是否受旱。当作物供水充足时,气孔开度较大,随着作物可用水分的减少,气孔开度逐渐减小,当土壤中的可用水耗尽后,气孔完全关闭。试验表明,春小麦在分蘖至抽穗期,当气孔开度小于 $6.5\mu m$ 时就开始受旱,在灌浆期当气孔开度小于 $5.5\mu m$ 时开始受旱,一般当小麦气孔开度为 $5.5\sim6.0\mu m$ 时,即表示其缺水,应该进行灌溉。

（3）细胞汁液浓度。细胞汁液浓度是应用较广泛的水分生理指标之一,其最主要的优点是测定方法十分简便。作物缺水情况下的细胞汁液浓度比正常水分条件下时为高,细胞汁液浓度超过一定值后,就会阻碍植株生长,不同作物种类、品种,以及不同生育阶段、不同部位的叶片,其细胞汁液浓度值都是有差异的,如冬小麦功能叶的汁液浓度,拔节到抽穗以 $6.5\%\sim8.0\%$ 为宜,9.0% 以上表示缺水;抽穗后则以 $10\%\sim11\%$ 为宜,超过 12% 表示缺水。

（4）冠层温度指标。作物冠层温度与其能量的吸收和释放过程有关,作物蒸腾过程的耗热将降低其冠层温度值,因此水分供应充足的农田冠层温度值低于缺水时的冠层温度值（缺水时,作物蒸腾减少,耗热减少）。基于这一点可以用农田冠层温度作为作物旱情诊断的指标,用以研究和监测作物旱情的发生发展。Tanner 于 1963 年首先采用了红外测温以研究植物温度,他指出植物温度可能是一个有价值的定量指标。此后,许多学者围绕植物冠层温度与植物水分状况之间的关系进行了多方面的研究,取得了很大进展。研究的主要内容是如何排除供水条件之外的其他因素对冠层温度的影响,以便其能准确地指示因土壤干旱造成的植物水分亏缺。用冠层温度法诊断作物旱情,一般采用的指标形式有农田冠层温度的变异幅度、与供水充足对照区的冠层温度差、冠层—空气温度差。

农业干旱的发生可同时受到气象、水文、土壤、作物、农业布局、农耕措施及水利设施等多种因素的综合影响,利用单因素旱情指标,如降水量指标、土壤含水量指标及作物生理指标等虽然都可在一定程度上大致反映出农业干旱发生的趋势,但却忽视了干旱对作物光合作用、干物质产量以及籽粒产量的影响。大量的试验研究结果表明,这与作物蒸腾量关系密切,而大田作物蒸腾量受土壤含水量和气象条件制约,因此可用作物相对蒸腾量的减少来指示作物水分亏缺 CWSI,从而综合反映干旱综合状况。除 CWSI 指标外,作物受旱程度还可根据作物供需水状况来反映,如 1961 年北方七省一市旱涝技术座谈会指出如下旱涝指数指标等。

第二节　研究区域与资料处理

研究区域为黄河全流域,位于 96°~119°E、32°~42°N 之间,东西长 1 900km,南北宽 1 100km,流域面积 752 443km²。黄河是我国第二大河,作为北方地区最大的供水水源,以其占全国河川 2% 的有限水量,承担着本流域和下游引黄灌区占全国 15% 耕地面积和 12% 人口的供水任务。黄河流域大部分地区属于半干旱与干旱地区,水资源条件先天不足,在气候和人类活动的影响下,生态环境脆弱,干旱是流域的基本特征。

一、地表干旱状况的植被特征数据处理

选取 1982~1999 年 AVHRR 的 pathfinder 中的 NDVI 遥感数据进行干旱状况的植被特征分析。该遥感数据空间分辨率为 8km×8km,已用旬 NDVI 最大值进行了检云处理。为了获得黄河流域 1982~1999 年 NDVI 的年均变化,反映干旱状况的植被特征,对原始 NDVI 遥感数据进行以下步骤处理:

(1)以月为单位,对每月 3 旬的 NDVI 值进行进一步的最大值检云处理,去掉局部区域云覆盖影响,保证 NDVI 反映的是每月地表植被覆盖状况。

(2)由于黄河流域冬季寒冷,植被处于休眠期,冬季植被不能反映植被覆盖情况,因此为了减少冬季地面覆盖噪音对全年 NDVI 均值的影响,在上述处理结果基础上,用 4~10 月份的月 NDVI 进行平均,表达全年 NDVI 的年均状况。

(3)将以上处理的年均 NDVI 数据投影转换为我国双标准纬线等积圆锥投影,并切割为黄河流域范围。用距平 NDVI 值反映植被状况:

$$NAVI_i = \frac{NDVI_{avg} - NDVI_i}{NDVI_{avg}} \tag{6-1}$$

式中:$NDVI_i$ 为第 i 年的 NDVI 均值;$NDVI_{avg}$ 为 1982~1999 年 18 年 NDVI 的平均值;$NAVI_i$ 为第 i 年的距平 NDVI 值。$NAVI_i$ 越大,反映该年的 NDVI 值越低于平均 NDVI 值,说明地

面植被相对受旱严重;反之,则说明环境相对比较湿润。

二、地表干旱状况的气候特征数据处理

我国是一个水资源较贫乏的国家,人均占有的河川地表径流量较世界平均少得多,而且分布极不均匀。就一个地区而言,降水在年内不同季节的分布也很不相同,年际变化大,从而极易导致干旱的发生和发展。据统计,平均全国每年受旱面积在 2 亿 hm^2 左右,有的年份甚至达 5 亿 ~ 7 亿 hm^2,甚至更多。历史上大范围的严重干旱,都给我国的工农业生产和国民经济建设带来很大的影响。所以,干旱是对我国国民经济各部门,特别是对农业生产影响最大的气象灾害之一。干旱指的是长期无雨或少雨,使土壤水分不足、作物水分平衡遭到破坏而导致减产的农业气象灾害。因此,干旱灾害是一种气候性的灾害,干旱的形成是一个气候上的问题。然而,旱情的变化与中、短期天气过程密切相关。长期无雨或少雨导致的干旱,可以由于几天内出现了较大的降水而缓解甚至解除。因此,旱情的变化是与天气变化紧密联系的问题,是我们日常天气情报服务工作的重要内容。

导致干旱的主要原因是长期缺乏降水,然而干旱灾害是否形成及其严重程度却与诸多因素有关,如土壤性质、水利条件、蒸发情况、作物品种以及是否作物生长发育的关键时期等。为便于实时监测和评估旱情的变化,使用能客观反映干旱情况和便于统计计算的干旱指数是比较理想的方法。以往国内外不少作者从不同的角度提出过多种干旱指数,但它们大多适用于评定某一地区气候上的干旱程度,或适用于对长时间的干旱状况进行后期评估,或者包含了蒸发量、作物需水量、径流量等不能实时取得资料的参数,因此难以在实时天气情报服务的业务工作中应用。为便于利用实时天气资料建立能够反映旱情变化的客观指标,可以认为,干旱及其变化主要取决于近期降水、气温等条件(李小泉,1999)。

用气候干旱指数反映干旱的气候特征:

$$DI_i = PI_i + TI_i \tag{6-2}$$

式中:DI_i 为第 i 年的干旱指数,DI_i 值越大表示气候越干旱;PI_i 为第 i 年的降水距平指数;TI_i 为第 i 年的温度距平指数。

PI_i、TI_i 的计算公式分别为

$$PI_i = \frac{P_{avg} - P_i}{P_{avg}} \tag{6-3}$$

$$TI_i = \frac{T_i - T_{avg}}{T_{avg}} \tag{6-4}$$

式中:P_{avg}、T_{avg} 分别表示 1982 ~ 1998 年年降水量和年均温的平均值;P_i、T_i 分别表示第 i 年的年降水量和年均温。

选取 1982 ~ 1998 年全国 681 个气象站年均温和年降水量进行干旱状况的气候特征分析,处理步骤如下:

(1)对全国 681 个站点年降水量进行插值运算,转换为空间分辨率为 8km × 8km 的栅格数据。

(2)将全国 681 个站点年均温校正至海平面高度,进行插值运算,转换为空间分辨率

为 8km×8km 的栅格数据,然后利用全国 1∶100 万 DEM 数据进行温度高度校正。

(3)分别将以上处理后的年降水量和年均温数据投影转换为我国双标准纬线等积圆锥投影,并切割为黄河流域范围。

第三节 研究方法与结果

一、计算方法

通过前面的数据处理,获得黄河流域距平 $NDVI$ 和干旱指数的数据矩阵 $NAVI$ 和 DI,$NAVI$ 和 DI 为 $M×N×I$ 的三维数据矩阵,M 是研究区域东西向的像元总数,N 是研究区域南北宽的像元总数,I 是 1982~1998 年(1999 年)的年数,即每个数据元 $NAVI_{mni}$ 表示第 m、n 像元位置上第 i 年的距平 $NDVI$ 指数;同理,每个数据元 DI_{mni} 表示第 m、n 像元位置上第 i 年的干旱指数。为了反映出黄河流域实际干旱和气象干旱的时空变化,我们设计分别用每一个像元位置上 $NAVI_{mni}$、DI_{mni} 与时间 i 的线性回归斜率 $K-NAVI_{mn}$ 和 $K-DI_{mn}$ 表示实际干旱和气象干旱的时间动态趋势,分别用每一个像元位置上 $NAVI_{mni}$、DI_{mni} 与时间 i 的相关系数 $R-NAVI_{mn}$ 和 $R-DI_{mn}$ 控制二者线性回归的时段,反映实际干旱和气象干旱的时间动态趋势的变化情况。线性回归斜率计算公式如下:

$$K-NAVI_{mn} = \frac{I×(\sum NAVI_{mni}×i)×(\sum NAVI_{mni})×(\sum i)}{I×(\sum i^2)-(\sum i)^2} \qquad (6-5)$$

$$K-DI_{mn} = \frac{I×(\sum DI_{mn}×i)×(\sum DI_{mn})×(\sum i)}{I×(\sum i^2)-(\sum i)^2} \qquad (6-6)$$

相关系数的计算公式如下:

$$R-NAVI_{mn} = \frac{\frac{1}{I}\sum(NAVI_{mni}-\mu NAVI_{mn})(i-\mu i)}{\rho NAVI_{mn}×\rho i} \qquad (6-7)$$

$$R-DI_{mn} = \frac{\frac{1}{I}\sum(DI_{mni}-\mu DI_{mn})(i-\mu i)}{\rho DI_{mn}×\rho i} \qquad (6-8)$$

式中:$\mu NAVI_{mn}$、μDI_{mn} 为像元位置 m、n 的 $NAVI_{mn}$ 均值;$\rho NAVI_{mn}$、ρDI_{mn} 为像元位置 m、n 的 DI_{mn} 标准差。

为了反映出黄河流域干旱状况气候特征和植被特征的变化,分别用每一个像元位置上 $NAVI_{mni}$、DI_{mni} 与时间 i 的线性回归斜率表示干旱状况的气候特征和植被特征的发展趋势,用每一个像元位置上 $NAVI_{mni}$、DI_{mni} 与时间 i 的相关系数控制线性回归的起止点,即当相关系数绝对值 >0.45 的像元总数量小于全区域像元数量的 70% 时,表示此线性回归式已不能很好地模拟其相关性,就结束当前的回归,选择另一合适的回归式模拟下一时段。各时段的线性回归斜率组合在一起就反映出黄河流域干旱状况气候和植被特征的时间动态。在此基础上,利用遥感处理软件 ENVI3.5 和 IDL5.4 语言完成数据计算工作。

二、计算结果

通过上面的计算可将黄河流域距平 $NDVI$ 和气候干旱指数划分成 1982~1993 年和

1994～1999 年两个阶段(见图 6-1、图 6-2)。

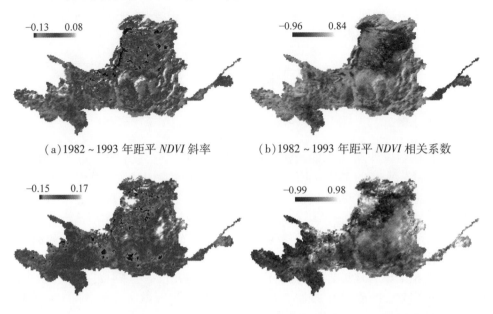

(a)1982～1993 年距平 *NDVI* 斜率   (b)1982～1993 年距平 *NDVI* 相关系数

(c)1994～1999 年距平 *NDVI* 斜率   (d)1994～1999 年距平 *NDVI* 相关系数

图 6-1   1982～1993 年和 1994～1999 年距平 *NDVI* 的线性回归斜率与相关系数

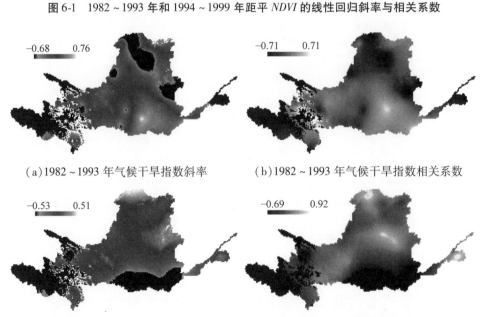

(a)1982～1993 年气候干旱指数斜率   (b)1982～1993 年气候干旱指数相关系数

(c)1994～1999 年气候干旱指数斜率   (d)1994～1999 年气候干旱指数相关系数

图 6-2   1982～1993 年和 1994～1999 年气候干旱指数的线性回归斜率与相关系数

从图 6-1、图 6-2 中可以分析出,在 1982～1993 年和 1994～1999 年两个时间阶段内,距平 *NDVI* 和气候干旱指数的时间序列线性回归斜率在空间上不同,进一步将两个时间阶段内距平 *NDVI* 和干旱指数的线性回归斜率按表 6-1 划分类型,得出距平 *NDVI* 和气候干旱指数在 1982～1999 年内区域变化类型(见图 6-3)。

表 6-1 距平 *NDVI* 和干旱指数区域变化类型划分

类型	1982～1993 年	1994～1999 年	类型	1982～1993 年	1994～1999 年
干旱型	线性回归斜率≥0	线性回归斜率≥0	湿转旱	线性回归斜率≤0	线性回归斜率＞0
旱转湿	线性回归斜率≥0	线性回归斜率＜0	湿润型	线性回归斜率≤0	线性回归斜率≤0

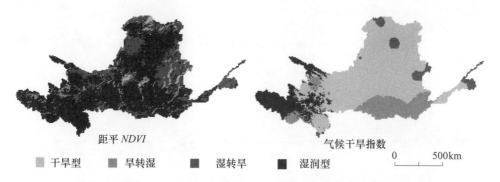

距平 *NDVI*　　　　　　　　气候干旱指数

■ 干旱型　　■ 旱转湿　　■ 湿转旱　　■ 湿润型　　　0　　500km

图 6-3　距平 *NDVI* 和气候干旱指数在 1982～1999 年内区域变化类型

从图 6-3 中可以分析出,在 1982～1999 年,距平 *NDVI* 与气候干旱指数的区域变化类型有一定的差异,说明干旱状况的气候特征和植被特征在时间动态和空间分异上并不一致。为了进一步综合分析干旱状况的气候特征和植被特征,将距平 *NDVI* 与气候干旱指数区域动态类型按面积大小进行综合,得出黄河流域干旱状况在 1982～1999 年的区域变化类型(见图 6-4)。

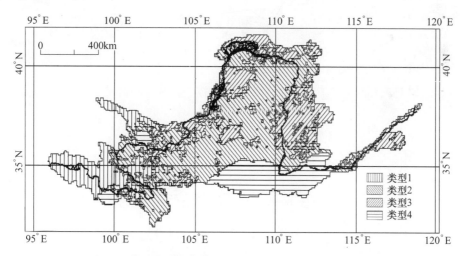

图 6-4　黄河流域干旱状况在 1982～1999 年区域变化类型

第四节　结果分析

按黄河流域干旱状况区域变化类型,分别对距平 *NDVI* 和干旱指数进行空间统计(见图 6-5),得出各类型特征如下。

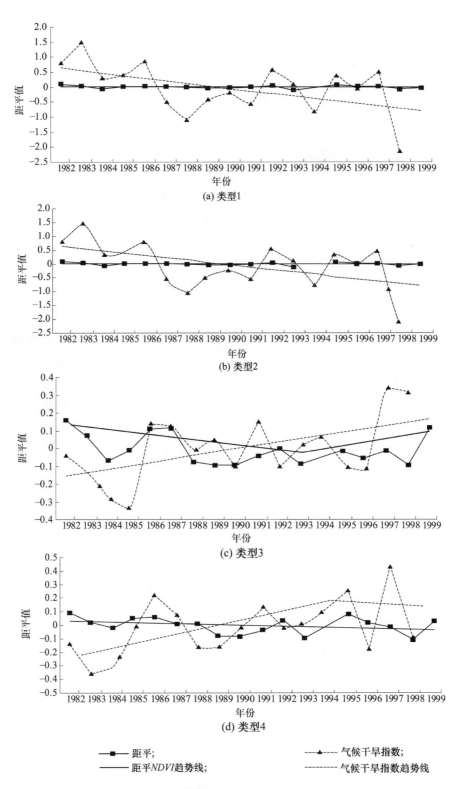

(a) 类型1

(b) 类型2

(c) 类型3

(d) 类型4

距平;　　　　　　气候干旱指数;

距平NDVI趋势线;　　　　气候干旱指数趋势线

图6-5　干旱状况区域类型空间统计

一、类型1

该类型位于黄河的源头地区,主要在101°20″E以西地区,面积105 342km²,占黄河流域的14%。图6-5(a)中显示,在1982~1999年,类型1区域内的气候干旱指数变化趋势线倾斜向下,说明该区域干旱状况的气候特征有减弱趋势;距平NDVI变化幅度不大。所以,通过对类型1地区干旱状况的气候特征和植被特征分析,可以看到该区域总体上干旱状况处于减弱趋势。

二、类型2

该类型包括黄河中游的大部分地区,主要包括黄土高原、毛乌素沙地和青藏高原东缘地区,面积361 172km²,占黄河流域的48%。图6-5(b)中显示,在1982~1999年,类型2区域内的气候干旱指数变化趋势线倾斜向下,说明该区域干旱状况的气候特征没有增强,但是距平NDVI的趋势线倾斜向上,表明该区域干旱状况的植被特征在增强,出现了干旱状况气候特征和植被特征相互背离的现象。由于植被特征不仅反映了气候的干旱状况,同时也反映出生态保护和建设,因此这种干旱状况气候特征和植被特征相互背离的情况说明在气候干旱的同时,生态保护建设在黄河流域起到了一定的作用。

三、类型3

该类型位于黄河中游地区,主要在黄土高原东部和毛乌素沙地西部地区,面积173 061km²,占黄河流域面积的23%。图6-5(c)中显示,1982~1999年,类型3区域内的气候干旱指数变化趋势线倾斜向上,说明该区域干旱状况的气候指标在相对增强;距平NDVI的趋势线分为两段,1982~1993年倾斜向下,表明该区域干旱状况的植被特征在这一时间阶段内相对减弱,1994~1999年倾斜向上,则表明该区域干旱状况的植被特征在增强。类型3地区干旱状况气候特征和植被特征在1982~1993年相互背离,同样表明了生态保护和建设的效果;而在1994~1999年期间干旱状况的植被特征增强主要是受到1997年以来强烈干旱气候的影响。

四、类型4

该类型主要位于渭河流域,在黄河流域西部也有小面积分布,面积112 866km²,占黄河流域的15%。图6-5(d)中显示,气候干旱指数趋势线分为两段,1982~1993年倾斜向上,表明该区域干旱的气候特征在这一时间阶段内相对增强;1994~1999年倾斜向下,则表明该区域干旱状况的气候特征相对减弱。在整个时间阶段内,距平NDVI的趋势线倾斜向下,表明该干旱状况的植被特征保持减弱的趋势,这主要与渭河流域以灌溉农业为主,农业生产受气候变化影响小有关。

五、结论

通过利用1982~1999年AVHRR的NDVI遥感数据气候观测数据,对黄河流域干旱状况气候特征和植被特征的综合分析,同可以得出以下结论:

（1）黄河流域在 1982～1999 年干旱的气候特征比较突出,在 101°20″E 以东地区,除了渭河流域气象干旱在 1994～1998 年有所缓解外,均处于持续的气象干旱中。虽然黄河流域目前大部分地区由于生态保护和建设,干旱的植被特征表现不明显,但是持续的气象干旱已经威胁到黄河中游的绝大部分地区,黄土高原东部和毛乌素沙地等地区在气象干旱的影响下,干旱状况的植被特征已经出现干旱恶化的现象。这些受干旱威胁和危害地区面积共占黄河流域面积的 71%,所以黄河流域生态环境保护和治理面临着比较严重的困难。

（2）黄河流域在 101°20″E 以西的源头地区,干旱的气候特征和植被特征目前都处在相对减弱的趋势中,干旱没有进一步严重恶化的迹象。这为进行黄河源头生态环境保护和治理提供了一个有利的条件。

（3）由于有引黄灌溉,黄河流域灌溉农业地区植被基本不受气象干旱的影响,渭河流域、银川平原和河套灌区在 1982～1999 年干旱的植被特征一直处于减弱趋势中。

第七章　黄河流域主要气象要素气候变化趋势分析

近年来,由于自然和人类活动的干扰,大气污染和温室气体浓度升高,加剧了气候变化的速度,全球气候变化研究已成为目前国际科学的热点之一。水循环是水资源科学评价与合理开发利用的基本依据。水循环主要要素的变化取决于气候条件的变化与人类活动的影响。深入研究近年来黄河流域气候变化的基本规律,探讨气候变化对流域水平衡与水循环要素的影响,对分析水循环变动的规律并预测其趋势具有重要的意义。

本章根据黄河流域及其周边气象站1960~2000年逐月气象资料,结合地理信息系统ArcGIS8.1,对黄河流域降水、温度、蒸发皿蒸发量、日照百分率、太阳辐射等气象要素的气候变化趋势及其空间分布进行分析。GIS技术是一种面向地理空间数据管理和处理的技术,地理数据从以下三个方面描述自然界的物体:①一定坐标系中的位置;②与位置相关的属性;③相互间的空间关系(拓扑关系)。气候资源的分布有明显的地域性特征,可以用地理空间数据来描述。然而,由于气候观测站点稀疏,不足以精确地反映整个空间气候状况,为此需要进行空间数据的内插。要达到这一目的,需从现有观测的资料中找出一个函数关系式,在黄河流域气象要素气候变化趋势分析中,主要借助于线性倾向估计法、累积距平等对气象要素的气候变化趋势进行判别,求出其在空间上的分布状况,并用黄河流域界提取出黄河流域某要素的年和季节空间分布图。根据空间分布图,获得流域平均和流域内不同气候区的特征序列。在黄河源区水循环过程综合分析中,主要利用GIS的分析与地图输出功能,对水循环中的主要因子如气温、降水、径流和反映土地利用变化的遥感信息NDVI等进行单要素的分析以及要素间的比较分析,试图揭示黄河流域水循环变化的根本原因。

第一节　气象要素气候变化趋势研究方法

趋势分析的方法很多,目前常用的有线性倾向估计、滑动平均、累积距平、二次平滑、三次样条函数、Kendall秩次相关法、Mann-Kendall秩次相关法等。以下主要借助于线性倾向估计法、累积距平等对气象要素的气候变化趋势进行判别。

一、线性倾向估计

用x_i表示样本量为n的某一变量,用t_i表示x_i所对应的时间,建立x_i与t_i之间的一元线性回归:

$$\hat{x}_i = a + bt_i \qquad (i=1,2,\cdots,n) \tag{7-1}$$

式中:a为回归常数;b为回归系数。

a和b利用最小二乘法进行估计。

对式(7-1)的说明如下:

（1）回归系数 b 的符号表示变量 x 的趋势倾向。$b>0$ 说明随时间 t 的增加，x 呈上升趋势；当 $b<0$ 时，说明随时间 t 的增加，x 呈下降趋势。b 值反映了上升或下降的速率，即表示上升或下降的倾向程度。因此，通常称 b 为倾向值。

（2）相关系数 r 表示变量 x 与时间 t 之间线性相关的密切程度。当 $r=0$ 时，回归系数 $b=0$，说明 x 的变化与时间 t 无关；当 $r>0$ 时，$b>0$，说明 x 随时间 t 的增加呈上升趋势；当 $r<0$ 时，$b<0$，说明 x 随时间 t 的增加呈下降趋势。$|r|$ 越接近于 0，x 与 t 之间的线性相关就越小。反之，$|r|$ 越大，x 与 t 之间的线性相关就越密切。

（3）对于判断变化趋势的程度是否显著，必须对相关系数进行显著性检验，确定显著性水平 α，若 $|r|>r_\alpha$，表明 x 随时间 t 的变化趋势是显著的，否则表明变化趋势不明显。在进行统计检验时，多应用 t 检验法。

（4）当相关系数 r 通过显著性检验时，可定义 b_{10} 为气候倾向率，表示该变量每 10 年的增（减）幅；当未通过显著性检验时，定义气候倾向率为 0，表示该变量在研究时间序列内没有显著变化。

二、资料来源及处理

所用资料由中国气象局气象中心提供（该资料已经过了初步的质量控制），为黄河流域内及其周边的气象站观测资料。其中有降水和日照百分率观测资料的台站为 146 个、温度观测资料的台站为 161 个，蒸发皿观测资料的台站为 123 个，太阳总辐射观测资料的台站为 35 个，资料年代取 1960～2000 年，所有要素的时间单位为月。对所有资料进行严格的质量检测，对其中的错误数据进行了筛选与剔除。

对每个台站的所有气象要素进行整理，获取其年和季节特征序列。其中，季节划分是以 3～5 月为春季、6～8 月为夏季、9～11 月为秋季、12 月～次年 2 月为冬季。流域平均的各种要素的年和季节特征序列的获取采用如下方法：借助地理信息系统 ArcGIS8.1，用逆距离加权插值法（IDW）将所有台站某要素年或季节值进行内插，求出其在空间上的分布情况，并用黄河流域界提取出黄河流域某要素的年和季节空间分布图。根据空间分布图，获得流域平均和流域内不同气候区的特征序列。

三、关于 ArcGis

GIS 经过 20 多年的发展，已形成面向不同用户和不同应用水平的多层次应用模式。GIS 的使用对象分终端用户、中间用户和高级用户三个层次。终端用户是直接利用地理信息系统的最终分析结果的用户，他们往往是某个领导层或某个专业领域的决策者，所关心的是系统所能够提供的结果而不是过程。中间用户是某个地理信息系统的数据运行者或二次开发人员，一个地理信息系统的功能只有通过他们操作才能得以实现，是解决实际问题的地理信息系统的方案设计者和最终完成者。高级用户是某个专用的地理信息系统软件的设计研制人员，侧重于独立应用系统的开发研制，他们更多关心系统结构的合理性、功能的优化、系统的灵活性和开放性。水文水循环领域的 GIS 用户无疑属于中间用户范畴。

ArcGIS 家族是建立在工业标准上的完整的 GIS 软件产品体系，不仅易学易用，而且功能强大。ArcGIS 体系的建立,是 ESRI 软件发展史上重要的里程碑。它除了具有地图生产、高级特征建构工具、动态投影、将矢量和栅格数据存储在数据库管理系统(DBMS)中等基本特征外,互联网技术的应用还使 ArcGIS 拥有了许多绝无仅有的特性。

ArcGIS 家族的体系结构可以让用户根据自己的系统需求量身定制。ArcView、ArcEditor 和 ArcInfo(众所周知的 ArcGIS Desktop 产品)拥有相同的核心应用程序和用户界面,在此基础上,用户可以增加多用户编辑和分布式 Internet 服务。因此,无论是单用户还是全球性企业,ArcGIS 允许根据每一个用户的需求进行伸缩定制。

用户可配置多种 ArcGIS 客户端(ArcReader、ArcView、ArcEditor、ArcInfo)、移动客户端(ArcPad)和 ArcGIS 服务器(ArcSDE 和 ArcIMS)来满足不断升级 GIS 解决方案。

ArcInfo、ArcView、ArcEditor 共同拥有以下 10 个特征:①高级编辑工具;②高质量绘图法;③可以与 Internet 相结合;④投影;⑤地理编码;⑥向导工具;⑦使用 XML 支持元数据标准;⑧基于 COM 定制;⑨可扩展结构;⑩直接读取 40 多种数据格式。

ArcGIS 提供了一个单人或多人使用的执行架构,ArcView 就是整个架构前端的桌上型地理资讯系统软体,直接与使用者产生互动。ArcView 提供广泛性的制图及分析工具,但只能编修 ESRI 制定的格式 Shapefile 及简单的空间资料库;ArcEditor 除了有 ArcView 所提供的功能外,亦提供编修 ESRI 制定的 ArcInfo 资料格式 Coverage 及空间资料库的功能;至于 ArcInfo 除了有以上两者的功能外,还包含 ArcInfo Workstation(包括 Arc、ArcPlot、ArcEdit)的功能。

ArcGIS 8.1 功能扩展模块应用包括 ArcView Spatial Analyst,它包含 ArcView Spatial Analyst 和 Arcinfo GRID 的功能;ArcView 3D Analyst 包含 ArcView GIS 3D Analyst 和 ArcInfo TIN 的功能;GeoStatistical Analyst 是一种新的地学统计分析扩展模块。ArcGIS 8.1 中一个更深层的关键部分是其一系列的数据模型,它将软件引伸到特殊的应用领域。最开始将引进的数据模型扩展之一是 ArcFM Water,它是一个有关自来水、污水以及洪水相关的 Geodatabase 数据模型。它具有完整的绘图模型、数据库物理设计、测试数据库和手册。接下来将提供的数据模型涵盖电力、煤气、街道以及环境等领域。

ArcIMS 将 Internet 服务引入到 ArcGIS 系列中。ArcIMS 包括两个客户端和一整套应用服务。ArcIMS browser – based viewer 和独立的 AreExplorer viewer 是轻量级的 Web 客户端。它们被设计为其他的 ArcGIS 桌面客户端的补充。

随着近期的 ArcIMS 3 的发布,ESRI 将 Internet 和 www 集成到了 ArcGIS 中来。ArcIMS 3 为在 Web 上基于地理信息的工作提供了一整套的服务。一个重要的新功能是所有的 ArcGIS 桌面客户端(ArcInfo、ArcInfo Editor、ArcView GIS、ArcExplorer、ArcIMS Viewer)都可从 ArcIMS 服务器在 Web 上动态地访问栅格和矢量数据。一旦这些新的图层被从网络上取过来,它们可以像所有其他图层一样使用,即可被符号标注、制图、编辑和分析,也可被存成本地文件格式备用。

ArcGIS 系统融合了现有的诸多主流技术,通过采用公开标准,如 COM、XML 和 SQL,ArcGIS 能与企业数据库(带或不带空间扩展)和 Web 服务器通讯。

总之,ArcGIS 8.1 是 GIS 领域里的一个重大突破。ArcGIS 是一个全面的、可伸缩集成的系统,可以满足广泛的用户需求。用户可配置多层次的 ArcView GIS、ArcInfo Editor、ArcInfo、ArcExplorer、ArcIMS Viewer 和 ArcSDE/ArcIMS 客户端或服务器,以满足不同应用阶段和层次的需求。

四、关于 ArcView

ArcView 是世界上最受欢迎的桌面 GIS 和制图软件,全世界范围有大约500 000多份在使用。ArcView 提供数据可视化、查询、分析和集成功能,以及创建和编辑地理数据的能力。

ArcView 8.1 包含 ArcView 3. x 基本功能,还增加了许多应用户要求进行的改进。新特性包括浏览和管理数据的目录、动态坐标和基准面投影、创建元数据、用内嵌 VBA 进行定制、新的编辑工具、支持静态注记、增强的制图工具、直接获取 Internet 数据等。

ArcView 8.1 是独立 GIS 程序,是 ArcGIS 起点。ArcGIS 由 ArcView、ArcEditor、ArcInfo、ArcIMS 和 ArcSDE 组成。通过提供多用户编辑、高级分析、Internet 服务和高性能空间数据库服务,ArcGIS 扩展了 ArcView 的功能。

ArcView 8.1 具有直观的 Windows 用户界面,内嵌 VBA 进行定制。ArcView 由 ArcMap、ArcCatalog、ArcToolbox 三个桌面应用程序组成。ArcMap 进行数据显示、查询和分析;ArcCatalog提供地图和表格数据管理、创建和组织;ArcToolbox 提供基本数据转换。使用这三个应用程序,可以执行任何 GIS 任务,从简单到高级,包括制图、数据管理、地理分析、数据编辑和空间处理。

ArcView 8.1 提供许多令人激动的功能,例如扩大了符号库、新的编辑工具、元数据管理、动态投影。

本书利用 ArcView 8.1 对黄河流域主要气象要素气候变化趋势进行分析,对黄河流域降水、温度、蒸发皿蒸发量、日照百分率、太阳辐射等气象要素的气候变化趋势及其空间分布进行分析,探讨气候变化对流域水平衡与水循环要素的影响。

第二节　黄河流域降水气候变化趋势

一、黄河流域降水基本特征

黄河流域绝大部分面积远离海洋,流域 94.7% 的面积属于半湿润、半干旱和干旱气候区。降水量少,全流域多年平均降水量为 438mm。流域内所处位置、地形、地势的不同,降水的空间分布差异也较大。降水的地区分布,总的趋势是由东南向西北递减,山区大于平原,并随着纬度的增加而减少,离海洋的近、远而增减。黄河上游兰州站以上,年降水量呈南北多、中间少的特征,由南部久治、红原一线的 750mm,向北递减至兴海、玛多、民和一线的 400mm 以下至 250mm。位于北边的祁连山脉、大板山、拉脊山均在 400mm 以上。黄河自兰州以下至入海口,年降水量等值线基本上自东南部的 800mm 左右,递减至西北部的 150mm 左右。400mm 年降水量的等值线为呼和浩特—河口镇—河曲—环县—西吉—会宁—同德一线,将流域内划分为干旱和湿润两大部分(流域西北部祁连山山脉附近除外)。降水的变化,主要受夏季西南及东南气流的控制,因此流域内年降水量中有

60% ~80% 集中在 6 ~9 月份。盛夏暴雨期间的水汽来源主要为印度洋孟加拉湾、南海和东海。

二、1960 ~2000 年黄河流域降水气候变化趋势

应用黄河流域及其周边 146 个气象站 1960 ~2000 年逐月降水资料分析了黄河流域降水的气候变化趋势。

图 7-1 给出了 1960 ~2000 年黄河流域平均年降水量的变化,由图中可看出,近 40 年黄河流域全流域平均年降水量略有下降,但不明显(线性趋势拟合不能通过信度检验)。自 20 世纪 70 年代后,黄河流域年降水量变化相对平稳,70 ~90 年代同 60 年代相比略有下降。不同年代比较而言(见表 7-1),90 年代降水量最少,70 ~80 年代与 40 年平均水平相当,60 年代最高,90 年代年降水量比 60 年代减少了 33.4mm。

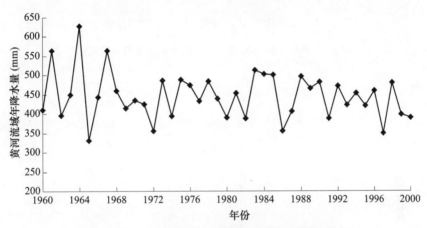

图 7-1　1960 ~2000 年黄河流域平均年降水量的变化

表 7-1　黄河流域内不同气候区年降水量统计　　　　　　　　　　　　（单位:mm)

年代	全流域	湿润区	半湿润区	半干旱区	干旱区
60	466.1	684.6	552.5	350.4	210.2
70	441.8	665.2	515.7	344.8	209.1
80	447.5	694.8	535.2	322.5	193.7
90	432.7	649.5	499.4	350.4	219.3
40 年平均	447.0	673.5	525.7	345.1	208.1

不同气候区比较而言(见表 7-1 和图 7-2),半湿润区降水略有下降趋势,半干旱区和干旱区基本无变化。

降水在不同季节分配上(见图 7-3 和表 7-2、图 7-4),降水量最大的季节为夏季(占全年降水量的 42.4%),其次为秋季和春季,冬季降水为最小。在 4 个季节中,秋季降水呈明显下降趋势,其他季节变化不明显。20 世纪 90 年代秋季降水量同 60 年代相比下降了40.9mm。

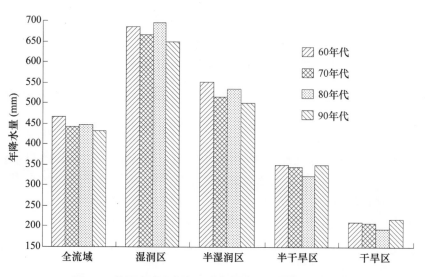

图 7-2　黄河流域及其内不同气候区降水量的年代变化

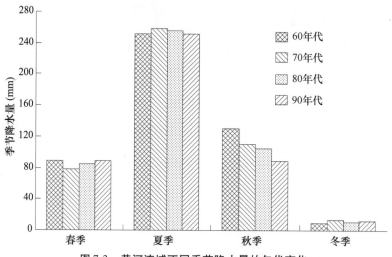

图 7-3　黄河流域不同季节降水量的年代变化

表 7-2　黄河流域降水量季节统计

（单位：mm）

年代	春季	夏季	秋季	冬季
60	89.5	251.2	130.0	9.9
70	78.0	258.3	110.8	13.4
80	84.6	255.4	104.8	11.2
90	89.2	251.9	89.1	12.6
40 年平均	85.3	254.2	108.7	11.8

根据线性倾向估计,对降水量发生趋势变化的站点进行统计(见表7-3),4个季节中

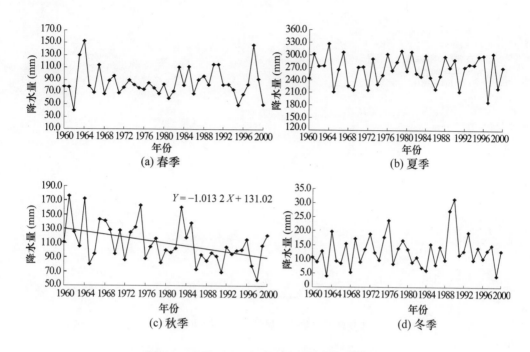

图 7-4　1960～2000 年黄河流域四季降水量变化

表 7-3　降水量变化趋势站点统计

趋势	全年	春季	夏季	秋季	冬季
降水量下降站点数	16	3	4	45	1
降水量持平站点数	127	132	136	101	125
降水量上升站点数	3	11	6	0	20
降水变化站点数/总站点数	13.0%	9.6%	6.8%	30.8%	13.7%

注:降水量上升和下降站点均通过95%的信度检验。

秋季降水发生变化的站点为最多,且发生变化的站点全部表现为下降趋势。其他季节和年降水量发生趋势变化的站点相对比较少。

图 7-5 给出了 1960～2000 年黄河流域年降水量气候倾向率的空间分布,图中" + "表示降水呈上升趋势," × "表示降水呈下降趋势,所有上升(下降)站点均通过了 95% 的信度检验(以下同)。可以看出,1960～2000 年黄河流域除部分地区年降水量呈下降趋势外,大部分地区年降水量无明显变化。其中,年降水量的下降主要表现在中游的吴堡—龙门区间和上游的洮河流域。

在季节降水上,春季和冬季上游青海高原区地区降水量呈略有上升趋势;夏季降水量基本无变化;秋季降水量呈明显下降趋势,几乎遍布整个流域,以中游地区最为集中、明显(见图 7-6)。

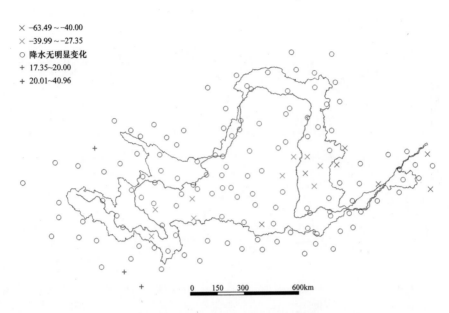

図 7-5　1960 ～ 2000 年黄河流域年降水量气候倾向率空间分布　（单位：mm/10a）

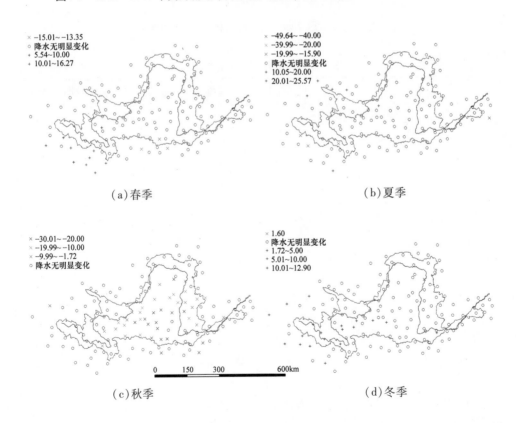

（a）春季　　　　　　　　　　　　　　　　（b）夏季

（c）秋季　　　　　　　　　　　　　　　　（d）冬季

图 7-6　1960 ～ 2000 年黄河流域四季降水量气候倾向率空间分布　（单位：mm/10a）

第三节　黄河流域温度变化趋势

一、黄河流域温度基本特征

从热量状况划分,黄河流域主要包含三大气候区,即104°E以西的高原区、104°E以东38°N以南的南温带区、38°N以北的中温带区。流域整体平均年平均温度为7.6℃。在纬度相同的情况下,随着海拔的增高,年平均温度下降(见图7-7)。流域内海拔在4 000m以上的地区,年平均温度在-5℃左右,而海拔只有50m的地区,年平均温度高达14.5℃。年平均温度的低值区是黄河上游区兰州站以上的青海高原区,该区由于海拔较高,年平均温度基本上在0℃以下。兰州站以下的黄河中下游地区,除局部受高山及沙漠影响外,温度的变化主要受纬度的影响,呈南高北低的特征。流域年平均温度的高值区主要位于流域东南部,龙门以下区域,该区年平均温度在12~15℃。

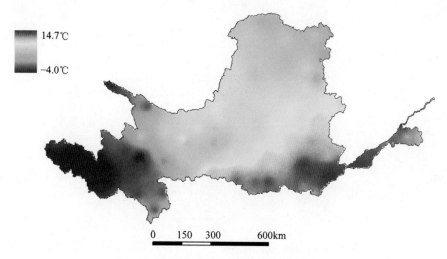

图7-7　黄河流域多年平均温度空间分布

二、1960~2000年黄河流域温度变化趋势

应用黄河流域及其周边161个气象站1960~2000年逐月温度资料分析了黄河流域温度的气候变化趋势。

图7-8给出了1960~2000年黄河流域年平均温度的变化,从图中可看出,自60年代中期之后,黄河流域年平均温度呈明显上升趋势。90年代较60年代年平均温度上升了0.58℃,较40年平均水平高出了0.49℃。从四季温度变化来看(见图7-9和表7-4),温度上升主要表现为秋季和冬季,以冬季最为明显。同60年代相比,90年代冬季平均温度上升了1.37℃,秋季平均温度上升了0.61℃。

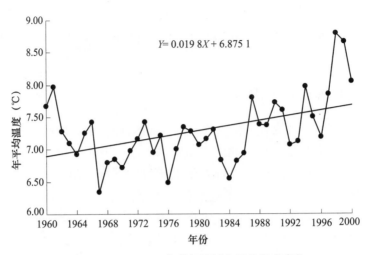

图 7-8　1960~2000 年黄河流域年平均温度变化

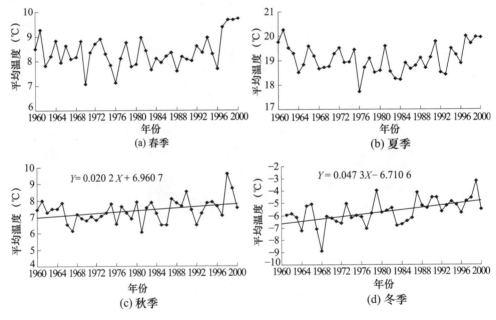

图 7-9　1960~2000 年黄河流域四季温度变化

表 7-4　黄河流域温度季节统计　　　　　　　　　　　　（单位：℃）

年代	全年	春季	夏季	秋季	冬季
60	7.37	8.55	19.40	7.48	−5.89
70	7.23	8.19	18.96	7.32	−5.63
80	7.30	8.23	18.85	7.53	−5.46
90	7.95	8.78	19.46	8.09	−4.52
40 年平均	7.46	8.43	19.17	7.61	−5.38

　　从温度发生变化的站点情况来看（见表 7-5），年平均温度呈上升的站点数超过了

70%;就四季平均温度而言,在冬季和秋季,温度上升站点占多数,超过60%。在春季、夏季,温度持平站点占多数,温度上升站点相对要少一些,但也在30%以上。另外,夏季有少部分站点呈温度下降趋势。

表7-5　温度变化趋势站点统计

趋势	全年	春季	夏季	秋季	冬季
温度上升站点数	119	56	61	99	113
温度下降站点数	1	1	12	2	1
温度持平站点数	41	104	88	60	47
温度上升站点数/总站点数	73.9%	34.8%	37.9%	61.5%	70.2%

注:温度上升和下降站点均通过95%的信度检验。

从年平均温度气候倾向率的空间分布图可以看出(见图7-10),1960~2000年黄河流域除极个别站(青海省河南站)年平均温度呈下降趋势外,整体上呈明显上升趋势。

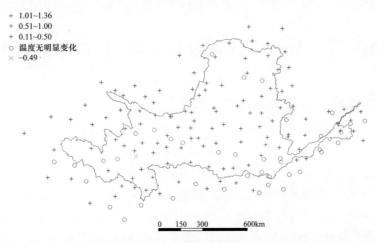

图7-10　1960~2000年黄河流域年平均温度气候倾向率空间分布(单位:℃/10a)

从季节平均温度气候倾向率的空间分布(见图7-11)可以看出:春季,黄河流域上游的温度基本没有变化,中、下游温度呈上升趋势;夏季,黄河流域下游河南省界地温度呈下降趋势,中、上游少部分地区温度呈上升趋势;秋季和冬季,整个黄河流域的温度呈普遍上升趋势。

（a）春季　　　　　　　　　　　　　（b）夏季

图7-11　1960~2000年黄河流域四季平均温度气候倾向率空间分布　（单位:℃/10a）

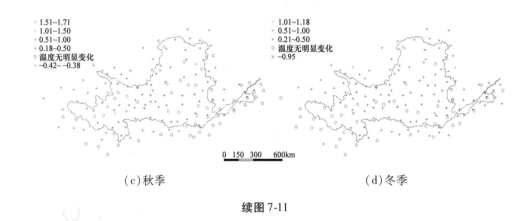

<table>
<tr><td>
+ 1.51~1.71
+ 1.01~1.50
+ 0.51~1.00
+ 0.18~0.50
○ 温度无明显变化
× -0.42~-0.38
</td><td>
+ 1.01~1.18
+ 0.51~1.00
+ 0.21~0.50
○ 温度无明显变化
× -0.95
</td></tr>
</table>

0 150 300 600km

（c）秋季 （d）冬季

续图 7-11

第四节　黄河流域蒸发皿蒸发量气候变化趋势

一、黄河流域蒸发皿蒸发量基本特征

陆面蒸发量取决于蒸发能力与陆面水分条件。蒸发皿蒸发量虽不能直接代表水面蒸发（蒸发能力），但与水面蒸发之间存在很好的相关关系，通过折算系数可折算为水面蒸发。而且蒸发皿蒸发量是水文、气象台站常规观测项目之一，资料累积序列长、可比性好，长期以来，一直是水资源评价、水文研究、水利工程设计和气候区划的重要参考指标。为了资料的统一性和可比性，将蒸发皿观测资料作为蒸发能力的指标，统一对黄河流域内及其周边 123 个气象站 1960～2000 年逐月未加折算的 20cm 口径蒸发皿蒸发量实测资料的气候变化特征进行了分析（见图 7-12 和图 7-13）。

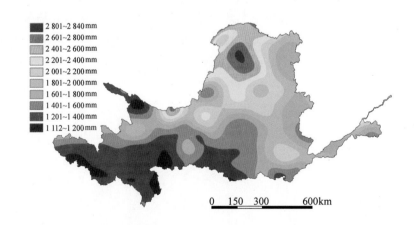

<table>
<tr><td>
■ 2 801~2 840 mm
■ 2 601~2 800 mm
■ 2 401~2 600 mm
□ 2 201~2 400 mm
□ 2 001~2 200 mm
■ 1 801~2 000 mm
■ 1 601~1 800 mm
■ 1 401~1 600 mm
■ 1 201~1 400 mm
■ 1 112~1 200 mm
</td></tr>
</table>

0 150 300 600km

图 7-12　黄河流域多年平均 20cm 口径蒸发皿蒸发量空间分布

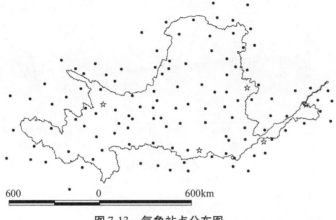

600　　　0　　　600km

图 7-13　气象站点分布图
注:图中☆为西宁、西安、太原、郑州、济南。

蒸发皿蒸发量作为反映蒸发能力的指标,同样受降水、气温、湿度、风速和下垫面等因素的影响。黄河流域蒸发皿蒸发量自西南向东北递增。流域西北部由于降水稀少、气候干燥,为蒸发皿蒸发量的高值区;靠近西北内陆河片的贺兰山与狼山之间的腾格里沙漠风口地区为蒸发皿蒸发量的最高值区,平均在 2 500mm 以上;兰州以上青海高原区,由于气温较低,蒸发皿蒸发量最小,大部分地区小于 1 200mm;东部平原区的蒸发皿蒸发量在 1 600~2 200mm。

二、1960~2000 年黄河流域蒸发皿蒸发量变化趋势

由图 7-14(a)可看出,1960~2000 年黄河流域蒸发皿蒸发量呈明显下降趋势。由逐年累积距平变化曲线 7-14(b)可看出,1960~1974 年黄河流域蒸发皿蒸发量基本上均高于 40 年平均水平,1982 年为主要的转折年,1982 年之后基本低于 40 年平均水平,1996 年之后开始略有回升。

由表 7-6 可以看出,1960~2000 年黄河流域及其不同气候区的午蒸发皿蒸发量均呈明显下降趋势。就全流域平均而言,20 世纪 60 与 70 年代蒸发皿蒸发量相当,80 与 90 年代相当,但 80~90 年代较 60~70 年代下降了 136mm(约 7.5%),90 年代较 80 年代略有回升;不同气候区下降幅度不同,与 60~70 年代相比,80~90 年代干旱区蒸发皿蒸发量下降了 114mm,半干旱区为 130mm,半湿润区为 128mm,湿润区为 94mm。可见气候变化在气候过渡区(半干旱区和半湿润区)的体现要明显一些。

由表 7-7 和图 7-15 可看出,黄河流域蒸发皿蒸发量的下降主要表现在春季和夏季(线性趋势拟和通过了 99% 的信度检验),冬季呈略微下降趋势,但统计上不显著,秋季无明显变化。同 60~70 年代相比,80~90 年代黄河流域春季蒸发皿蒸发量下降了 60mm,夏季蒸发皿蒸发量下降了 78mm。

由图 7-16 可看出,黄河流域春季和夏季蒸发量存在明显的转折年,即分别为 1982 年和 1975 年,转折年之后的蒸发量几乎均低于 40 年气候平均;秋季和冬季蒸发量的转折年均为 1980 年,但转折年之后蒸发量的趋势特征不明显。

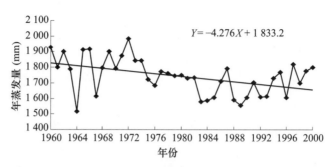

$Y = -4.276X + 1833.2$

（a）年蒸发量

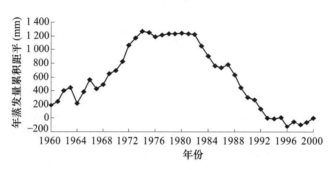

（b）年蒸发量累积距平

图 7-14 1960～2000 年黄河流域年蒸发皿蒸发量特征变化曲线

表 7-6 黄河流域内不同气候区蒸发皿蒸发量统计 （单位:mm）

年代	全流域	干旱区	半干旱区	半湿润区	湿润区
60	1 807.9	2 260.8	1 997.9	1 664.3	1 278.0
70	1 802.4	2 227.3	1 994.7	1 656.4	1 347.6
80	1 664.3	2 139.5	1 869.4	1 502.1	1 213.1
90	1 693.4	2 119.6	1 862.4	1 561.9	1 224.0

表 7-7 黄河流域蒸发皿蒸发量季节统计 （单位:mm）

年代	春季	夏季	秋季	冬季
60	597.0	735.1	325.4	164.4
70	602.0	713.3	333.9	157.5
80	546.9	639.1	311.3	147.8
90	532.0	653.6	328.5	154.7
40 年平均	569.5	685.3	324.8	156.1

由图 7-17 可以看出,在 123 站点中,不论全年还是四季,蒸发皿蒸发量下降站点数均超过上升站点数;全年蒸发量下降站点占 48%,为上升站点的 4 倍以上;在蒸发量比较大

的夏季和春季,下降站数远远超过上升站数,上升站点仅占4%左右;秋季和冬季下降站点相对要少一些,持平站点为最多。

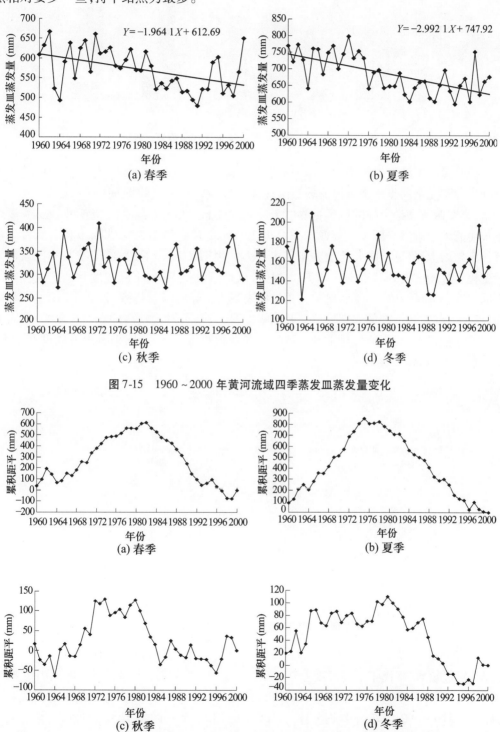

图 7-15　1960～2000 年黄河流域四季蒸发皿蒸发量变化

图 7-16　1960～2000 年黄河流域四季蒸发皿蒸发量累积距平变化

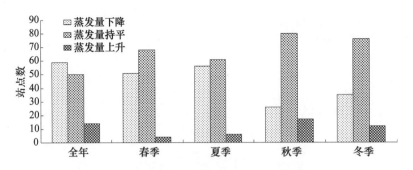

图 7-17　黄河流域蒸发皿蒸发量变化趋势站点统计

　　虽然黄河流域整体平均蒸发皿蒸发量呈下降趋势,但局部区域与整个流域的气候变化趋势并不完全同步。由黄河流域年蒸发皿蒸发量气候倾向率空间分布(见图 7-18)可看出,蒸发皿蒸发量下降的地区主要位于黄河流域上游和下游集水区,上升的地区主要位于黄河流域中游集水区。气候倾向率最大为 90mm/10a,最小为 - 330mm/10a,后者为前者的 3 倍以上,可见下降要比上升幅度大得多。由图 7-19 可看出,不同季节蒸发皿蒸发量变化趋势的空间分布基本与图 7-18 相似,只是蒸发量上升、下降幅度和地区范围略有不同。春季、夏季和冬季蒸发皿蒸发量主要表现为下降的气候趋势,蒸发量上升的区域较小;各季节蒸发量下降的幅度均比上升的幅度要大,在蒸发量较高的春季和夏季,前者是后者的 3 倍以上;尽管蒸发量上升区域的范围在秋季相对大一些,但其上升幅度并不大,最大也仅为 30mm/10a。

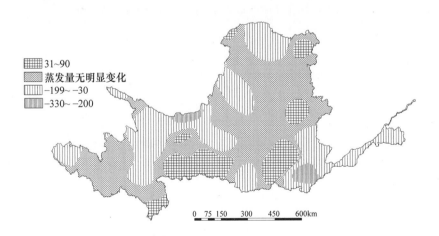

图 7-18　1960～2000 年黄河流域年蒸发皿蒸发量气候倾向率空间分布　(单位:mm/10a)

　　由本章第三节可知,自 20 世纪 60 年代中期之后,黄河流域年平均温度呈明显上升趋势,90 年代较 60 年代年平均温度上升了 0.58℃。大量研究证实,在过去 100 年中全球气温平均上升了 0.3～0.6℃;近 50 年中的升温幅度为 0.15℃/10a。中国的一些研究也表明,在 1951～1990 年期间年平均温度升高了 0.3℃。基于此事实,很容易认为全球变暖可能会使近地面层变干,则陆地上水体蒸发量应上升,而实际结论却与此相反,目前的研

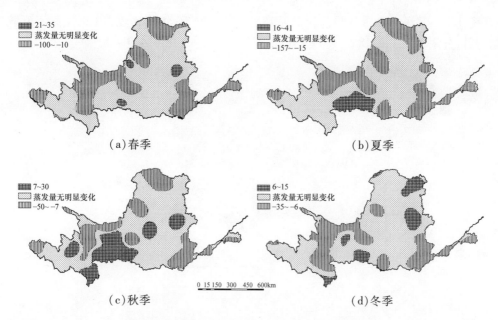

图 7-19　1960～2000 年黄河流域四季蒸发皿蒸发量气候倾向率空间分布　（单位：mm/10a）

究结果均表明，就平均状况而言，在近 50 年中北半球蒸发皿蒸发量呈稳定下降的趋势。蒸散（发）是水循环中最直接受土地利用和气候变化影响的一项，蒸发皿蒸发量虽不能直接代表水面蒸发或蒸发能力，但可作为后者气候变化趋势的衡量指标。因此，探讨蒸发皿蒸发量下降的基本原因对了解气候变化对流域水平衡与水循环要素的影响具有十分重要的意义，本章在第五节就蒸发皿蒸发量下降的基本原因进行了初步的分析。

第五节　黄河流域日照百分率气候变化趋势

一、黄河流域日照百分率基本特征

日照百分率是指实际日照时间与可照时数的比值，可照时间可根据天文学公式直接计算，实际日照时间由气象站观测仪器获得。由黄河流域日照百分率空间分布（见图 7-20）可看出，黄河流域日照百分率主要呈由东南向西北递增的趋势。西北地区由于降水少，晴空日数多，因而日照百分率最高，在 60% 以上，青海高原次之，日照百分率在55%～65%，东南部受季风影响，降水较多，日照百分率最小，一般低于 55%。

二、1960～2000 年黄河流域日照百分率气候变化趋势

应用黄河流域及其周边 146 个气象站 1960～2000 年逐月日照百分率资料分析了黄河流域日照百分率的气候变化特征。

从图 7-21 可以看出，1960～2000 年黄河流域日照百分率呈明显下降趋势，就整个流域平均而言，90 年代年日照百分率较 60 年代下降了 2.49%；从日照百分率的季节变化（见表 7-8、图 7-22）来看，夏季和冬季日照百分率呈明显下降趋势，春季呈略微下降趋势，

但在统计上不显著。秋季日照百分率无明显变化。同60年代比较,90年代黄河流域春季日照百分率下降了2.18%,夏季下降了3.46%,冬季下降了4.9%。

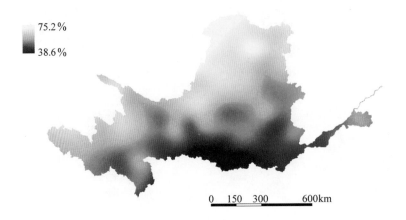

图7-20　黄河流域多年平均日照百分率空间分布

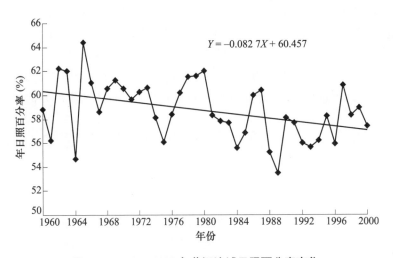

图7-21　1960~2000年黄河流域日照百分率变化

表7-8　黄河流域日照百分率季节统计　　　　　　　　　　　　　　　（%）

年代	全年	春季	夏季	秋季	冬季
60	59.46	57.22	56.63	58.07	65.48
70	59.19	58.18	55.72	60.35	62.84
80	57.43	57.09	52.44	58.37	62.01
90	56.97	55.04	53.17	58.70	60.58
40年平均	58.26	56.88	54.49	58.87	62.73

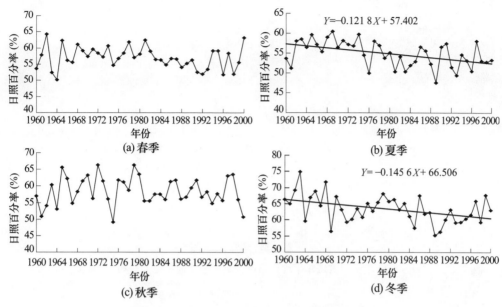

图 7-22　1960～2000 年黄河流域日照百分率变化

由表 7-9 可以看出,在 146 个站点中,不论全年还是四季,日照百分率下降站点数均超过上升站点数;全年日照百分率下降站点占 41.8%,为上升站点的 4 倍以上;在夏季和冬季,日照百分率下降站点数均超过 40%,远超过上升站点数。

表 7-9　日照百分率变化趋势站点统计

趋势	全年	春季	夏季	秋季	冬季
日照百分率下降站点数	61	29	62	26	62
日照百分率持平站点数	72	108	81	106	73
日照百分率上升站点数	13	9	3	14	11
日照百分率下降站点数/总站点数	41.8%	19.9%	42.5%	17.8%	42.5%

注:日照百分率上升站点和下降站点均通过 95% 的信度检验。

从年平均日照百分率气候倾向率空间分布(见图 7-23)可以看出,黄河流域日照百分率的下降趋势表现得比较普遍,分布范围广,主要集中在干流沿线和流域东部区域。极少数日照百分率呈略有上升趋势的站点,主要出现在流域上游。从季节日照百分率气候倾向率的空间分布(见图 7-24)可看出,四季中,冬季和夏季日照百分率下降范围广、变化站点多,且下降幅度较大;春季和秋季日照百分率变化站点较少,秋季流域西部高原区日照百分率呈略有上升趋势。

日照百分率的下降必然导致太阳总辐射的下降(二者之间存在着很好的相关关系),因此近年来黄河流域的太阳总辐射也应该是下降的(关于黄河流域太阳总辐射气候变化趋势将在本章第六节中详细论述),这一规律与全球太阳总辐射下降的结论完全一致。

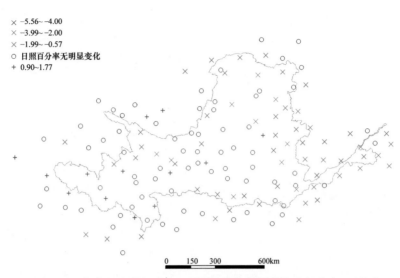

图 7-23　1960~2000 年黄河流域年平均日照百分率气候倾向率空间分布　（单位:%/10a)

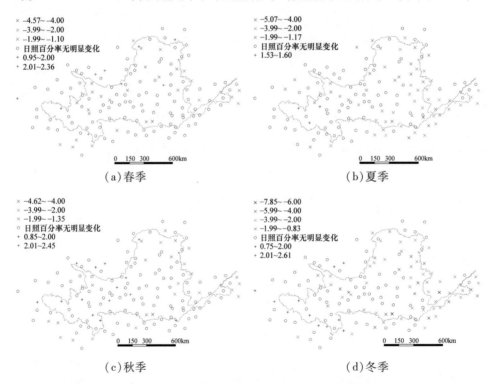

（a)春季

（b)夏季

（c)秋季

（d)冬季

图 7-24　1960~2000 年黄河流域四季日照百分率气候倾向率空间分布　（单位:%/10a)

第六节　黄河流域太阳总辐射气候变化趋势

太阳辐射是地球上最基本、最重要的能源。它在地表上分配的变化,会根本地改变温度、湿度、降水和大气环流特征,而且还伴随着热力和动力过程,与地表水分循环密切相关。因此,地表辐射研究在国内外一些重大的研究计划中一直备受重视。太阳辐射进入大气以后,受到大气中气体分子、水汽、气溶胶等各种成分的吸收、散射以及云的反射和吸收作用而减弱。经过大气后,到达地面的太阳辐射分为太阳直接辐射与散射辐射两种,二者之和称为太阳总辐射,通常所说的"太阳总辐射"是指地表水平面上所接收的太阳总辐射。

一、黄河流域太阳总辐射的模拟

由于有太阳总辐射观测资料的站点分布相当稀少,因此仅仅依靠观测资料来描述总辐射的空间分布是相当困难的。本研究采用实测资料结合常规日照百分率观测资料的总辐射拟合方法,获取了黄河流域及其周边146个气象站点1960~2000年太阳总辐射拟合资料。

大量研究表明,日照百分率与太阳总辐射之间存在着很好的相关关系,其关系式可表达为

$$Q = (a + bs)Q_0 \tag{7-2}$$

式中:Q为太阳总辐射;Q_0为天文辐射;s为日照百分率;a、b为经验系数。

根据式(7-2),利用黄河流域及其周边35个站点的太阳总辐射实测资料,建立了各站点1~12月太阳总辐射拟合计算式。利用ArcGIS8.1将35个站点1~12月总辐射拟合计算式的经验系数进行空间内插,获取了黄河流域及其周边1~12月太阳总辐射拟合经验系数的空间分布,之后采用146个常规气象站点日照百分率资料,结合获得的经验系数,对黄河流域1960~2000年逐月太阳总辐射进行了拟合计算,具体计算过程略。

二、黄河流域太阳总辐射基本特征

由黄河流域多年平均年太阳总辐射的空间分布(见图7-25)可看出,黄河流域年太阳总辐射主要表现为由东南向西北增加的趋势,兰州站以上的青海高原区为最高,年总辐射量在5 600~6 500MJ/m²;河套平原、鄂尔多斯高原为次高值区,年总辐射量在5 600~6 000MJ/m²;东部地区最小,年总辐射量在4 500~5 000MJ/m²。流域多年平均年总辐射量为5 537MJ/m²,最大值为6 553MJ/m²,最小值为4 469MJ/m²。

三、1960~2000年黄河流域太阳总辐射气候变化趋势

图7-26为1960~2000年黄河流域年太阳总辐射变化,可看出黄河流域近年来太阳总辐射呈明显下降趋势,这与全球太阳总辐射下降的研究结论相一致。根据线性拟合趋势线可知,1960~2000年黄河流域年总辐射的下降的气候倾向率为35.34MJ/(m²·10a)。

由表7-10和图7-27可以看出,黄河流域总辐射的下降主要表现在夏季和冬季,春季呈略微下降趋势,但在统计上不显著。夏季的下降幅度为最大,总辐射的气候倾向率达-21.47MJ/(m²·10a);冬季次之,总辐射的气候倾向率为-9.57MJ/(m²·10a)。

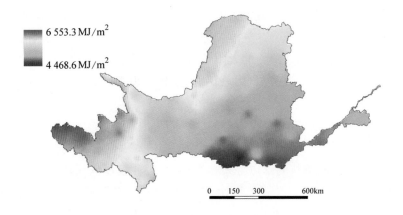

图 7-25　黄河流域多年平均年太阳总辐射空间分布

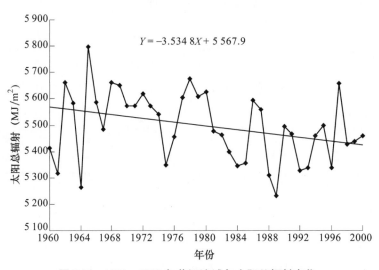

$$Y = -3.534\,8X + 5\,567.9$$

图 7-26　1960～2000 年黄河流域年太阳总辐射变化

表 7-10　黄河流域太阳总辐射季节统计　　　　　　　（单位:MJ/m²）

年代	全年	春季	夏季	秋季	冬季
60	5 536.71	1 638.01	1 841.37	1 130.87	926.46
70	5 559.45	1 658.51	1 829.16	1 162.47	909.31
80	5 436.89	1 637.24	1 760.81	1 138.63	900.21
90	5 442.01	1 609.50	1 784.66	1 154.73	893.12
40 年平均	5 493.77	1 635.81	1 804.00	1 146.68	907.28

由黄河流域不同年代总辐射统计结果(见表 7-10),可看出 20 世纪 70、80 年代的年总辐射量相当,80、90 年代的年总辐射量也相当,而年总辐射量在 20 世纪 80～90 年代的均值较 60～70 年代下降了 108.78MJ/m²,下降幅度约为 60～70 年代均值的 1.96%。在季节上,夏季总辐射具有同样的特点,20 世纪 80～90 年代的均值较 60～70 年代下降了

$62.53\mathrm{MJ/m^2}$,下降幅度为 $60\sim70$ 年代均值的 3.4%；不同年代比较而言，冬季总辐射呈持续下降趋势，20 世纪 90 年代较 60 年代下降了 $33.34\mathrm{MJ/m^2}$，下降幅度为 60 年代的 3.6%。

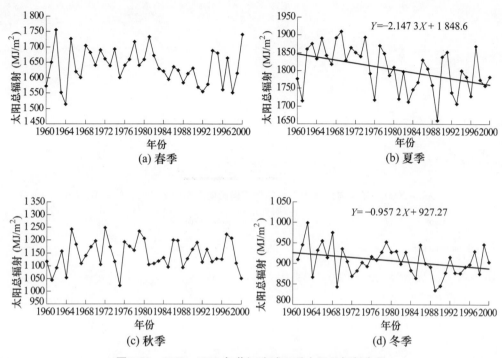

图 7-27　1960～2000 年黄河流域四季太阳总辐射变化

由黄河流域太阳总辐射气候倾向率的空间分布（见图 7-28）可看出，黄河流域年总辐射下降的区域主要集中在流域东部的山西及河南、山东等华北平原区；其次为上游青海湖东部的西宁、民和、门源等地，河套地区和秦岭山脉周边地区等。这与日照百分率的气候变化趋势完全一致（见本章第五节），黄河流域年总辐射上升的地区主要出现在流域上游源区的玛多、达日、同德等地。从年总辐射的气候倾向率的数值来看，年总辐射下降的幅度要比上升大得多，二者的极端值分别为 $-252.50\mathrm{MJ/(m^2\cdot10a)}$ 和 $97.39\mathrm{MJ/(m^2\cdot10a)}$。从总辐射变化趋势的站点数对比上看，也是前者要远超过后者，因此整个流域的总体平均呈总辐射下降趋势。

由黄河流域四季太阳总辐射气候倾向率空间分布（见图 7-29）可看出，春季和秋季整个黄河流域总辐射除局部地区略有增减外，基本整体变化不大；夏季和冬季总辐射发生变化的区域与年总辐射变化形式基本一致，只是范围上略有变化。

黄河流域太阳总辐射的下降趋势与国际上同类研究的结果，即近年来全球太阳总辐射总体呈下降趋势的结论一致。Stanhill 和 Cohen 认为云量和气溶胶的增加是近年来全球太阳总辐射下降的主要原因。太阳辐射驾驭着全球的气候变化，它的变化必然引起地表热量、水分收支状况的变化，而地表热量、水分收支状况的变化反过来又影响着天气、气候的变化。全球太阳辐射下降而温度却在升高，其机理值得探讨。

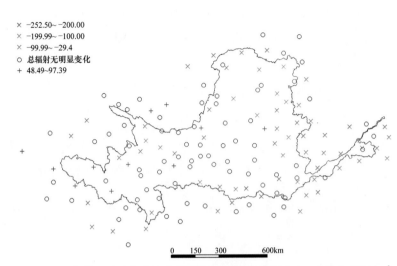

图 7-28　1960~2000 年黄河流域年太阳总辐射气候倾向率空间分布 （单位:MJ/(m² · 10a)）

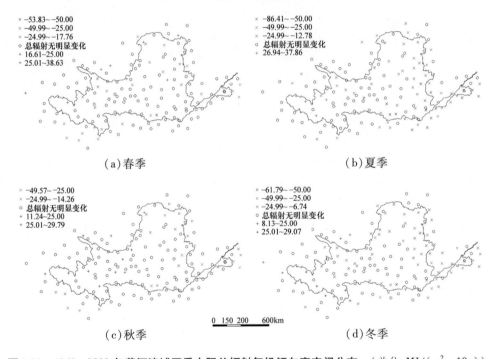

（a)春季　　　　　　　　　　　　（b)夏季

（c)秋季　　　　　　　　　　　　（d)冬季

图 7-29　1960~2000 年黄河流域四季太阳总辐射气候倾向率空间分布 （单位:MJ/(m² · 10a)）

第八章　黄河源区水循环过程综合分析

第一节　黄河源区降水分析

一、降水研究概况

黄河是我国第二大河,作为北方地区最大的供水水源,以仅占全国河川 2% 的有限水量,承担着黄河流域和下游引黄灌区占全国 15% 耕地面积和 12% 人口的供水任务。黄河生态环境问题的严重性历来备受关注,为此开展了许多关于黄河生态环境问题的研究,但是这些研究工作主要集中在黄河中、下游人口相对集中的地区。近年来,由于环境变化和人类活动的影响,黄河源区生态环境出现了恶化趋势,断流现象不断出现。黄河源区自 1960 年以来,共出现了 7 次断流,时间分别为 1961 年、1980 年、1996 年 2 月、1998 年 1 ~ 2 月、1998 年 10 月 20 日 ~ 1999 年 6 月 3 日、1999 年 12 月 ~ 2000 年 3 月、2000 年 12 月 ~ 2001 年 3 月。从断流的趋势看,自 1998 年以来,已连续 3 年出现跨年度断流,断流现象有加剧的趋势,因此积极开展黄河源区生态环境演变研究是十分重要的。

水是人类生存的基本条件,是社会生产活动最重要的物质基础,是生态系统中最重要的单元要素。长期以来,水循环机制一直是生态环境演变研究的重点问题。降水是水循环中的重要环节,是进行水循环过程分析的必要条件。但是黄河源区海拔较高,环境条件十分恶劣,水文气象站较少,缺乏长期的连续观测,降水资料欠缺成为黄河源区水循环机制分析的限制性因子,所以应用其他方法计算黄河源区降水状况,提供降水数据资料是十分必要的。

随着卫星探测技术的提高和地面处理能力的增强,由卫星得到的气象参数和信息不断增多,利用遥感技术作定量降水估计正在蓬勃发展。目前应用遥感技术进行降水反演的方法主要分成两大类:

一类是可见光(VIS)和红外(IR)遥感反演方法,主要是利用云顶可见光和红外信息进行云系分类、计算云覆盖率和观测云的演变过程等,最后反演出降水强度。如早期 Gfrith 和 Stout 等提出的利用连续几张红外及可见光云图估计对流云降水的生命演变法,Alder 和 Negri 结合一维云模式提出的估计对流云和层状云降水的方案等,目前这些方法的基本原理仍然被广泛应用在可见光和红外遥感反演降水的研究工作中。

遥感技术反演降水的另一类是微波(MW)遥感反演方法,主要是通过云颗粒对微波的反射强度来确定降水强度,因此与可见光和红外遥感反演方法相比,微波遥感方法具有物理过程明确的优点。随着遥感反演降水方法的发展,在黄河流域也进行了降水的遥感计算,杨特群等应用 GMS 卫星 1h 间隔的可见光和红外云图,参照 Negri-Adler 方法估算了黄河中游地区平均面雨量;王庆斋等根据 GMS－5 静止气象卫星数字化卫星云图的灰度分布,计算灰度共生矩阵,抽取云的纹理特征量,并建立云顶温度与地面实测降水曲线,进行黄河流域汛期降水计算。这些成果为黄河流域大范围的降水和洪汛预报提供了丰富的数据资料。然而黄河源区生态环境特殊,降水过程有其自身的特点;同时,黄河源区水循环过程研究需要较高分辨率的降水空间数据,因此不能将这些方法直接应用到黄河源区水循环研究中,所以本研究根据可见光(VIS)和红外(IR)遥感反演降水的原理,以及黄河源区降水云系的特点,建立滑动—变动视窗降水遥感计算方法,在利用 AVHRR 卫星数据基础上,进行黄河源区 1h、3h 和 5h 降水量计算,为黄河源区水循环机制的研究提供必要的基础数据。

二、资料数据处理

利用 1993 年和 1995 年 6～9 月 NOAA－AVHRR LAC 遥感数据进行研究,该遥感数据的空间分辨率为 1 100m。降水数据是相同年份黄河源区水文、气象站点(见图 8-1)观测的次降水资料。为了与遥感数据相对应,将降水资料按卫星过境时间进行 1h、3h 和 5h 时间间隔统计,这样就得到与遥感数据对应的 1h、3h 和 5h 降水量。本研究即在此数据基础上进行分析讨论。

由于黄河源区面积较大,进行黄河源区水循环机制的研究不仅需要全区域宏观的降水特征,更需要较高空间分辨率,有准确空间位置的降水数据。所以本研究根据黄河源区云系和降水的特征,在对 1993 年和 1995 年 AVHRR 遥感数据云图分析基础上,利用滑动—变动视窗方法处理遥感数据,获取黄河源区降水云系的特征。滑动—变动视窗是指以遥感数据的像元点为中心,开辟一定大小的视窗,逐一滑动视窗,分析视窗内降水云系的遥感信息特征,同时根据不同云系的遥感信息特征要求,开辟不同大小的视窗范围,从而获取任一空间位置的云系状况。

参照可见光(VIS)和红外(IR)遥感反演降水的原理,确定利用云反照率、云亮温、云覆盖率和云斜率参数 4 项指标来分析、计算黄河源区的降水。

(一)云反照率、云亮温和云覆盖率

随着云层的增高,云中冰的颗粒比例增加,云的反照率增大、亮温减小,云的覆盖率则反映出云体的大小。根据对黄河源区云体的分析,确定以 AVHRR 中第 5 通道亮温小于 260K 为阈值,确定黄河源区云系范围,并按 11×11 个像元大小范围开辟视窗计算云反照率、云亮温和云覆盖率特征。具体计算如下:

$$C = \frac{\sum\limits_{i}^{n} cloud_i}{n} \tag{8-1}$$

式中:C 是视窗内云覆盖率;$cloud_i$ 是云的取值,当 AVHRR 中第 5 通道亮温小于 260K 时,$cloud_i$ 等于 1,当 AVHRR 中第 5 通道亮温大于 260K 时,$cloud_i$ 等于 0;n 是开辟视窗的像元数。

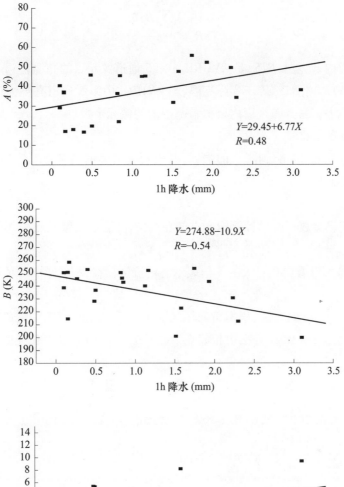

图 8-1　1h 降水和云反照率 A、云亮温 B 及云斜率参数 S 间的相关分析

$$A = \frac{\sum\limits_{i}^{n} Albedo_i}{n} \tag{8-2}$$

式中:A 是视窗内云反照率;n 是开辟视窗的像元数;$Albedo_i$ 是像元点上云的反照率,当 AVHRR 中第 5 通道亮温大于 260K 时,$Albedo_i$ 等于 0,当 AVHRR 中第 5 通道亮温小于 260K 时,$Albedo_i$ 利用 AVHRR 第 1、2 通道反射率 ρ_1、ρ_2 计算:$Albedoi = 0.545\rho_1 + 0.320\rho_2 + 0.035$。

$$B = \frac{\sum_{i}^{n'} BT5_i}{n'} \qquad (8-3)$$

式中:B 是视窗内云亮温;$BT5_i$ 是 AVHRR 中第 5 通道像元点的亮温,当 AVHRR 中第 5 通道亮温小于 260K 时,$BT5_i$ 等于实际亮温,当 AVHRR 中第 5 通道亮温大于 260K 时,该像元将不计算在内;n' 是开辟视窗内云覆盖范围内的像元个数。

(二)云斜率参数

大气对流的强弱影响到降水的强度,并表现在云体的特征上。Adler and Negri 用一维云模式表示云体的特征:

$$S = \bar{T}_{1-6} - T_{min} \qquad (8-4)$$

式中:S 是云斜率参数;T_{min} 是计算像元点的亮温;$\bar{T}_{1-6}$ 是与该像元点相邻的 6 个像元的平均亮温,即 $\bar{T}_{1-6} = (\bar{T}_{i-2,j} + T_{i-1,j} + T_{i+1,j} + T_{i+2,j} + T_{i,j+1} + T_{i,j-1})/6$。

从式(8-4)可以看出相对大的 S 值表示有对流区存在,相对小的 S 值则表示一个不活跃的区域。

参照 Negri-Adler 的方法,根据黄河源区降水云系较大,AVHRR 遥感数据空间分辨率较高的特点,将 Negri-Adler 方法中相邻 6 个像元扩大为 40×20 个像元的视窗,即

$$S = \bar{T}_{avg} - T_{min} \qquad (8-5)$$

式中:S 仍然表示云斜率参数;T_{min} 是计算像元点的亮温;$\bar{T}_{avg}$ 是以该像元点为中心开辟的 40×20 个像元视窗内,纵横相邻 60 个像元的平均亮温,即 $\bar{T}_{avg} = (\sum_{num=1}^{20} T_{i-num,j} + \sum_{num=1}^{20} T_{i+num,j} + \sum_{num=1}^{10} T_{i,j-num} + \sum_{num=1}^{20} T_{i,j+num})/60$。

三、数据分析与降水估算模型

(一)1h 降水和云遥感信息特征相关分析

按照前面滑动—变动视窗方法,计算出黄河源区 1993 年和 1995 年云反照率、亮温、云覆盖率和云斜率参数 4 项指标。在此数据基础上,选取黄河源区水文、气象站对应空间位置和卫星过境时间 1h 降水数据进行分析,得出 1h 降水和云反照率 A、云亮温 B 及云斜率参数 S 间的相关关系(见图 8-1)。从图中可以看出,黄河源区 1h 降水和云反照率 A、云亮温 B 及云斜率参数 S 间有一定的相关性,它们的相关系数分别是 0.48、−0.54 和 0.38,说明通过云反照率、云亮温及云斜率参数能反映出黄河源区 1h 的降水状况,可以用它们建立黄河源区降水遥感计算模型。

(二)1h 降水模型与模型验证

从以上分析可以看出 1h 降水和云反照率、云斜率参数成正比关系,与云亮温成反比关系。按照这一规律,首先用样本数较多的 1995 年 1h 降水与云反照率、云斜率参数和云亮温建立模型,用样本数较少的 1993 年数据进行模型结构检验,然后在此可靠的模型结

构基础上,将 1993 年和 1995 年的数据合在一起,扩大样本数,重新调整模型参数,最终得到黄河源区 1h 降水的遥感计算模型。

选取 1995 年 1h 降水与云反照率、云斜率参数和云亮温数据建立的模型如下:

$$R_{1h} = \frac{aA + bS - d}{eB} \tag{8-6}$$

式中:R_{1h}、A、S 和 B 分别是 1h 降水量、云反照率、云斜率参数和云亮温;a、b、d 和 e 是模型参数,分别等于 3.15、0.02、55.018 和 0.313。

建立该模型的样本数为 14,相关系数达到 0.7,说明模型相关性较好。用 1993 年 8 个样本的 1h 降水与云反照率、云斜率参数和云亮温进行模型检验,相关系数达 0.71,F 检验值达到 0.07,说明式(8-5)的模型结构是可靠的。

将 1993 年和 1995 年的数据合在一起,按式(8-5)模型重新拟合模型参数,并统计 1h 降水时 11×11 个像元视窗内云覆盖率,得到云覆盖率等于 0.78,最后得到黄河源区 1h 降水的遥感计算模型如下:

$$R_{1h} = \frac{2.734A + 3.133S - 7.804}{0.388B} \qquad (C > 0.78) \tag{8-7}$$

式中:R_{1h}、A、S 和 B 分别是 1h 降水量、云反照率、云斜率参数和云亮温;C 为 11×11 像元视窗内云覆盖率。建立模型样本数为 21,相关系数为 0.64,说明模型可靠性较好,可以用于黄河源区 1h 降水量计算。

（三）3h、5h 降水模型与模型验证

对资料处理后的降水资料进行各时间间隔降水的相关分析,得出卫星过境时 1h 和 3h、5h 降水的相关关系(见图 8-2)。从图中可以看出,1h 和 3h、5h 降水的线性相关比较显著,相关系数分别为 0.89 和 0.85;进一步分析 3h、5h 降水时云覆盖率 C 的状况,可以统计出在 11×11 个像元的视窗范围内,3h、5h 降水分别对应的云覆盖率是 0.81 和 0.95。归纳 1h 和 3h、5h 降水的线性相关模型及对应的云覆盖率情况,可以得出黄河源区 3h、5h 降水的计算模型是

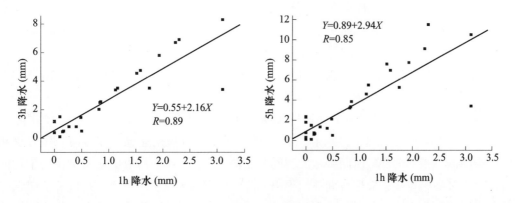

图 8-2　1h 和 3h、5h 降水的相关分析

$$R_{3h} = 0.55 + 2.16R_{1h} \qquad (C > 0.81) \tag{8-8}$$

$$R_{5h} = 0.89 + 2.94R_{1h} \qquad (C > 0.95) \tag{8-9}$$

式中:R_{1h}、R_{3h}和R_{5h}分别表示 1h、3h 和 5h 降水量;C 表示 11×11 个像元视窗范围内云的覆盖率。

四、模型实现与计算结果

按式(8-7)、式(8-8)和式(8-9)建立计算机模型,从而实现黄河源区降水的遥感计算。计算流程如图 8-3 所示。

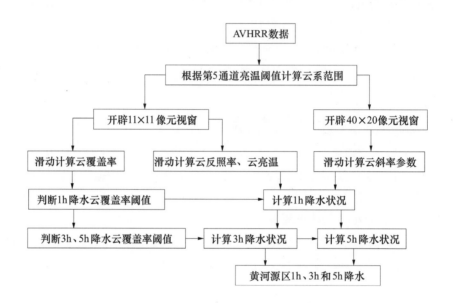

图 8-3　滑动—变动视窗降水遥感计算流程

其步骤如下:

(1)设定第 5 通道亮温阈值,计算出云系范围,作为可能降水区。

(2)分别开辟大小不同的视窗,根据式(8-1)、式(8-2)、式(8-3)和式(8-5),滑动计算出每一像元位置云覆盖率、云反照率、云亮温和云斜率参数。

(3)根据式(8-7)、式(8-8)和式(8-9)分别判断出云覆盖率阈值,以此为条件,滑动计算出黄河源区每一像元位置 1h、3h 和 5h 降水量。

通过以上方法,计算出了黄河源区 1993、1995、1997 年和 1998 年 6～9 月中次降水 1h、3h 和 5h 降水量。图 8-4 显示了其中 1995 年 8 月 4 日应用遥感计算黄河源区降水和应用空间插值得到的相应时间降水的空间分布图。从图 8-4 中可以明显看出,由于黄河源区水文气象站点少,应用空间插值得出的降水状况误差很大,甚至有可能完全错误地估算出源区的降水分布状况,而应用遥感方法计算出的降水状况和云系分布吻合,比较客观地反映出源区降水状况,可以应用在黄河源区水循环机制的研究中。

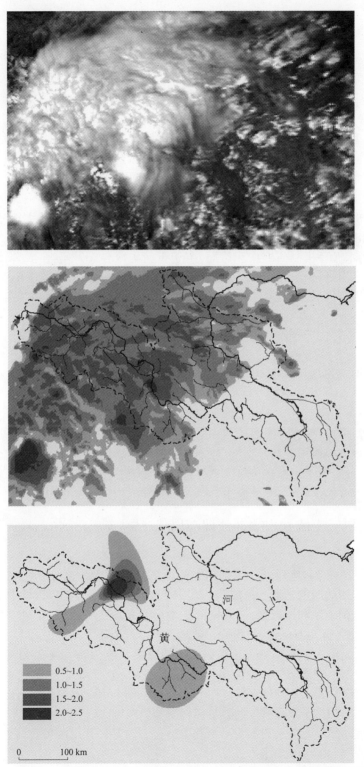

图8-4 1995年8月4日遥感计算降水与空间插值降水效果对比

（上图:云的分布;中图:遥感计算降水的空间分布;下图:空间插值降水的空间分布）

五、结论与讨论

综上所述,根据黄河源区降水和云系的特点,我们利用滑动—变动视窗方法,分析了黄河源区 1h 降水和云反照率、云亮温及云斜率参数间的相关性,它们的相关系数分别是 0.48、-0.54 和 0.38,说明通过云反照率、云亮温及云斜率参数能反映出黄河源区 1h 的降水状况。在此分析结果的基础上,建立了黄河源区 1h 降水的遥感计算模型(见式(8-7)),模型相关系数达到 0.64,可以进行 1h 降水计算。同时对 1h、3h 和 5h 降水的相关分析表明,它们之间的相关性比较显著,相关系数达到 0.89 和 0.85,所以建立的 1h、3h 和 5h 降水的降水模型(见式(8-8)、式(8-9))是可靠的。根据式(8-7)、式(8-8)和式(8-9),我们建立黄河源区 1h、3h 和 5h 降水计算流程,并计算出了黄河源区 1993、1995、1997 年和 1998 年 6~9 月的降水数据。与常用的降水空间插值方法相比,遥感计算的结果与云图分布吻合较好,更能客观地反映出黄河源区降水的实际状况,计算结果可以应用在黄河源区的水循环机制研究中。然而,由于黄河源区生态环境恶劣,降水观测资料较少,同时因为应用可见光和红外方法反演降水的物理过程相对微波方法不够明确,因此造成计算误差,需要进一步改进。

第二节　黄河源区土地覆被变化分析

近 20 年来,黄河源区土地资源的数量、质量、土地覆被结构、土地覆被空间格局都发生了变化,这是自然因素(水文、温度、地质地貌、土壤、光照等)、技术文化、人类经济活动和政策等综合作用的结果,研究黄河源区土地覆被结构变化趋势和机制对研究黄河源区水文循环过程、流域产水量、改善生态环境都具有重要的意义。本节利用黄河源区 80 年代和 90 年代耕地两期土地利用数据,分别就土地覆被结构、变化过程、空间景观特征变化和不同类型土地覆被重心转移情况做了分析研究,为研究不同土地覆被对流域水文影响提供依据。

一、黄河源区土地利用数据处理与现状

(一)资料来源

(1)土地利用资料:本研究所用到的黄河源区土地利用数据分别代表 20 世纪 80 年代初和 90 年代初的两期土地利用现状。其中 80 年代初资料为 1983 年中科院地理所编制的 1∶100 万全国土地利用数据,该数据的土地分类系统为 6 大类和 24 个亚类;90 年代初资料 TM 遥感影像为基础资料,由中科院地理所于"九五攻关重中之重项目"完成的比例尺为 1∶10 万全国土地利用数据,该数据的土地分类系统为 6 大类 25 个亚类,其中耕地类型又根据地形的不同分为 4 小类,分别是山地、丘陵、平原和大于 25°的坡地。

(2)地形资料:国家基础地理信息中心提供的全国 1∶100 万的数字地形图。

(3)黄河源区 1∶25 万分辨率的数字高程模型(DEM)。

(4)其他参考图件:由水利部黄河水利委员会编制并公开出版发行的《黄河流域地图集》之黄河流域 1∶400 万的地图。

(二)黄河源区土地利用分类系统确定

根据黄河源区实际地理位置、流域面积、气候特征、土壤状况和土地资源开发利用的

程度,依据国家制定的土地资源分类标准,制定出黄河源区 80~90 年代土地资源分类系统,主要包括 6 大类(耕地、林地、草地、水域、城乡工矿居民地、未利用土地)15 个亚类(旱地、有林地、灌木林、疏林地、高覆盖度草地、中覆盖度草地、低覆盖度草地、河渠、湖泊、水库坑塘、永久性冰川雪地、居民点和建设用地、沙地、沼泽地、裸地),详细的土地分类系统如表 8-1 所示。

表 8-1　黄河源区土地利用类型分类编码

土地原分类及编码				含义	重新分类及编码	
一级类型		二级类型			名称	编码
编号	名称	编号	名称			
1	耕地	12	旱地	指无灌溉水源及设施,靠天然降水生长作物的耕地;或有水源及浇灌设施,在一般年景下能正常灌溉的旱作物耕地;以种菜为主的耕地,正常轮作的休闲和轮歇地	旱地	12
2	林地	21	有林地	指郁闭度>30%的天然林和人工林。包括用材林、经济林、防护林等成片的林地	有林地	21
		22	灌木林	指郁闭度>40%、高度在 2m 以下的矮林和灌丛林地	灌木林	22
		23	疏林地	指郁闭度在 10%~30%之间的疏林地	疏林地	23
3	草地	31	高覆盖度草地	指覆盖度>50%的天然草场、改良草地和割草地。水分条件好,草被生长茂密	高覆盖度草地	31
		32	中覆盖度草地	指覆盖度在 20%~50%之间的天然草场和改良草地。水分不足,草被稀疏	中覆盖度草地	32
		33	低覆盖度草地	指覆盖度在 5%~20%之间的天然草地。水分缺乏,草被稀疏,牧业利用条件差	低覆盖度草地	33
4	水域	41	河渠	指天然形成或人工开挖的河流及主干渠常年水位以下的土地	河渠	41
		42	湖泊	指天然形成的积水区常年水位以下的土地	湖泊	42
		43	水库坑塘	指人工修建的需水区常年水位以下的土地	水库坑塘	43
		44	永久性冰川雪地	指常年被冰川和积雪所覆盖的土地	永久性冰川雪地	44
5	城乡工矿居民用地	51	城镇用地	指大、中、小城市及县以上建成区用地	居民点和建设用地	51
6	未利用土地	61	沙地	指地表为沙覆盖,植被覆盖度在 5%以下的土地,包括沙漠,不包括水系中的沙滩	沙地	61
		62	沼泽地	指地势平坦低洼,排水不畅,长期潮湿,季节性积水或常年积水,生长湿生植物的土地	沼泽地	62
		63	裸地	指地表以碎砾为主,植被覆盖度在 5%以下的土地	裸地	63

（三）土地利用现状分析

将全国各省的矢量土地利用图层进行空间合并,在地理信息系统软件 Arc/Info 的支持下,转化为 Grid 栅格格式存储,栅格数据具有结构简单、易提取空间信息等特点。确定其网格的大小为 100m×100m。坐标系采用黄河水利委员会制定的黄河流域标准 Albers 投影的直角坐标系,投影类型为正轴等面积双纬线割圆锥投影(标准经度为 108°,第一标准纬度为 33°,第二标准纬度为 39°)。以此分别绘制出黄河源区 20 世纪 80 年代和 90 年代两期土地利用现状图,如图 8-5 所示,其各项土地利用统计值如表 8-2 所示。

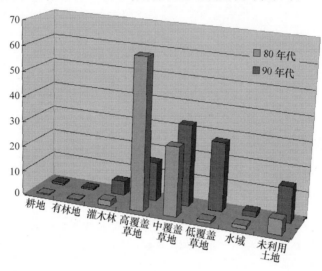

图 8-5 黄河源区 20 世纪 80 年代和 90 年代土地利用现状

由图 8-6 和图 8-7 可以看出,黄河源区土地利用分布规律及其结构特点具有明显的地域差异性。其主要类型以草地和未利用土地为主,草地面积占整个源区流域面积的 70% 以上,广泛分布于流域各盆地、台地和河谷川地等,80 年代和 90 年代耕地草地面积分别为 118 563km^2 和 99 917km^2,其中 80 年代高覆盖度草地和 90 年代中低覆盖度草地优势明显,分别占整个源区土地面积的 60.67% 和 60.35%。其草地又分为以下两类:①高山亚高山草甸草地,分布在青海高原的高山森林线(>2 000m)以上的地区,这里植被茂密,气候湿润,是流域内高产优质草场,以湿生、中生植物为主,大部分分布在青海省南部地区;②草原草地,以旱生植物为主,分布于流域西北部,沿兴海、共和一带以北地区。沙地、裸地和沼泽地等未利用土地的面积仅次于草地,面积分别为 8 112km^2 和 18 800km^2,占流域面积的 6.11% 和 14.03%,在近 10 年中,土地退化的趋势明显,沙地和裸地分别增加了 1.34% 和 5.02%,这说明黄河源区土地退化速度较快,土地退化严重。据调查,源区内 50% ~60% 的草地出现了不同程度的退化。1996 年退化草场面积达 250 万 hm^2,占本区可利用草场面积的 17%。同 50 年代相比,单位面积产草量下降了 30% ~50%,有毒有害类杂草增加了 20% ~30%。仅黄河源头 80 ~90 年代平均草场退化速率比 70 年代增加了 1 倍以上,玛多县畜牧部门的调查表明,2000 年出现的持续干旱使全县 130 多万 hm^2 夏秋天然草场的可利用率只有 50% 左右。玛曲县草地以亚高山草甸为主,在 20 世纪 40 ~ 50 年代,全县草场没有一点沙化,到处都是"风吹草低现牛羊"的景象。到 60 ~ 70 年代,由于社会、环境和人为因素的影响,草场开始出现零星沙化。从 1980 年到 1998 年,玛曲县的沙化面积由最初的 0.144 万 hm^2 发展到 4.48 万 hm^2,平均沙化速度达 21.8% 。在靠近黄河岸边的植被,因黄河水长期侵蚀,淘空了植被下面的流沙层,形成大面积塌陷沙滩。像这样的沙化带,在玛曲县境内的黄河沿岸已达 119km。整个河源区退化面积已达 253 万 hm^2,且每年仍以 5 200hm^2 的速度在扩大。荒漠化平均增加速率由 70 ~ 80 年代的 3.9% 增至 80 ~ 90 年代的 20% 。原生生态景观逐年破碎剥离,植被演替呈现由高寒草甸向荒漠化的逆向演替趋势。

表 8-2　黄河源区 80 ~ 90 年代土地利用统计

编码	土地利用类型	像元数目		面积(km^2)		面积比例		变化量	变化率
		80 年代	90 年代	80 年代	90 年代	80 年代	90 年代		
1	耕地	51 532	115 210	515	1 152	0.39	0.88	637	123.57
12	旱地	51 532	115 210	515	1 152	0.39	0.88	637	123.57
2	林地	341 617	871 779	3 416	8 718	2.58	6.63	5 302	155.21
21	有林地	55 053	81 618	551	816	0.42	0.62	266	48.25
22	灌木林	286 563	760 436	2 866	7 604	2.16	5.79	4 739	165.36
23	疏林地	—	29 725	—	297	—	0.23	297	—
3	草地	11 856 304	9 991 689	118 563	99 917	89.44	76.02	−18 646	−15.73
31	高覆盖度草地	8 042 412	2 059 107	80 424	20 591	60.67	15.67	−59 833	−74.40
32	中覆盖度草地	3 676 858	4 300 676	36 768	43 007	27.74	32.72	6 239	16.97
33	低覆盖度草地	137 034	3 631 905	1 370	36 319	1.03	27.63	34 949	2 551.03
4	水域	195 305	278 912	1 953	2 789	1.47	2.12	836	42.81
41	河渠	5 789	21 983	58	220	0.04	0.17	162	279.73
42	湖泊	136 712	161 756	1 367	1 618	1.03	1.23	250	18.32
43	水库坑塘	34 972	30 839	350	308	0.26	0.23	−41	−11.82
44	滩地	17 832	64 335	178	643	0.13	0.49	465	260.78
5	建设用地	—	5 979	—	60	—	0.05	60	—
51	居民建设用地	—	5 979	—	60	—	0.05	60	—
6	未利用土地	811 221	1 880 003	8 112	18 800	6.11	14.30	10 688	131.76
61	沙地	120 309	295 184	1 203	2 952	0.91	2.25	1 749	145.36
62	沼泽地	254 264	491 962	2 543	4 920	1.92	3.74	2 377	93.48
63	裸地	436 648	1 092 857	4 366	10 929	3.29	8.31	6 562	150.28
	合　计	13 255 979	13 255 979	132 560	132 560	100.00	100.00	100.00	—

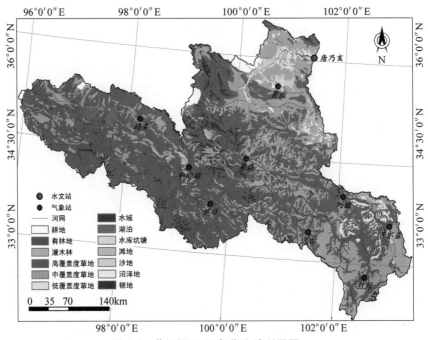

图 8-6 黄河源区 80 年代土地利用图

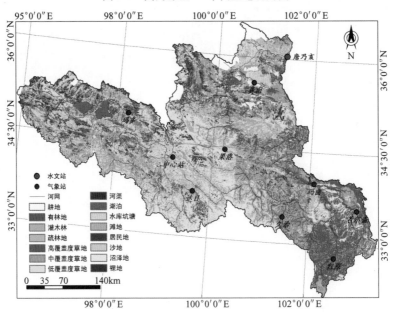

图 8-7 黄河源区 90 年代土地利用图

二、黄河源区土地覆被和景观生态变化特征

(一)景观特征指标与计算方法

1. 斑块大小和数量

斑块大小和斑块数量是景观生态空间格局评价的重要参数,斑块大小以斑块的面积

及方差表示,斑块数量则能反映出景观的破碎化程度,斑块数量越多,景观斑块密度越大,说明景观的破碎度越大。

2. 多样性指标

多样性指数反映土地利用类型的齐全程度或多样性变化状况,本研究采用 Shannon-Weiner 指数计算:

$$H = -\sum_{i=1}^{n} P_i \ln P_i \tag{8-10}$$

式中:H 为景观多样性指数;n 为土地利用类型数量;P_i 为土地利用类型所占的面积。

均匀性指数反映土地利用类型的均匀程度,均匀性指数用下式计算:

$$E = H'/H'(\max) \tag{8-11}$$

式中:E 为景观多样性指数;H' 为现实景观多样性;$H'(\max)$ 为完全均匀情况下的景观多样性,即每类土地利用类型所占面积比例相同时的多样性指数。

3. 优势度指标

景观优势度(D)指数表示景观多样性与最大多样性的偏差,描述景观结构中一种或几种景观类型支配景观的程度。优势度大时,表明景观只受一种类型或少数几种类型所支配;优势度小时,说明各种景观类型所占的比例大体相当。计算可用下式表达:

$$D = \ln n + \sum_{i=1}^{n} P_i \ln P_i \tag{8-12}$$

斑块优势度(D_0)表示某景观要素类型的优势度,数学表达式为

$$D_0 = [(R_d + R_f)/2 + L_p]/2 \times 100\% \tag{8-13}$$

$$R_d = A_i/A \times 100\% \qquad R_f = C_i/C \times 100\% \qquad L_p = S_i/S \times 100\% \tag{8-14}$$

式中:D_0 为斑块优势度;R_d 为拼块密度;A_i 为拼块 i 的数目;A 为拼块总数;R_f 为拼块出现频率;C_i 为拼块 i 出现的样方数;C 为总样方数;L_p 为景观比例;S_i 为拼块 i 的面积;S 为样地总面积。

在计算频率的样方时,以 $1\text{km} \times 1\text{km}$ 为标准单元样方,对流域景观整体进行全覆盖采样,采用 Merringbon Maxine"t 分布点百分比表"进行检验取舍,然后计算密度、频率和景观比例(国家环保局)。

(二)景观特征变化分析

通过对黄河源区各土地利用类型面积、斑块(Patch)数、平均斑块面积、土地利用多样性指数和均匀性指数计算(见表 8-3)。由于两期土地利用类型数据分辨率的差异,本研究对斑块密度进行分析。可以看出,80~90 年代黄河源区土地利用景观格局发生了较大变化,各类土地利用类型的斑块数目密度都有不同程度的增减,景观为断破碎化。80 年代,黄河源区高覆盖度草地面积为 80 424.12km²,占流域总面积的 60.67%,成图斑块数只有 91,仅占总斑块数的 9.50%,说明高覆盖度草地对土地景观功能作用最强,是连片存在的,因此 80 年代黄河源区土地基质(Matrix)为高覆盖度草地。90 年代高覆盖度草地面积下降为 20 591.07km²,面积比例下降至 15.67%,成图斑块数达到 3 894,密度减小为 6.59%;同期中覆盖度草地和低覆盖度草地的面积比例分别由 80 年代的 27.74% 和 1.03% 增加到 90 年代的 32.72% 和 27.63%,其中低覆盖度草地斑块密度由原来的

1.67%增加到20.51%。这充分说明了黄河源区高覆盖度草地正在快速地向中低覆盖度草地转化,90年代覆盖度低的草地已经对黄河源区的土地景观格局起到了控制作用。

表8-3 黄河源区土地景观格局特征

年代	土地类型	面积（km²）	面积比例（%）	成图斑块数	斑块密度（%）	平均面积（km²）	多样性指数	均匀性指数
80	12	515.32	0.39	25	2.61	20.61	1.64	0.44
	21	550.53	0.42	14	1.46	39.32		
	22	2 865.63	2.16	117	12.21	24.49		
	31	80 424.12	60.67	91	9.50	883.78		
	32	36 768.58	27.74	379	39.56	97.01		
	33	1 370.34	1.03	16	1.67	85.65		
	41	57.89	0.04	1	0.10	57.89		
	42	1 367.12	1.03	19	1.98	71.95		
	43	349.72	0.26	1	0.10	349.72		
	44	178.32	0.13	2	0.21	89.16		
	61	1 203.09	0.91	28	2.92	42.97		
	62	2 542.64	1.92	62	6.47	41.01		
	63	4 366.48	3.29	203	21.19	21.51		
	合计	132 559.7	100.00	958	100.00	—		
90	12	1 152.10	0.88	1 398	2.37	0.82	2.58	0.66
	21	816.18	0.62	956	1.62	0.85		
	22	7 604.36	5.79	9 098	15.40	0.84		
	23	297.25	0.23	394	0.67	0.75		
	31	20 591.07	15.67	3 894	6.59	5.29		
	32	43 006.76	32.72	11 339	19.20	3.79		
	33	36 319.05	27.63	12 114	20.51	3.00		
	41	219.83	0.17	1 201	2.03	0.18		
	42	1 617.56	1.23	3 882	6.57	0.42		
	43	308.39	0.23	20	0.03	15.42		
	44	643.35	0.49	813	1.38	0.79		
	51	59.79	0.05	403	0.68	0.15		
	61	2 951.84	2.25	1 974	3.34	1.50		
	62	4 919.62	3.74	2 591	4.39	1.90		
	63	10 928.57	8.31	8 982	15.21	1.22		
	合计	131 435.7	100.00	59 059	100.00	—		

另外需要强调的是,黄河源区未利用土地(包括沙地、沼泽地和裸地等)在近10年有了很大程度的增减,面积已由80年代的8 112km²迅速增加为18 800km²,增加了近1倍的面积,90年代未利用土地的面积已经占到黄河源区流域总面积的14.3%,这表明黄河源区土地正在退化,并且退化速度非常快。这一结果对黄河源区水文过程,包括降水、蒸发、下渗、径流和蒸发都会带来直接的影响。

80～90年代,黄河源区多样性指数由1.64上升到2.58,均匀性指数由0.44上升为

0.66。反映了流域土地利用类型的多样性和异质性增加,表明土地利用正朝多样化和均匀化的方向发展。

从黄河源区优势度指标特征(见图8-8和表8-4)可以明显看出各土地利用类型的在流域中的地位和10年来的变化情况。20世纪80年代景观优势度为1.33,高覆盖度草地优势度最高,达到60.67%,确定高覆盖度草地为流域基质,黄河源区土地利用格局变化在很

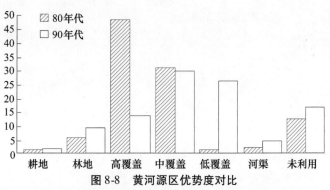

图8-8 黄河源区优势度对比

大程度上依赖高覆盖度草地。90年代源区景观优势度上升为2.06,高覆盖度草地优势度下降明显,降至15.67%,已经较中低覆盖度草地的优势度小了很多,说明该土地利用类型已经失去了对流域下垫面支配作用的能力;相反,该时期由于中低覆盖度草地优势度的增加,它们已经对黄河源区的下垫面性质起到了主导作用。90年代总体景观优势度的增加,说明黄河源区受到少数土地利用类型的支配程度大大增加,土地利用已开始向单一方面发展。进入90年代,未利用土地的优势度已经呈现明显上升趋势,其中增加最快的就是沙地和裸地,二者共增加了6.36%,这再次表明,黄河源区土地利用方式越来越趋向不合理状态,土地退化速度较快。

表8-4 黄河源区优势度指标特征

年代	土地类型	编码	类型数目 n	密度 R_d(%)	频率 R_f(%)	景观比例 L_p(%)	斑块优势度 D_0(%)	景观优势度 D
80	旱地	12	515	2.61	0.39	0.39	0.94	1.33
	有林地	21	544	1.46	0.41	0.42	0.68	
	灌木林	22	2 864	12.21	2.16	2.16	4.67	
	高覆盖度草地	31	80 453	9.50	60.69	60.67	47.88	
	中覆盖度草地	32	36 719	39.56	27.70	27.74	30.68	
	低覆盖度草地	33	1 386	1.67	1.05	1.03	1.20	
	河渠	41	60	0.10	0.05	0.04	0.06	
	湖泊	42	1 375	1.98	1.04	1.03	1.27	
	水库坑塘	43	350	0.10	0.26	0.26	0.22	
	滩地	44	179	0.21	0.14	0.13	0.15	
	沙地	61	1 208	2.92	0.91	0.91	1.41	
	沼泽地	62	2 532	6.47	1.91	1.92	3.05	
	裸地	63	4 370	21.19	3.30	3.29	7.77	

年代	土地类型	编码	类型数目 n	密度 R_d（%）	频率 R_f（%）	景观比例 L_p（%）	斑块优势度 D_0（%）	景观优势度 D
	旱地	12	1 157	2.37	0.88	0.88	1.25	
	有林地	21	828	1.62	0.63	0.62	0.87	
	灌木林	22	7 546	15.40	5.74	5.79	8.18	
	疏林地	23	281	0.67	0.21	0.23	0.33	
	高覆盖度草地	31	20 571	6.59	15.65	15.67	13.39	
	中覆盖度草地	32	42 896	19.20	32.64	32.72	29.32	
	低覆盖度草地	33	36 391	20.51	27.69	27.63	25.87	
90	河渠	41	257	2.03	0.20	0.17	0.64	2.06
	湖泊	42	1 630	6.57	1.24	1.23	2.57	
	水库坑塘	43	315	0.03	0.24	0.23	0.19	
	滩地	44	638	1.38	0.49	0.49	0.71	
	建设用地	51	63	0.68	0.05	0.05	0.21	
	沙地	61	2 998	3.34	2.28	2.25	2.53	
	沼泽地	62	4 896	4.39	3.73	3.74	3.90	
	裸地	63	10 964	15.21	8.34	8.31	10.05	

三、黄河源区土地覆被重心变化

（一）土地利用重心模型

重心（质心）位置是描述地理要素空间分布的最有效的一种形式。地理要素的重心是要素的平均位置，它是地理要素保持均匀分布的平衡点，可通过对要素地理坐标值加权平均求得。重心的计算，可以跟踪某些地理事物空间分别的变化，如土地利用类型变化、经济重心变化、人口迁移等，也可以简化某些复杂的要素。本研究采用重心模型求算黄河源区 80～90 年代土地利用变化的趋势。

土地利用重心模型如图 8-9 所示，某土地利用类型包括的地块（多边形）为 $P_1, P_2, \cdots, P_n$，对应的面积分别为 $S_1, S_2, \cdots, S_n$，重心分别为 $G_1(x_1, y_1), G_2(x_2, y_2), \cdots, G_n(x_n, y_n)$，则该类土地利用类型的重心 M 的地理坐标 (X, Y) 分别为

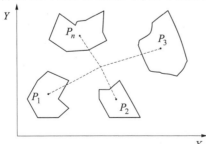

图 8-9　土地利用重心模型

$$X = \frac{\displaystyle\sum_{i=1}^{n} S_i x_i}{\displaystyle\sum_{i=1}^{n} S_i}$$

$$Y = \frac{\displaystyle\sum_{i=1}^{n} S_i y_i}{\displaystyle\sum_{i=1}^{n} S_i}$$

（二）土地利用重心变化分析

利用土地利用重心模型计算黄河源区 80～90 年代土地利用变化幅度较大的旱地、有林地、灌木林、高覆盖度草地、中覆盖度草地和裸地的重心变化情况，结果见表 8-5 和图 8-10。

表 8-5　黄河源区土地利用重心变化

土地利用类型	80 年代		90 年代		80～90 年代	
	$x_1(°)$	$y_1(°)$	$x_2(°)$	$y_2(°)$	x 位移(km)	y 位移(km)
旱地	100.65	35.23	100.78	35.21	11.69	1.92
有林地	99.88	34.75	100.04	35.00	14.11	23.09
灌木林	100.42	34.13	99.86	35.07	50.45	84.00
高覆盖度草地	99.59	34.11	103.20	33.41	325.32	62.97
中覆盖度草地	100.68	35.30	98.96	34.03	154.32	114.04
裸地	100.03	34.85	99.87	34.27	14.12	52.07

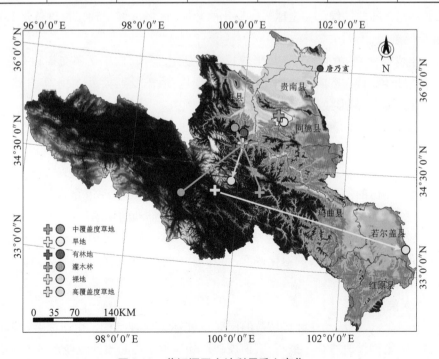

图 8-10　黄河源区土地利用重心变化

由表 8-5 和图 8-10 可以明显看出,黄河源区 80~90 年代土地利用变化重心发生了较大范围的转移。其中高覆盖度草地位移量最大,分别向南、向东移动了 325.32、62.97km,从流域中部地势较高的甘德县(99.59°E, 34.11°N)移动到流域东南部地势低的若尔盖县边缘(103.20°E, 33.41°N),结合前面结果分析,流域高覆盖度草地已经明显遭到破坏,正在向中低覆盖度草地转变,唯一保留的高覆盖度草地分布在黄河源区的东南缘;其次,中覆盖度草地的位移量也比较大,也是由流域中部高海拔地区向流域东北部边缘的同德县(100.68°E, 35.30°N)转移,与高覆盖度草地类似,中覆盖度草地退化的也比较快;灌木林和裸地的位移量相当。需要指出的是,裸地的重心一直保持在黄河源区中部,从兴海县(100.03°E,34.85°N)移动到甘德县(99.87°E,34.27°N)。

四、黄河源区土地覆被变化驱动力分析

随着对黄河源区资源开发力度的加大,其原本脆弱的生态环境日趋恶化。表现在土地利用变化方面上的最大特点就是草地和灌丛植被遭到不同程度的破坏,具体表现为草地退化严重,水土流失加剧,土地荒漠化面积不断扩大。分析这种变化结果的驱动力要从自然因素(气候、水文、土壤等)和人类活动两方面综合考虑。

(一)自然因素

黄河源区气候干冷多风,地表沙物质含量高,土层薄,河川径流量趋于减少,生态环境十分脆弱,流域自身便孕育着荒漠化的因素与缓慢荒漠化的过程。

(1)气候干旱、降水减少:黄河源区大部分地区海拔在 4 000~5 000m,处于对流层中部,属于典型大陆性气候。受全球气候变化的影响,区域气候呈现出温度逐渐升高、湿度逐渐变干的趋势。

(2)土壤条件差:黄河源区土壤形成过程缓慢,土层薄,由于干湿交替和冻融交替,地表和近地层土壤断裂,造成植物死亡而易形成裸地;由于受到大风、洪水等自然侵蚀的影响,表土大量流失,易形成高寒荒漠或沙化。

(3)有比较丰富的沙源:黄河源区的许多河段一级阶地土壤质地为沙质土和沙壤质土,这为河源区草地灌丛退化和土地沙化提供了丰富的沙源。

(4)河川年均径流量减少:90 年代以来,年径流量除 1993 年和 1996 年稍大于多年平均值外,其余年份的年径流量都较小。1990~1998 年平均年径流量仅为多年平均值的 65.3%。水资源的减少对草地退化和土地沙化起到了推动的作用。

(5)草原鼠害:草原鼠害是造成草地退化和土地沙化、形成黑土滩的重要原因之一。鼠害不仅能够引起草地植被的退化速度,而且掘出的大量沙土在雨水和风力的侵蚀下,造成土地沙化。

(二)人类活动

近 20 年来,人类活动在破坏植被的同时也破坏了地表结构。由于采金、采药、建筑、过度放牧等,地面被改造得千疮百孔,植被破坏和地表结构的改变致使地表物质抵御自然侵蚀的能力大大降低。于是,在风力、水力和重力等外界因素及冻融交替作用下,地表物

质被剥落外移,由于土壤结构的恶化,营养元素的流失,天然植被很难恢复。

(1)过度放牧:黄河源区土地用于耕作开垦的很少,基本上是以天然草场放牧活动为主。不合理的放牧是导致黄河源区草地退化的最主要因素。随着牲畜鼠类的急剧增加,草地负载加重,天然草场得不到休养生息的机会,造成草地退化和土地沙化。

(2)乱挖滥采:黄河源区土地退化的原因之一是人类的介入对天然草场的破坏。从20世纪80年代开始,由于缺乏统一管理,无组织地到处采矿致使河道两岸草地遭到严重破坏,砂砾遍地;为了解决燃料问题,稀疏的灌木、残存的草根等也被挖殆尽;牧民为了挖取甘草等药材,也破坏了大量草地。

(3)放牧制度不合理:黄河源区冷季草场面积小,放牧时间长;暖季草场面积大,放牧时间短。冷季草场存在较为严重的超载放牧现象,尤其是在离居住地和水源近的滩地、山坡中下部与河谷两岸等地放牧频繁,降低了草地冷季的载畜能力,这种放牧制度的不合理性是造成草地退化的重要原因。

(4)大量捕杀野生动物,生态平衡遭破坏:为了获取野生动物肉食毛皮,人们捕杀了大量的野生动物,造成食物链紊乱,在失去天敌后,草地上的鼠类和昆虫大量出现,破坏草地。

第三节　黄河源区50年来气候与水文变化分析

黄河发源地区有白雪皑皑的雪山、百花盛开的草滩、闪闪发光的海子、清澈见底的流水,组成了一幅幅景色优美的图画。黄河发源于青海省玉树藏族自治州玛莱县境内,巴颜喀拉山北麓约古宗列盆地西南隅的玛曲曲果。流经约古宗列盆地,名约古宗列曲。河水由西向东,穿过芒朵峡,入星宿海。左纳阿棚鄂里曲、扎曲,右纳卡日曲,称为玛曲。

目前,众多学者由于研究的目标和方法的不同,对黄河源区这一概念还没有统一的定义。祁明荣(1982)等认为,玛曲向东流约20km,入扎陵湖,从湖的东南部流出;右纳多曲,东行约270km,至鄂陵湖;玛曲出鄂陵湖转向东南流约64km抵达黄河沿水文站。至此干流长270km,河道平均比降0.73‰,集水面积20 930km²,这以上区域称为黄河源区。国家环保局南京环境科学研究所沈渭寿等人认为,黄河源区为黄河源头至玛多县出境处。姜爱林等认为约古宗列曲—龙羊峡一段黄河流经的地区,行政范围包括曲玛莱等11个县48个乡为黄河源区。本研究根据研究的实际情况,定义黄河源区为黄河干流唐乃亥水文站以上的集水区域(见图8-11),原因主要有以下3点:①唐乃亥水文站以上流域为一个完整的地理单元,其地质构造、地貌、气候、植被和土壤类型等自然地理要素都有一定的相似性;②唐乃亥水文站以上流域人烟稀少,无大型的水利工程建设,人类活动的影响相对较小,另外,唐乃亥水文站径流可代表黄河上游第一大型水库——龙羊峡水库的入库流量;③唐乃亥水文站径流序列资料时间长,其集水区内的气象站资料也比较丰富。

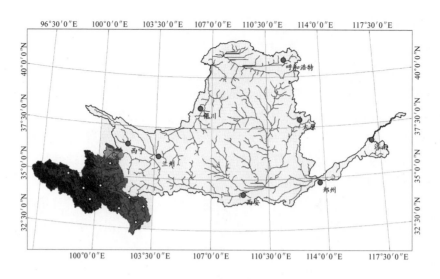

图 8-11 黄河源区的地理位置

一、黄河源区 50 年来的气候变化分析

黄河源区唐乃亥水文站以上流域范围内有基本气象观测站 9 个,如表 8-6 所示,为了准确分析黄河源区气候变化,采用泰森多边形法,在 GIS 的支持下,将相邻的气象站用直线连接形成若干三角形,然后对各连线作垂直平分,连接这些垂线的交点,得到若干个多边形,每个多边形中各有一个气象站,即该多边形面积作为该气象站所控制的面积(如图 8-12 所示),不同区域面积内温度、降水都可以通过分析该区域内的气象站资料获得。

表 8-6 黄河源区基本气象站情况

序号	站号	站名	所在省份	地理经度(°)	地理纬度(°)	平均高程(m)
1	56033	玛多	青海	98.22	34.92	4 272.3
2	56041	中心站	青海	99.20	34.27	4 211.1
3	56043	果洛	青海	100.25	34.47	3 719.0
4	56046	达日	青海	99.65	33.75	3 967.5
5	56067	久治	青海	101.48	33.43	3 628.5
6	56074	玛曲	甘肃	102.08	34.00	3 471.4
7	56079	若尔盖	四川	102.97	33.58	3 439.6
8	56173	红原	四川	102.55	32.80	3 491.6
9	52955	贵南	青海	100.75	35.58	——

注:贵南站属于新建气象站,资料无长时间序列,只有从 1999 年开始观测,因此对该站不作具体分析。

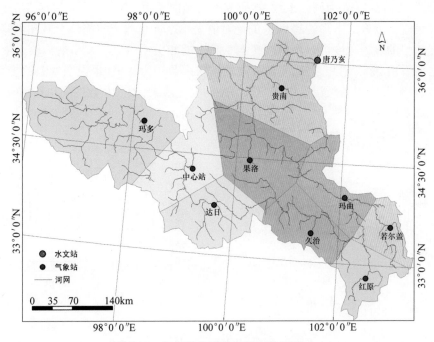

图 8-12　气象站位置及其控制的区域

(一)黄河源区气温变化分析

1. 气温的年际变化分析

研究黄河源区唐乃亥水文站以上的年际气温变化总趋势性分析采用倾向系数法,气温的倾向系数用一元线性回归方程拟合求得;气温的阶段性分析采用距平曲线法;气温的突变性分析采用 Yamamoto 法。

1)气温的趋势性分析

图 8-13 为玛多、中心站、果洛、达日、若尔盖、红原气象站多年平均气温、10 年平均气温和气温变化趋势曲线。从图 8-13 中可以明显地看出,除玛多站外,其他 5 个站的多年平均气温都有明显的增高趋势。表 8-7 列出了各观测站 20 世纪 50 ~ 90 年代流域平均气温的波动情况,50 ~ 90 年代中心站波动变化不大,玛多站呈现出周期性的波动,而达日、久治、玛曲、若尔盖和红原等测站的波动都比较大,且平均气温都呈现出上升的趋势。

为定量描述气温要素随时间变化的趋势,假定趋势呈线性变化,用一元线性回归法求取温度序列的线性趋势,建立气温 T 与时间 t 的一元线性回归方程如下:

$$\hat{T} = a + bt \tag{8-15}$$

则

$$a = \hat{T} - bt \tag{8-16}$$

$$b = \sum_{i=1}^{n} (T_i - \bar{T})(t_i - \bar{t}) \bigg/ \sum_{j=1}^{n} (t_j - \bar{t})^2 \tag{8-17}$$

$$r = \sum_{i=1}^{n} (T_i - \bar{T})(t_i - \bar{t}) \bigg/ \sqrt{\sum_{j=1}^{n} (T_j - \bar{T})^2 (t_j - \bar{t})^2} \tag{8-18}$$

式中:a 为回归常数;b 为回归系数,本研究称为倾向系数,它代表气温线性变化趋势,b 的符号代表气温上升或下降的趋势,b 的绝对值大小度量其演变的趋势上升和下降的程度。其变化趋势的显著程度可以用温度 T 与时间 t 的相关系数 r 的大小来检验。从表 8-7 可以清楚地看出,除了中心站外,其他各站的倾向系数均为正值,也说明气温的变化呈现出变暖的趋势,其中以黄河源区中部的果洛站的变化最大,倾向系数达到 0.044 67。

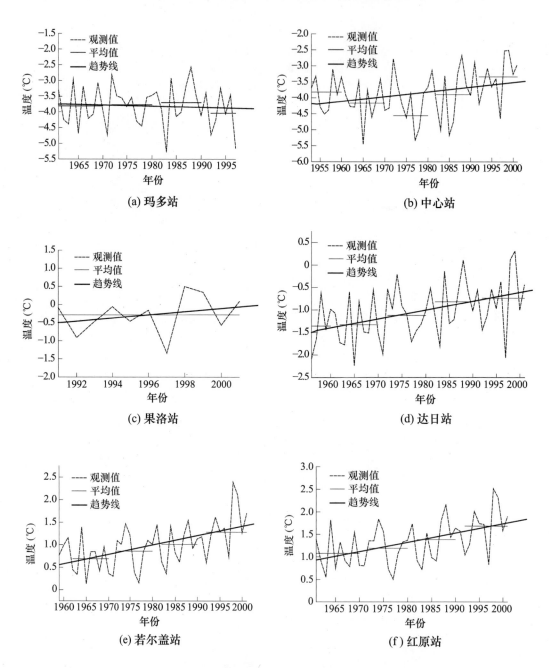

图 8-13　多年平均气温、10 年平均气温和气温变化趋势曲线

表 8-7　黄河源区 50 年来气温变化

站名	年代平均气温（℃）					多年平均（℃）	倾向系数 b
	50 年代	60 年代	70 年代	80 年代	90 年代		
玛多	-3.82	-4.17	-4.12	-3.89	-3.67	-3.86	0.014 9
中心站	-5.05	-3.80	-3.77	-3.69	-4.04	-3.87	-0.003 86
果洛	—	—	—	—	-0.28	-0.28	0.044 67
达日	-1.36	-1.33	-1.12	-0.81	-0.73	-1.03	0.019 82
久治	0.13	-0.16	0.30	0.67	0.92	0.42	0.033 82
玛曲	—	1.04	1.19	1.39	1.68	1.39	0.026 29
若尔盖	0.88	0.69	0.86	1.01	1.28	0.99	0.020 83
红原	—	1.08	1.19	1.39	1.69	1.35	0.020 56

2）气温的阶段性分析

为了进一步揭示出黄河源区近 50 年来气温的变化规律,发现其阶段性的变化特征,将多年平均温度序列延伸到整个黄河源区,本研究以黄河源区西北部区域的玛多站为代表,以东南部区域的若尔盖站为代表,利用这两个站的多年平均气温与其相近站的气温资料进行线性回归,结果发现玛多站与达日、果洛、中心站之间,若尔盖站与久治、玛曲、红原站之间有很好的线性关系(见表 8-8、表 8-9)。由表可知,它们的相关系数都在 0.79 以上,远远超过 1% 的信度,因此可以用玛多站的温度资料代表流域的西北部地区,用若尔盖站的温度资料代表流域的东南部地区进行分析。

表 8-8　黄河源区玛多站与其他气象站多年平均温度序列线性方程

站名	回归方程	R
达日	$Y = 0.679\ 5X + 1.595\ 9$	0.823 347
果洛	$Y = 0.781\ 9X + 2.327\ 8$	0.962 601
中心站	$Y = 0.723\ 1X - 0.930\ 8$	0.790 127

注:Y 为气象站气温;X 为玛多站气温;R 为相关系数。各方程均通过 0.001 信度检验。

表 8-9　黄河源区若尔盖站与其他气象站多年平均温度序列线性方程

站名	回归方程	R
久治	$Y = 1.018\ 5X - 0.543\ 8$	0.930 86
玛曲	$Y = 0.918\ 2X + 0.423\ 4$	0.935 735
红原	$Y = 0.929\ 1X + 0.413\ 9$	0.956 295

注:Y 为气象站气温;X 为若尔盖站气温;R 为相关系数。各方程均通过 0.001 信度检验。

根据玛多和若尔盖两站 1951 ~ 2001 年间的实测气温资料,采用累积距平曲线和 5 年滑动平均算法,计算并绘制出两站多年平均气温距平曲线、累积距平曲线和 5 年滑动平均曲线,如图 8-14、图 8-15 所示,它可以很好地分析出气温的阶段性变化。

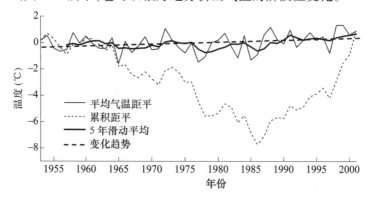

图 8-14　若尔盖站多年平均气温距平、累积距平、5 年滑动平均及变化趋势曲线

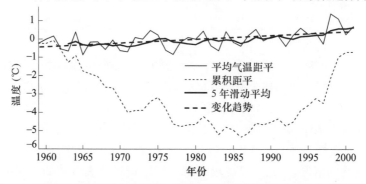

图 8-15　玛多站多年平均气温距平、累积距平、5 年滑动平均及变化趋势曲线

由图 8-15 可以看出:黄河源区西北部以玛多站为代表的近 50 年气温变化可分为 4 个阶段,1951~1956 年是持续较暖的时期,气温平均偏高 0.09℃;1957~1964 年为气温小幅上下波动频繁时期,气温平均偏高 0.03℃,较低气温出现在 1963 年,为 -4.3℃,较高气温出现在 1958 年,为 -3.1℃;1965~1986 年为一个较长时间的冷期,气温累积距平值为 -7.52℃,负距平年占总年数的 58.3%,其中 1977、1983、1985 年异常偏冷,平均气温分别为 -5.36℃、-5.01℃和 -5.17℃;1987~2001 年是个持续时间较长且温度逐渐上升的暖期,该时段温度平均值为 -3.35℃,较多年气温平均值偏高 0.51℃,正距平年占总年数的 48%,50 年来温度的几个最高峰就出现在这个时期,其中 1988 年比平均值偏高 1.19℃,属于异常偏高年。

黄河源区东南部以若尔盖站为代表的区域近 50 年气温变化与玛多站分析结果基本相同,总体都是气温向增高的趋势发展,但冷暖期的划分有所不同,多年平均气温为 0.99℃。

该区域也可划分为 4 个时期:1959~1971 年为一个气温下降且寒冷的时期,气温平均偏低 0.31℃,负距平年占 52.4%,最低气温出现在 1971 年,仅为 0.3℃;1972~1975 为温度波动小的暖期;1976~1986 年为第二个冷期,温度没有第一期低,持续 10 年,气温偏低 0.18℃;1987~2001 同玛多站分析结果一致,也为持续时间较长且温度逐渐上升的暖期,正距平年占 57.2%,50 年来几个温度高值就出现在这个时期,1998、1999 年连续两年温度最高,分别比平均值高出 1.39℃ 和 1.12℃。

3)气温的突变性分析

气候突变(Climate Jump)的概念是在 20 世纪 80 年代提出的,目前常用的突变诊断方法有滑动 t-检验法、Pettitt 法、Lepage 法、Mann-Kendall 法和 Yamamoto 法等。应用 Yamamoto 法来检测和确定气温要素在年际间的突变。

Yamamoto 法是用来检验两个随机样本平均值的显著差异。首先设置一个基准年,则基准年的突变指数 S/N 表示为

$$S/N = \frac{|x_1 - x_2|}{s_1 + s_2} \tag{8-19}$$

式中:x_1、s_1 分别为基准年前 m_1 年时间段内的平均值和标准偏差;x_2、s_2 分别为基准年后 m_1 年时间段内的平均值和标准偏差。该方法把突变出现的时间定格在数年宽度的范围内,在可用资料的全部时间段内,通过连续设置基准年的方法,可以得到突变指数 S/N 的时间序列。当 $S/N > 1.0$ 时定义为突变,当 $S/N > 2.0$ 时定义为强突变。定义统计量如下:

$$t_0 = (x_1 - x_2) \bigg/ \sqrt{sp\left(\frac{1}{m_1} + \frac{1}{m_2}\right)} \tag{8-20}$$

$$sp = \frac{\left[(m_1 - 1)s_1^2 + (m_2 - 1)s_2^2\right]}{(m_1 + m_2 - 2)} \tag{8-21}$$

m 可以根据情况人为设定,若取 $m_1 = m_2 = M$,由式(8-20)和式(8-21)得 $t_0 = S/N \times M^{1/2}$。若取 $m_1 = m_2 = 10$,则在 $S/N > 1.0$ 时,相当于 $t_0 > 1.372$,达到 90%以上的信度水平;若取 $m_1 = m_2 = 14$,则在 $S/N > 1.0$ 时,相当于 $t_0 > 1.761$,达到 95%以上的信度水平。即从基准年第 i 前后时间段的均值都有明显差异,发生了突变。在达到信度 S/N 可能连续出现的数年区间内,取最大的 S/N 值作为突变年。

在分析资料的过程中,首先对黄河源区玛多站和若尔盖站的气温资料序列进行 5 年的滑动平均,得到新的序列,再对这一新序列进行突变分析。分别取 $M = 10$ 与 $M = 14$,得出突变指数 S/N 在 1966 ~ 1991 年和 1970 ~ 1987 年的极大值。如图 8-16 所示,箭头标出了温度突变的位置。一般来说,跃变后的气温可能产生冷暖转化,而没有产生冷暖转化的跃变,就意味着温度持续跳跃上升(或下降)。从表 8-10 可以看出,玛多站和若尔盖站的突变位置都属于冷暖转化式跃变,主要体现了气温的振荡特性,当 $M = 10$ 与 $M = 14$ 时,玛多站 1989 年和 1987 年气温发生突变,S/N 值分别为 1.602 38 和 1.327 49,从曲线图可以看出温度有转暖的趋势;同样若尔盖站在 1985 年气温也发生突变,S/N 的值分别为 2.341 66 和 2.123 06。

表 8-10 用 Yamamoto 法计算出黄河源区气候突变

项目	玛多站		若尔盖站	
	$M = 10$	$M = 14$	$M = 10$	$M = 14$
时段	1986 ~ 1990	1987	1983 ~ 1987	1982 ~ 1987
突变年	1989	1987	1985	1985
S/N 值	1.602 38	1.327 49	2.341 66	2.123 06
冷暖变化	变暖	变暖	变暖	变暖

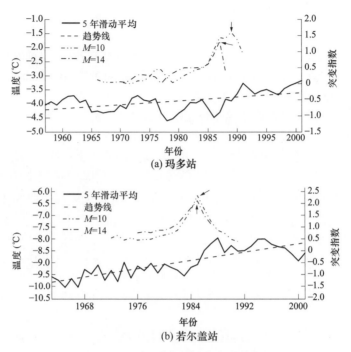

(a) 玛多站

(b) 若尔盖站

图 8-16　玛多、若尔盖站温度突变分析

2. 气温的年内变化分析

通过对玛多站和若尔盖站 20 世纪 50~90 年代季节气温资料分析得知,黄河上游各年份不同季节气温变化的规律性强,都呈现出上升的趋势,其中玛多站夏、冬两季的气温变化趋势明显,而若尔盖站夏、秋、冬三季气温变化明显,如图 8-17、图 8-18 所示。

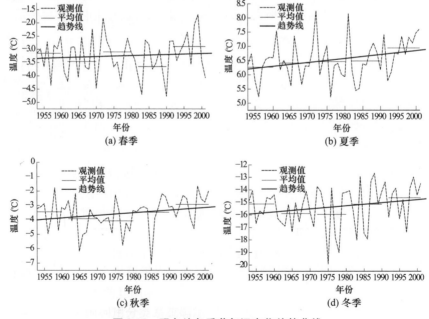

(a) 春季

(b) 夏季

(c) 秋季

(d) 冬季

图 8-17　玛多站各季节气温变化趋势曲线

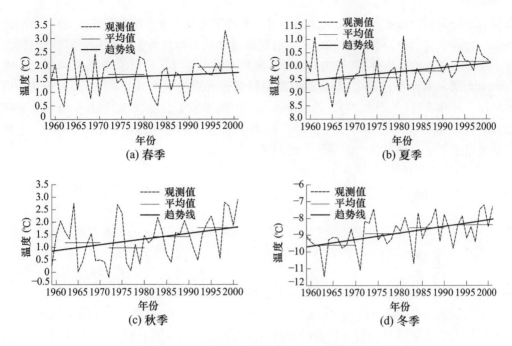

图 8-18 若尔盖站各季节气温变化趋势曲线

从每 10 年分段对比分析(见表 8-11)可以看出,玛多站和若尔盖站都存在 90 年代平均气温偏暖的现象,较最冷月 20 世纪 60 年代分别上升 0.83℃和 0.72℃。对各季节气温变化而言,两站变幅最大的都为冬季,其次是夏季和秋季。玛多站冬季平均气温 90 年代较 60 年代分别上升了 1.25℃,秋季和夏季分别上升了 0.99℃和 0.53℃;若尔盖站冬季平均气温 90 年代较 60 年代分别上升了 1.22℃,秋季和夏季分别上升了 0.59℃和 0.64℃。因此,对于 80 年代中后期黄河上游气温变暖的趋势,贡献最大的为冬季。

表 8-11　黄河上游各季节 20 世纪 50 ~ 90 年代每 10 年平均气温　　　　(单位:℃)

年代	玛多站					若尔盖站				
	年平均	春季	夏季	秋季	冬季	年平均	春季	夏季	秋季	冬季
50	-3.86	-3.15	6.27	-3.44	-15.12	0.84	1.74	10.00	0.85	-9.23
60	-4.21	-3.46	6.41	-3.91	-15.89	0.65	1.49	9.52	1.18	-9.60
70	-4.17	-3.10	6.46	-4.07	-15.96	0.82	1.66	9.56	0.97	-8.91
80	-3.94	-3.65	6.49	-3.46	-15.15	0.97	1.22	9.81	1.41	-8.57
90	-3.38	-2.89	6.94	-2.92	-14.64	1.37	1.93	10.16	1.77	-8.38
50 ~ 90	-3.91	-3.25	6.53	-3.56	-15.35	0.93	1.60	9.81	1.24	-8.94

（二）黄河源区降水变化分析

黄河唐乃亥水文站以上流域地形复杂,降水的垂直和水平分布很不均匀,降水过程大体变化趋势为由东南向西北逐渐递减,多年平均降水量在 300 ~ 900mm,如图 8-19 所示。

在黄河上游的 8 个降水测站中,久治站的多年平均降水量最大,为 897.4mm,而玛多站的多年平均降水量最小,只有 312.2mm,这说明黄河流域上游地区的降水量空间变化较大。除了红原站和久治站以外,流域内的大部分测站年降水量都呈现出单峰状态,峰值出现在 7 月,而红原站和久治站则呈现双峰型,红原站峰值分别出现在 6 月和 9 月,久治站峰值出现在 5 月和 7 月(见图 8-20)。流域降水量在时间季节上分布极不均匀,干湿季非常明显,降水量大部分集中在湿季夏半年(5~10 月),湿季降水量约占年降水量的 90%,流域内各测站多年平均降水量的干湿季分配如表 8-12 所示。

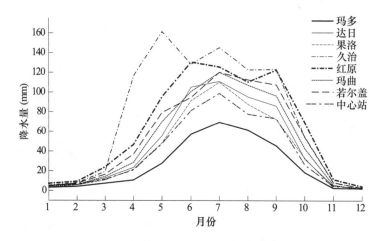

图 8-19　黄河上游多年月平均降水量变化曲线

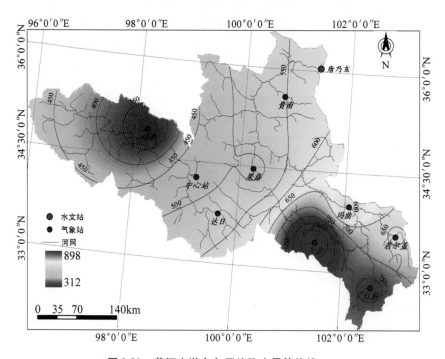

图 8-20　黄河上游多年平均降水量等值线

表 8-12 黄河上游多年平均干湿季降水量

站名	海拔 （m）	湿季(5~10月)		干季(11月~次年4月)		多年平均降水量 （mm）
		降水量（mm）	占全年比例 （%）	降水量（mm）	占全年比例 （%）	
玛多	4 272.30	280.85	89.95	31.37	10.05	312.22
中心站	4 211.10	406.29	88.49	52.86	11.51	459.14
果洛	3 719.00	443.93	90.32	47.58	9.68	491.51
达日	3 967.50	486.31	89.62	56.31	10.38	542.62
久治	3 628.50	736.31	82.05	161.09	17.95	897.40
玛曲	3 471.40	538.15	89.78	61.24	10.22	599.39
若尔盖	3 439.60	569.64	87.98	77.83	12.02	647.47
红原	3 491.60	654.26	88.3	86.32	11.7	740.58

1. 多年平均降水量变化

选取玛多和久治为典型雨量站,分别代表黄河上游降水量稀少的西北部和降水量丰沛的东南部,分析该流域近50年来的多年平均降水量变化,利用玛多站和久治站的降水资料进行10年绝对平均、5年滑动平均和趋势线计算,绘制出流域多年平均降水量变化曲线图8-21和图8-22。从降水量的变化情况看,在过去的近50年时间里玛多站的年降水量略有上升趋势,其中50年代降水量最大,平均值为365.54mm,比最枯的60年代高出80mm,增长了28%,50年代以后的各年中降水量都不大,但都呈现出缓慢上升的趋势。相反,流域东南部降水量较多的久治站则呈现出下降的趋势,尤其是90年代下降的最快,比降水量最多的80年代低出106.03mm,下降了13.5%。通过对玛多和久治两站的降水资料分析(见表8-13)表明,黄河上游的多年平均降水量在近10年间缓慢下降,变化的幅度也比较大,这对黄河上游的径流量会造成一定的影响。

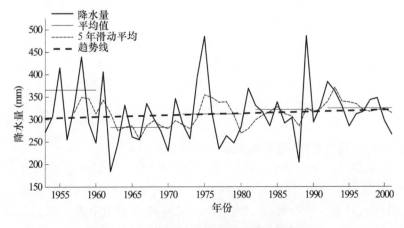

图 8-21 玛多站多年平均降水量变化曲线

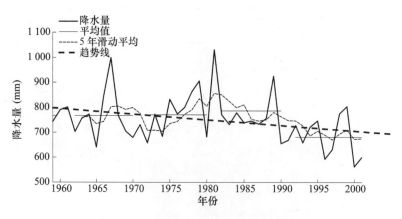

图 8-22 久治站多年平均降水量变化曲线

表 8-13 黄河上游近 50 年来降水量的变化

站名	海拔（m）	年代平均降水量（mm）					多年平均降水量（mm）
		50 年代	60 年代	70 年代	80 年代	90 年代	
玛多	4 272.3	365.54	282.54	311.99	321.92	325.04	312.22
久治	3 628.5	766.80	766.80	770.01	786.61	680.58	750.10

2. 雨季各月降水量变化

图 8-23 为玛多站和久治站近 50 年来雨季各月降水量变化,两站雨季各月降水量历年都呈现出逐渐缓慢下降的趋势,只有两站 5 月份降水量有增加的趋势,玛多站 7 月、久治站 8 ~ 9 月降水量减少的速度较快,两站其他各月历年的变化都不大。对比两站,久治站的变化趋势比玛多站更为明显,这说明黄河上游降雨集中的区域雨季降水量变化较大,且表现出减少的趋势。

二、黄河源区 50 年来的水文变化分析

(一)黄河源区年径流变化分析

根据黄河源区唐乃亥水文站 42 年(1956 ~ 1997 年)来的径流实测资料,得到该流域平均年径流总量 203.64 亿 m^3,占整个黄河总径流量的 35.11%,是黄河流域的主要产流区之一,平均流量 645.74m^3/s。径流年内分配很不均匀,汛期(5 ~ 10 月)径流量为 158.61m^3,占全年径流总量的 77.89%,平均流量 1 019.88m^3/s。由黄河源区多年平均月径流量变化曲线(见图 8-24)可以看出,洪峰为双峰形式,一次是 7 月份,月平均流量 1 307.71m^3/s,一次是 9 月份,月平均流量 1 249.43m^3/s。

分析 1965 ~ 1997 年黄河源区唐乃亥水文站实测资料,绘制出近 50 年来年平均径流流量变化曲线(见图 8-25)。可以看出,多年平均径流流量基本保持不变,但在不同年代有所变化,80 年代径流流量最大,为 753.34m/s^3,到 90 年代又有所下降。径流系数也是 80 年代最大,为 0.29,多年平均径流系数保持在 0.25 ~ 0.30,如表 8-14 所示。

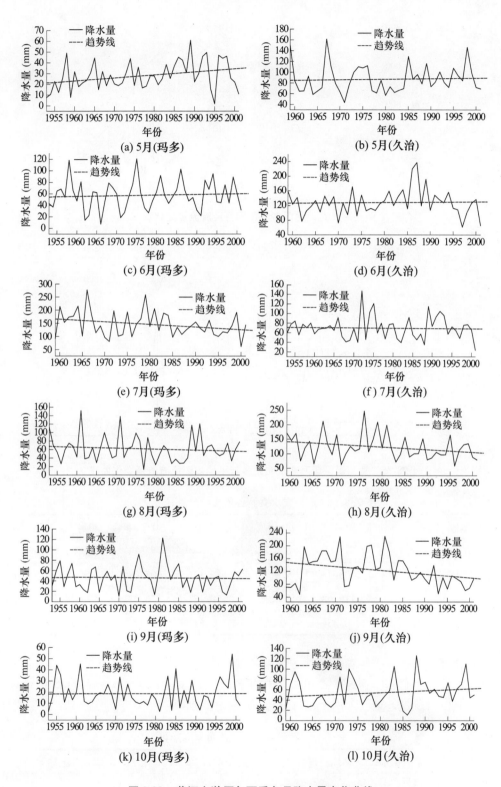

图 8-23　黄河上游历年雨季各月降水量变化曲线

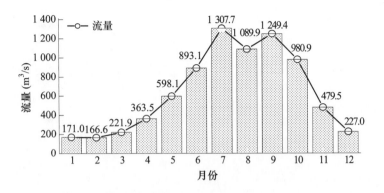

图 8-24 黄河源区多年平均月径流流量变化曲线

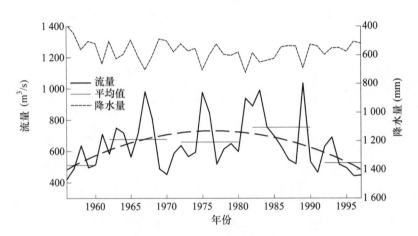

图 8-25 黄河源区唐乃亥水文站多年平均降雨径流流量变化曲线

表 8-14 唐乃亥水文站各年代径流流量变化

年代	50 年代	60 年代	70 年代	80 年代	90 年代	平均值
径流流量（m^3/s）	511.02	676.84	658.34	753.34	525.81	645.74
面降雨量（mm）	483.43	578.72	583.12	605.08	548.18	569.61
径流深（mm）	119.68	158.52	154.18	176.43	123.14	151.23
径流系数	0.25	0.27	0.26	0.29	0.22	0.26

1. 黄河源区径流年际变化分析

为考虑年径流量的年际变化幅度,采用年径流量的变差系数 C_v 值、年际变化绝对比率 P 和不均匀系数 α 这三个因子进行分析,如表 8-15 所示。

表 8-15 黄河源区径流流量年际变化

水文站	控制面积（万 km^2）	平均径流（m^3/s）	变差系数 C_v	变化绝对比率 P	不均匀系数 α
唐乃亥	13.47	645.74	0.46	2.46	0.62

1)年径流量的变差系数

年径流量的变差系数 C_v 可用下列公式计算:

$$C_v = \sqrt{\sum_{i=1}^{n}(K_i-1)^2/(n-1)}\tag{8-22}$$

式中:n 为观测年数;K_i 为第 i 年的径流变率,即第 i 年平均径流量与多年平均径流量的比值。流域年际径流量变差系数 C_v 可反映年径流量的总体系列离散程度,C_v 在 $0 \sim 1$ 之间。C_v 越大,离散程度越大,说明年径流量的年际变化越剧烈,这对水资源的持续利用不利,而且易发生洪涝灾害;相反 C_v 越小,离散程度越小,有利于水资源的利用。通过计算求得黄河源区径流量的年际变差系数 $C_v = 0.46$,这表明黄河源区多年径流量变化较大。分析其原因主要有以下 3 方面:

(1)黄河源区年降水量不大,降水集中而不稳定,蒸发量年际变化也较大,因此年径流量的变差系数 C_v 较大。

(2)黄河源区地处海拔较高,主要以高山融雪或地下水作为黄河补水来源,而气温是绝对冰川积雪融化的主要动力,在该区域由于气温的年际变化幅度也较大,所以年径流量的变差系数 C_v 值也较大。

(3)流域面积大小也影响着 C_v 值,黄河源区唐乃亥水文站控制的流域面积约为 13.4 万 km^2,属于中尺度流域,各支流径流变化情况不一,丰枯年可以有一定的相互调节,这样的面积决定了 C_v 值的大小。

2)径流量年际变化绝对比率

黄河源区径流量年际变化绝对比率 P 可用下式计算:

$$P = R_{max}/R_{min}\tag{8-23}$$

式中,R_{max} 和 R_{min} 分别为多年最大径流量和最小径流量。

P 值反映了流域内年径流量两个极端值的倍数关系,显示了径流量的不均匀程度,P 为 1 时,表示流域内的径流极均匀,P 越大,表明径流量年际变化越不均匀。计算得到黄河源区径流量变化绝对比率为 $P = 2.46$。

3)年径流量不均匀系数

径流量的年际不均匀系数 α 可以下列公式计算:

$$\alpha = \bar{R}/R_{max}\tag{8-24}$$

式中,$\bar{R}$、R_{max} 分别为多年平均径流量和最大径流量。

不均匀系数 α 反映了年际径流量的不均匀特征,α 越接近 1,表示年际径流量变化越均匀。计算得到黄河源区径流量不均匀系数 $\alpha = 0.62$,表明该流域径流量的年际变化均匀度较差。

2. 黄河源区径流年内变化分析

径流的年内变化即径流的年内分配或季节分配。天然河流由于受到气候因素及与流域内调蓄能力有关的下垫面因素的影响,径流在年内分配是不均匀的。以降雨型为主的河流,降雨和蒸发的年内变化直接影响着径流的年内分配;而像黄河源区以冰雪融水及季节性积雪融水补给的河流,年内气温变化过程与径流季节分配关系密切。图8-26为唐乃亥水文站在汛期(5~10月)和非汛期(11月~次年4月)的降水径流变化曲线,可以明显地看出汛期以降水为主产生径流,而在非汛期则主要以融雪来补给河流。

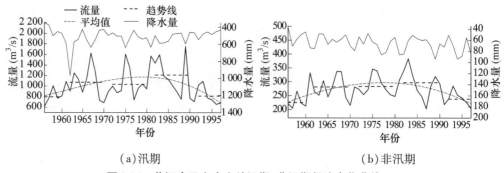

(a)汛期   (b)非汛期

图8-26 黄河唐乃亥水文站汛期、非汛期径流变化曲线

为得到径流年内变化过程,采用径流年内分配不均匀系数C_{vy}进行分析,C_{vy}是反映径流量年内分配不均匀性的一个指标。C_{vy}值越大,表明月径流量相差就越悬殊,即年内分配不均匀;反之C_{vy}值越小,表明月径流量年内分配趋向均匀,其计算公式为

$$C_{vy} = \sqrt{\sum_{i=1}^{12} \left(\frac{K_i}{\overline{K}} - 1\right)^2 / 12} \tag{8-25}$$

式中:K_i为各月径流量占年径流量的百分比;$\overline{K}$为各月平均径流量占全年的百分比。计算得出黄河源区径流量年内不均匀系数为0.65,说明径流量年内分配较为不均匀。

(二)黄河源区洪峰流量变化分析

黄河源区洪水主要由降水形成,洪水的季节变化与降水的季节变化相一致。5~6月,黄河源区进入雨季,干流出现全年第一个小洪峰;7月中旬~8月中旬,太平洋副热带高压北跃至25°~30°N,西风带北退到40°N附近,这时降水量比6月份增大,洪水量也增加;8月中旬~9月上旬,西风带南压到黄河上游35°N附近,雨量持续增大,次数频繁,形成全年最大洪水,这次洪水历时长,水量大,可以一直延伸到10月份。由黄河唐乃亥水文站多年平均降雨径流变化曲线(见图8-26)可以看出,从50年代到90年代各个时期的洪峰流量基本上是持平的,最大洪峰流量出现在1981年9月,流量为3 550m³/s。黄河源区洪水空间分布主要为这样几个阶段:黄河沿以上,降水稀少,加上湖泊沼泽的调蓄作用,洪水过程平缓,多年平均(1951~1981年)(史辅成,1997)洪峰流量仅为59m³/s;黄河沿—吉迈区间,降水量有所增加,又有支流热曲汇入,吉迈多年平均洪峰流量比黄河沿以上增加了10倍多,单位面积产水量也比黄河沿以上增加5倍以上;吉迈—玛曲区间是黄河上游降水量最丰沛的地区,单位面积产水量也最大;玛曲以下—唐乃亥区间,虽然降水量减少,但由于该段地处陡峭的峡谷地带,汇流集中,尤其右岸支流切木曲河和曲什安河,都源于阿尼玛卿山东北麓,有高山、冰川的融雪径流汇入,所以该区间多年平均洪峰流量和水流都与黄河沿—吉迈区间相仿,如表8-16所示。

表 8-16　黄河源区洪峰模数和单位面积产水量

地区	集水面积（km²）	多年平均洪峰流量（m³/s）	洪峰模数（m³/(s·km²)）	多年平均 15d		多年平均 45d	
				水量（亿 m³）	单位面积产水量（万 m³/km²）	水量（亿 m³）	单位面积产水量（万 m³/km²）
黄河沿以上	20 930	59	0.003	0.68	0.32	1.94	0.93
黄河沿—吉迈	24 085	601	0.025	5.46	2.27	12.1	5.03
吉迈—玛曲	41 044	1 291	0.031	13.96	3.4	31.7	7.72
玛曲—唐乃亥	35 913	537	0.015	5.84	1.63	15.1	4.2

（三）黄河源区侵蚀模数变化分析

侵蚀模数为单位面积上的水土流失量,是代表着流域水土流失强度的指标。侵蚀模数的变化在一定程度上可以反映流域土壤侵蚀的变化。根据唐乃亥水文站 1965～1989 年 25 年资料,绘制出黄河源区多年平均侵蚀模数变化曲线(见图 8-27),流域多年平均侵蚀模数为 132.36t/km²,多年平均侵蚀模数有增加的趋势,其中 80 年代最大,为 173.53 t/km²,较 60 年代增加了 69.12t/km²,增长高达 66.19%。黄河源区各年代侵蚀模数见表 8-17。

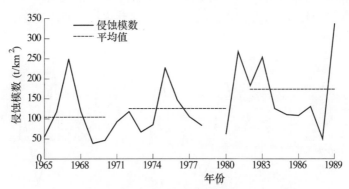

图 8-27　黄河源区多年平均侵蚀模数变化曲线

表 8-17　黄河源区各年代侵蚀模数

水文站	控制面积（万 km²）	侵蚀模数（t/km²）			
		60 年代	70 年代	80 年代	多年平均
唐乃亥	13.47	104.42	125.53	173.53	149.53

三、黄河源区土地变化的水文效应分析

针对黄河源区,选择较长时间段上能够反映土地覆盖变化的水文效应的特征参数,尽量排除其他因素的影响,从特征参数的变化趋势上来评价土地覆盖变化水文效应。土地覆盖变化的水文效应最终都表现为流域水量平衡过程中的蒸发量,因此反映蒸发量的径流系数(Runoff Coeffcient,简称 RC)为一个能够较好地反映水文效应的参数,许多文献用这一水文参数评价水文效应。

径流系数 α 指某一时段内流域的径流深度 R 与相应的降水深度 P 的比值,径流系数表明了在降水量中最后有多少转化成了径流,该系数综合反映了流域内自然地理要素对降水—径流关系的影响。影响径流系数的主要因素有以下两方面:

(1)降水强度是影响径流系数的主要因素,例如在下垫面调节相同的流域,有同样的降水量的条件下,不同的降水强度会影响流域的产流量,而影响径流系数。比如同样的降水量,当降水量少时,如果此时土壤含水量未饱和,降水首先要向土壤中入渗至土壤饱和才能产流,而有时的降水量还不能够满足土壤的饱和需水量。一方面,由于降水的历时长,蒸发量相对较大;另一方面,由于小于增加土壤含水量,也增加了土壤水的蒸发,因此产生的径流量就相对较小,径流系数也会变小。大雨或暴雨时,降雨历时短,蒸发量小,产流量会增大,因此径流系数也会偏大。

(2)流域下垫面因素是影响径流系数的重要因素,在不同的流域中,降水量相同时,由于植被、土壤类型、地质条件、地形地貌、土壤前期含水量的不同,会直接或间接影响流域的蒸发量,导致产流量的不同,最终影响径流系数的大小。

依据黄河源区玛多等 8 个气象站实测降水量和唐乃亥水文站的实际观测径流量资料,计算黄河源区的面雨量和唐乃亥水文站的径流深度,得到黄河源区近 50 年来评价径流系数为 0.26。图 8-28 为按每 5 年的平均值的径流系数,分析 50 年来黄河源区的径流变化趋势,可以看出从 50 年代到 80 年代初期,径流系数一直变化不大,保持在 0.26 左右,但 80 年代起伏比较大,增大到 0.3 以上,从 80 年代末期一直到 1997 年径流系数一直呈现出下降的趋势。

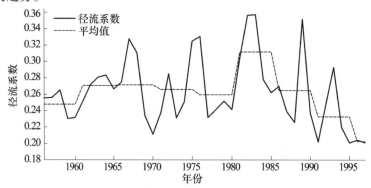

图 8-28　黄河源区径流系数变化曲线

配合 80 年代和 90 年代黄河源区土地覆被类型图,分析两个时期径流系数变化趋势,90 年代径流系数较 80 年代有所降低,说明这期间的蒸发量增高。单从植被影响蒸发的角度分析,径流系数的降低有可能是植被覆盖度升高,由土地覆被状况变化引起的。实际情况是,90 年代的土地覆被变化和 80 年代土地覆被相比(见图 8-29 和表 8-18),虽然林地面积增大,但是草地面积却明显减少,高覆盖度草地面积减少的较多,而一些荒地和未利用土地急剧增加,使植被覆盖度降低,土地覆被状况变差,这样的土地覆被变化情况应该是引起径流系数的增加。这时分析影响径流的另一个重要因素——降水强度发现,90 年代降水类型多是小雨,次数多,降水历时长,各测站中雨和大雨的天数都要少于 80 年代;而 80 年代降大雨或中雨的次数要多于 90 年代,且总量也比较大,因此 90 年代大雨次数少,雨量小可能是引起其径流系数减小的一个主要原因(见表 8-19)。

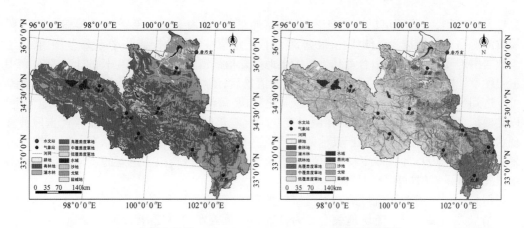

(a)80 年代   (b)90 年代

图 8-29 黄河源区 80、90 年代土地覆被状况

表 8-18 黄河源区 80、90 年代土地覆被状况   （单位：km²）

年代	耕地	有林地	灌木林	疏林地	高覆盖度草地	中覆盖度草地	低覆盖度草地	水域	未利用土地
80	515.40	550.65	2 867.50	—	80 416.71	36 771.09	1 370.45	1 953.13	6 980.47
90	1 139.90	819.70	7 660.70	298.57	20 559.89	42 911.38	36 313.92	2 810.54	18 910.75

表 8-19 玛多站、若尔盖站和久治站 80、90 年代降水强度   （单位：mm）

站名	年代	小雨（<10mm）		中雨（10~24.9mm）		大雨（25~49.9mm）		暴雨（>50mm）	
		天数(d)	平均	天数(d)	平均	天数(d)	平均	天数(d)	平均
玛多	80	1 177	2.01	61	13.53	0		0	—
	90	1 405	1.74	59	13.61	2	28.90	0	—
若尔盖	80	1 370	2.39	172	14.54	27	31.20	1	51.00
	90	1 416	2.38	155	14.31	21	31.55	2	55.55
久治	80	1 504	2.66	227	14.29	20	30.86	0	—
	90	1 594	2.73	160	14.02	10	29.57	0	—

第四节 黄河源区变化环境下的水文模拟

本章的研究意义在于考察未来气候及地表下垫面变化条件下的黄河源区径流量变化情况，选择分布式水文模型的模拟结果表明，该模型可以较好地定量描述黄河源区的降雨—径流过程以及在气候波动和土地覆被变化情况下的水文效应。本章利用 SWAT 水文模型，在分析黄河源区 80~90 年代土地覆被变化和气候变化的趋势下应用情景分析方法，设计不同的土地覆被变化状况和未来气候（气温和降水）波动情景下，计算黄河源区径流量可能发生的变化，对黄河源区水循环研究和水资源开发利用及合理调配水量提供科学依据。

为了掌握黄河源区土地覆被状况对流域径流量的影响过程，首先在理论上分析了黄河源区 80~90 年代土地覆被变化及景观特征状况。假设黄河源区一直向恶性方向发展，草地退化很快，土地沙化严重，地表无任何植被覆盖。再假设在未来土地和水资源管理及监督的执行下（全面禁伐、退耕还草、合理放牧和天然林保护工程实施等），黄河源区朝着良性方向发展,大面积草场恢复自然状态,草质良好,地表土地全部被植被覆盖。第三假设黄河源区土地覆被为最佳状况:根据80年代土地覆被状况分析结果,在流域范围内,除了少数居民地和水域以外,适合森林生长的土地都是植被覆盖,适合草地生长的土地都被高中覆盖度草地覆盖,土地沙化面积很少,建立该情景后,流域范围内的高中覆盖度草地覆盖率可以达到80%以上。第四种情景为土地退化较快,黄河源区以低覆盖度草地和裸地为主,以此模拟黄河源区土地退化后的径流量变化情况。最后一种情景就是以90年代土地覆被现状为基础建立的,目的是对照其他四种情景变化下的黄河源区径流量状况。以上情景都是采用1986~1995年气候资料为模型的输入气候数据进行模拟。建立的黄河源区土地覆被状况的情景模拟过程分别是:

情景一　黄河源区流域地表无任何植被覆盖,都为沙地和裸地。

情景二　黄河源区流域地表全部为林地和高覆盖度草地,没有沙地和裸地。

情景三　黄河源区流域地表土地覆被为最佳状况,以中覆盖度草地覆被为主。

情景四　黄河源区流域地表土地进一步恶化,以低覆盖度草地和裸地为主。

情景五　黄河源区流域90年代土地覆被实际情况。

情景一至情景四建立土地利用覆被状况如图8-30所示。这四种情景建立的目的,是为了更好地模拟土地覆被状况对黄河源区多年年均径流量变化的极端情况。从情景一的模拟结果可以得到在无任何投入情景下的径流量变化;从情景二的模拟结果可以得到全部植被覆盖条件下的径流量变化;从情景三模拟结果可以得到在未来黄河源区生态环境最佳状况下的径流量变化;从情景四模拟结果可以得到在未来几十年内土地若进一步退化,黄河源区径流量变化情况。

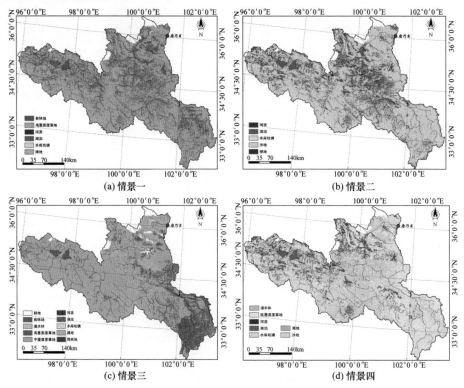

图8-30　四种情景建立土地利用覆被状况

第九章 黄河流域水循环要素研究中 RS/GIS 方法的评价

第一节 RS/GIS 方法的分析与评价

一、黄河流域蒸散量遥感估算方法的分析与评价

蒸散是水资源管理的一个重要参数,与传统的蒸散计算方法相比,利用遥感进行蒸散研究具有快速、准确、大区域尺度及地图可视化显示等特点。传统的计算蒸散的方法,大致可分为基于温度的计算方法、基于辐射的计算方法和基于两者结合的彭曼计算方法。这些方法都是在先计算潜在蒸散的基础上,然后与作物系数相乘,最后计算出实际蒸散,只能提供特定位置的点值而不能在区域尺度上计算 ET。随着遥感技术的发展,国内外相继开展了利用卫星遥感技术估算区域蒸散的研究以及遥感监测土壤水分含量和遥感监测地表干旱状况的研究。

日蒸散量的遥感估算传统方法采用 NOAA/AVHRR 遥感数据计算区域蒸散,但采用 NOAA/AVHRR 计算的区域蒸散,由于卫星传感器分辨率低(1.1 km×1.1 km),在绝大多数情况下,计算的是混合像元下垫面的蒸散(发),计算结果相对比较粗糙。在黄河流域日蒸散量的遥感估算则利用高分辨率 LANDSAT – TM/ETM$^+$ 遥感数据,建立了基于高分辨率 TM/ETM$^+$ 遥感数据的区域水热通量模型,结合地表同步的气象资料观测资料计算区域地表水热通量,并通过地表的水热通量试验结果验证模型模拟的地表水热通量,此法计算的区域蒸散在国际上逐渐地得到了应用,但在国内还鲜为报道。

该算法不仅可求算区域地表水热通量和蒸散(发),而且通过卫星数据可直接估算地表的水分亏缺程度,用于监测地表的干旱缺水情况,不仅能用高分辨率的 TM/ETM$^+$ 数据监测地表的干旱程度,并且可进行大范围的干旱监测,这对促进农业生产和可持续发展具有重要的现实意义,具有非常好的应用前景。

采用 3 种互补相关模型(平流 – 干旱模型、CRAE 模型和 Granger 模型)结合卫星遥感数据估算黄河流域月蒸散量,并对其结果进行分析,探讨模型经验参数的变化规律。结果表明,互补相关模型结合遥感资料和气象资料可以比较好地估算流域蒸散,特别是遥感资料的应用,可以较好地反映地表蒸散的情况。

黄河流域年蒸散量采用累积 NDVI 估算,利用植被指数估算长时间段的蒸散方法已经开始使用,通过分析建立的实际蒸散与累积 NDVI 之间的关系模型,结果表明,累积 NDVI 模型与互补相关模型估算的年蒸散量空间分布有一定的差异,主要表现在植被长势不好的地区(如宁蒙河段、晋陕区间)累积 NDVI 法估算的 ET 略低于互补相关模型结果,而在部分高山森林植被区(如黄龙山、子午岭、秦岭等),累积 NDVI 法估算结果比互补相关

模型的结果大,这可能与累积 *NDVI* 法对气候因素如温度对蒸散的影响考虑不全面有关。这在一定程度上也说明了累积 *NDVI* 法在较大范围内应用时,由于气候、地形、植被类型等的多样性,用一个统一的模型来估算全流域蒸散,会造成一定误差。为了减小误差,比较可行的方法就是分不同气候植被区域建立不同的模型。

由于多时相、多光谱的遥感资料,特别是表面热红外温度能综合反映出下垫面含水量的水平非均匀状况,因此遥感方法在估算区域蒸散方面有突出的优越性。但由于遥感资料为瞬时观测结果,结合常规地面观测资料应用时,存在时间尺度匹配问题,且资料容易受大气状态,如云和大气透明度等因素的影响,目前的技术手段在遥感资料反演、噪音消除等方面尚有待提高。另外,遥感所得的地表温度资料受群体比辐射率、太阳高度角和仪器视角大小等多种因素的影响,其物理实质尚有待明确。因此,目前遥感方法应用在区域蒸散估算上,还处于探索阶段。

二、黄河流域土壤水分遥感估算方法的分析与评价

土壤水分是生态环境中水分存在的主要形式之一,是水循环的重要因素,土壤水分监测是研究区域水循环的基础性问题。目前监测土壤水分的方法很多,主要有:从气象和地形因素通过经验公式和数理统计方法计算土壤水分;应用微气象学方法(能量平衡、空气动力能量平衡和空气动力涡度相关等)计算土壤水分;从土壤水本身的运动规律出发研究土壤水分(土壤水量平衡计算、零通量面、测渗学法和土壤水动力学等)。应用以上方法在田间尺度范围内计算土壤水分已取得了很大的进展,但是在大尺度范围内,由于参数空间变异性大,获取比较困难,目前应用这些方法进行大尺度范围土壤水分监测还有待进一步研究。遥感技术的发展,已经能应用高空间分辨率、高光谱分辨率和高时间频度数据反演地表物质、能量因子及其转换过程,遥感技术是获取非均匀下垫面、非均匀介质参数最有效、最经济的方法,是监测大尺度区域土壤水分的有力武器。目前已经进行了大量的土壤水分遥感试验研究。在黄河流域土壤水分研究中,利用 AVHRR 的 pathfinder 遥感数据,以及黄河流域 1982~1998 年土壤水分观测资料和降水、蒸发资料,建立了大区域、连续时间段、厚层土体土壤水分遥感估算方法及其框架,计算了 1982~1998 年黄河全流域 1m 土体各层土壤水分。

在遥感信息和地面观测数据支持下,首先通过遥感条件温度植被指数、降水与蒸发数据计算黄河流域土壤表层土壤水分,然后利用黄河流域多年土壤水分各层观测数据,建立从表层逐层向下各层土壤水分相关模型,最后计算出黄河流域土壤水分状况。通过有关观测资料和水量平衡原理检验表明,建立的大区域、连续时间段、厚层土体土壤水分遥感估算方法及其框架是可行的,计算结果为黄河流域水循环研究提供了丰富的土壤水分数据。

三、黄河流域植被覆盖变化分析方法的分析与评价

在应用遥感技术研究植被状况中,一般通过建立植被指数进行。植被指数按发展阶段可以分为 3 类。尽管许多新的植被指数考虑了土壤、大气等多种因素并得到发展,但是应用最广的还是 *NDVI*,并经常用 *NDVI* 作参考来评价基于遥感影像和地面测量或模拟的

新的植被指数,*NDVI* 在植被指数中仍占有重要的位置。

选取 1982～1999 年 AVHRR 的 pathfinder 中的 *NDVI* 遥感数据进行植被覆盖分析,该遥感数据空间分辨率为 8km×8km,已用旬 *NDVI* 最大值进行了检云处理。利用处理好的各季节距平 *NDVI* 值和距平 *MI* 值,以黄河全流域为空间单位进行统计分析,作出各季节距平 *NDVI* 值和距平 *MI* 值的年际变化曲线,并对距平 *NDVI* 值进行线性拟合,进行了全流域各季节距平的 *NDVI*、*MI* 值年际变化分析和分流域各季节距平的 *NDVI*、*MI* 值年际变化分析,分析黄河流域植被覆盖度和湿润状况的变化趋势以及二者之间的关系。

遥感(RS)具有观测范围广、获取信息量大、速度快、实时性好及动态性强等特点,应用遥感资料分析黄河流域植被覆盖的变化较之传统方法具有宏观性和准确性,为黄河流域的生态保护提供了科学依据。

四、黄河流域干旱状况变化特征分析方法的分析与评价

地表干旱程度(状况)直接影响降雨径流。研究干旱的意义十分重大,国内外许多学者利用降水、气温等气象观测数据,建立各种地表干旱指标,进行了大量的研究工作。近 20 年来,随着遥感对地观测技术的发展,又开始利用遥感技术监测干旱状况,其方法主要是通过分析地表干旱状况下植被生物生理特性和生长状况,达到干旱遥感监测的目的。黄河流域面积广大,占据我国北方大部分地区,地表干旱是黄河流域的主要生态环境特征,涉及的因素十分复杂,所以分析黄河流域的干旱状况,对认识黄河流域水循环,进行水资源科学管理具有重要意义。目前的分析研究工作主要是针对我国北方的局部地区,其方法也主要是从气象要素单方面进行,缺乏从多个角度对黄河流域进行干旱状况变化的分析。

本研究综合应用干旱的气候分析方法和遥感监测方法,利用 1982～1998 年气象观测数据和 1982～1999 年 AVHRR－NDVI 遥感数据,从气候与植被特征方面,分析了黄河流域近 18 年来的地表干旱变化情况。以像元为单位,应用线性回归斜率和相关系数分析了流域内干旱状况的气候特征和植被特征的变化状况,并进行了流域干旱状况类型的区域划分,从气候和植被特征方面分析了黄河流域近 18 年来干旱变化状况。通过研究得出以下结论:黄河流域在 1982～1999 年间干旱的气候特征比较突出,在 101°20′以东地区受干旱威胁;黄河流域在 101°20′以西的源头地区,干旱的气候特征和植被特征目前都处在相对减弱的趋势中,干旱没有进一步恶化的迹象;黄河流域灌溉农业地区植被基本不受气候干旱的影响。

利用遥感资料分析黄河流域的地表干旱状况,为进行黄河源头生态环境保护和治理提供了一个有利的条件,并能够指导农业实践。

五、黄河流域主要气象要素气候变化趋势分析方法

趋势分析的方法很多,目前常用的有线性倾向估计、滑动平均、累积距平、二次平滑、三次样条函数、Kendall 秩次相关法、Mann-Kendall 秩次相关法等。

本研究主要借助于线性倾向估计法、累积距平等对气象要素的气候变化趋势进行判别。

地理信息系统(GIS)是在计算机软件和硬件支持下,运用系统工程和信息科学的理论、科学管理和综合分析具有空间内涵的地理数据,以提供对规划、管理、决策和研究所需信息的技术系统。借助地理信息系统 ArcGIS8.1,用逆距离加权插值法(IDW)将所有台站某要素年或季节值进行内插,求出其在空间上的分布情况,并用黄河流域界截取出黄河流域某要素的年和季节空间分布图。根据空间分布图,获得流域平均和流域内不同气候区的特征序列。在此基础上分析了黄河流域降水气候变化趋势、温度气候变化趋势、蒸发皿蒸发量气候变化趋势、日照百分率气候变化趋势和太阳总辐射气候变化趋势。

在气候要素趋势分析中,GIS 是主要工具。水文数据空间分布相当复杂,GIS 应用于水文学和水资源管理之前,水文数据的管理总是难尽人意。水文学研究和水资源管理主要与各水文要素的空间运动过程有关,换言之,这一领域空间信息量大,而对空间信息的管理与分析正是 GIS 的优势。随着水文工作者的深入研究,GIS 的交互式图形(像)处理和自动制图工具开始得到了较好的运用,增强了数据管理与分析的可视性,将数据管理和数据分析水平提高到一个新的高度。

六、黄河流域水循环过程综合分析

遥感(RS)具有观测范围广、获取信息量大、速度快、实时性好及动态性强等特点,是 GIS 数据的主要来源。反过来,GIS 具有空间定位、定性、定量分析的功能,是支持遥感信息提取以及遥感信息综合开发利用的理想工具。GIS 与遥感技术的结合在水文学及水资源管理中已有的应用包括防洪决策与洪灾监测评估、水资源与环境动态监测分析及规划管理、实时洪水预报、水文模型参数估算及地下水资源识别等。

对黄河流域水循环过程综合分析应用了 RS 与 GIS 相结合的方法,首先通过遥感资料建立了降水遥感估算模型,分别建立黄河源区 1h 和 3h、5h 降水计算流程,并计算出了黄河源区 1993、1995、1997 年和 1998 年的降水数据。与常用的降水空间插值方法相比,遥感计算的结果与云图分布吻合较好,更能客观地反映出黄河源区降水的实际状况,计算结果可以应用在黄河源区的水循环机制研究中。然而,由于黄河源区生态环境恶劣,降水观测资料较少,同时因为应用可见光和红外方法反演降水的物理过程相对微波方法不够明确,因此造成计算误差,需要进一步改进。

将全国各省的矢量土地利用图层进行空间合并,在地理信息系统软件 Arc/Info 的支持下,转化为 Grid 栅格格式存储,栅格数据具有结构简单、易提取空间信息等特点。确定其网格的大小为100m×100m。坐标系采用黄河水利委员会制定的黄河流域标准 Albers 投影的直角坐标系,投影类型为正轴等面积双纬线割圆锥投影(标准经度为108°,第一标准纬度为33°,第二标准纬度为39°),以此分别绘制出黄河源区 80 年代和 90 年代两期土地利用现状图,利用黄河源区 80 年代和 90 年代两期土地利用数据,分别就土地覆被结构、变化过程、空间景观特征变化和不同类型土地覆被重心转移情况做了分析研究,为研究不同土地覆被对流域水文影响提供依据。但两期土地利用数据在空间分辨率和分类方法上存在一定的偏差,会为土地覆被统计分析和径流模拟结果带来一定误差。

为了准确分析黄河源区气候变化,研究中采用泰森多边形法,在 GIS 的支持下,将相邻的气象站用直线连接形成若干三角形,然后对各连线作垂直平分,连接这些垂线的交点,得到若干个多边形,每个多边形中各有一个气象站,即该多边形面积作为该气象站所控制的面积。不同区域面积内温度、降水都可以通过分析该区域内的气象站资料获得。针对黄河源区,选择较长时间段上能够反映土地覆盖变化的水文效应的特征参数,尽量排除其他因素的影响,从特征参数的变化趋势上来评价土地覆盖变化的水文效应。最后利用 SWAT 水文模型,在分析黄河源区 80～90 年代土地覆被变化和气候变化的趋势下,应用情景分析方法,设计不同的土地覆被变化状况和未来气候(气温和降水)波动情景,计算黄河源区径流量可能发生的变化,对黄河源区水循环研究和水资源开发利用及合理调配水量提供科学依据。

通过以上分析可以看出,遥感(RS)是一种宏观的观测与信息处理技术,范围可遍布全球,具有周期短、信息量大和成本低的特点,它获得的数据是全空间、全天候、全时域的,可以对地表过程进行全面的研究,水文学是各种自然地理要素综合的学科,可以说,RS 技术的支持为水文学的发展提供了由静态到动态、由定性到定量、由微观到宏观的统一研究的技术保证。地理信息系统(GIS)是综合处理和分析空间数据的技术,能够对输入的具有空间内涵的数据(即地理信息)进行存储、管理、操作、分析、模拟和表达。它的出现使传统水文学的研究方法有了很大的突破,将传统的方法推进到多时相、多数据源、时间和空间结合、定性和定量结合的集成技术阶段。

第二节 研究的展望

在黄河流域水循环要素中,运用 RS/GIS 技术手段,估算流域的蒸散量、土壤含水量、地表干旱状况,分析了主要气象要素气候变化趋势和黄河源区的水循环过程。研究为解决水量平衡问题、地表干旱问题、气候变化问题以及农业生产等诸多方面的扩展研究提供了新的思路,也对相关领域的研究提出了新的课题。同时,会在学科前沿的层次上,为地表水循环的内在机理提供新的科学认识。今后的研究拟在以下几方面开展。

一、关于地表蒸散研究

首先,地表反照率和地表温度是蒸散估算中的关键因素,如何精确地计算其数值有待今后进一步深入研究;其次,遥感没法提供一些重要的大气变量,如风速、气温、水汽压等,这些数据必须通过地面观测或者用大气边界层模型来模拟获得,在此过程中必然带来一定的误差,研究高分辨率的地表－大气过程模型中地表变量的同化作用应是今后的研究热点之一;再次,卫星遥感所估算的是瞬时值,而水文研究往往更需要长时间段蒸散量,因此如何利用地面资料与遥感资料相结合,使瞬时值外延到长时间段,实现时间尺度的转换,并利用多时相遥感资料监测地表水热过程的动态变化也是需要继续研究的课题;最后,由于地面观测资料只能是点上资料,而卫星遥感估算的是面上的资料,为了检验和改进遥感模型,必须进行由小到大、由点到面的尺度转换过程,但不同尺度的地表参数之间并不是一种简单的算术关系,因此研究一种确实行之有效的方法以实现这种空间尺度转换很有必要。

二、关于土壤水含量估算研究

（1）以建立在土壤水分和能量平衡原理基础上的热惯量法和植被缺水指数法等为主要代表的遥感监测土壤水分理论日臻成熟，而且对其中存在的问题和不足也已有较清楚的认识，并已做出许多改进，本研究通过由遥感资料获得的用条件温度植被指数估算黄河流域土壤水分。现在的研究偏重于均匀下垫面的土壤水分状况研究，而建立土壤水分随机模型则应是土壤水分研究的发展方向。

（2）GIS 支持遥感土壤水分解译已普遍展开，并取得了大量成果，但将 GIS 和 RS 作为一个有机整体，真正实现二者一体化，并用来进行土壤水分或干旱遥感监测的成熟成果还不多见，有待今后更进一步研究。多种数据源的引入必将提高解译精度和时效。但目前土壤水分遥感监测与地理信息系统的一体化程度较低，未来有必要开发一套针对土壤水分遥感监测的、与遥感高度一体化的、适用于多平台的国产土壤水分遥感监测地理信息系统。

（3）土壤水分遥感监测所采用的遥感波段已基本确定，利用这些波段合成的各种效果较好的土壤水分遥感监测指数，为进一步提高土壤水分监测效果提供了可能。微波遥感具有全天候、高精度等特点，是未来土壤水分遥感监测的发展方向。

（4）土壤水分遥感监测作为世界性的难题之一，国内外对其研究的时间均不长，除了理论上的一些局限外，在方法和应用上也存在一些有待深入的地方，还有些问题是用单一遥感手段很难解决的。随着研究的不断深入，特别是随着"3S"一体化技术的日益成熟，土壤水分遥感监测问题最终将会得到解决。

三、关于流域植被覆盖与地表干旱状况研究

黄河流域植被覆盖研究主要利用 1992～1999 年 AVHRR - NDVI 数据和对应年份黄河流域气象观测数据，但归一化差异植被指数（NDVI）对绿色植被表现敏感，它可以对农作物和半干旱地区降水量进行预测，该指数常被用来进行区域和全球的植被状态研究。对低覆盖度植被，NDVI 对于观测和照明几何非常敏感。但在农作物生长的初始季节，将过高估计植被覆盖的百分比；在农作物生长的结束季节，计算值偏低，如何纠正误差是有待解决的问题之一。地表干旱状况的研究中采用植被特征和气候特征数据来表示黄河流域地表干旱程度，同样地存在类似问题。

四、关于气候要素变化趋势和源区水循环过程综合分析

研究中采用 RS 与 GIS 相结合的方法，较好地反映了地理事物和水文循环的特征。由此可见，RS 与 GIS 技术的结合是必然的，对于 RS 分析来说，仅仅用图像表示其分析结果是远远不够的，例如用 RS 分析黄河流域土地覆盖的变化，仅仅知道变化是不够的，还要找出变化的原因、背景以及产生的相应影响，这就需要 RS 与其他地理信息结合，很显然，这就必须与 GIS 相结合；同时 RS 技术作为 GIS 的一种主要信息源，可以提供土壤、植被、地质、地貌、地形、土地利用和水系水体等许多有关下垫面条件的信息，也可以测定估算蒸散发、土壤含水量和可能成为降雨的云中水汽含量。以遥感为手段获取的上述信息

在确定产汇流特性或模型参数时是十分有用的。在对遥感影像作校正、增强、滤波、监督或非监督分类以后,可以转化为图形,纳入到地理信息系统中去,成为分布式流域水文模型建模与参数率定时的数据支持。

尽管 GIS 技术在水文水资源领域被广泛应用,但目前还存在许多问题,如:水文水资源变化过程具有明显的时空动态特征,因此要求 GIS 具有三维和四维空间分析和显示功能,但传统 GIS 在表示复杂的地理要素、真三维空间模型、时空模型及综合空间分析方法等方面还存在许多缺憾;GIS 与水文水资源模拟模型的集成技术仍需要深入研究;GIS 网络分析技术如何适应水流在河流网络中演进,等等。GIS 的应用促进了水文水资源领域的发展,反过来,水文水资源领域对 GIS 的需求又促进了 GIS 的发展,同时也应认识到水文水资源、地理信息系统是不断发展的概念,随着技术的进步和社会需求的变化,其含义也会发生相应的变化。随着"数字地球"、"数字中国"、"数字水利"的提出和工程水利向资源水利,传统水利向现代水利、可持续发展水利的转变,水利信息化是必由之路,因此 GIS 技术与水文水资源紧密结合的应用前景将非常远大。

参考文献

1　[日]遥感研究会. 遥感精解. 刘勇卫, 贺雪鸿译. 北京: 测绘出版社, 1993

2　Abbott M B, J C Bathurst etc. An introduction to the European Hydrological System –
Systeme Hydrologique European, "SHE." 2: structure of a physically based distributed mod-
eling system. Journal of Hydrology, 1986b, 87

3　Abbott M B, J C Bathurst etc. An introduction to the European Hydrological System –
Systeme Hydrologique European, "SHE." 1: history and philosophy of a physically based
distributed modeling system. Journal of Hydrology, 1986a, 87

4　Adler R F, Negri A J. A satellite infrared technique to estimate tropical convective and
stratiform rainfall. Appl Meteor. 1988, 27(1)

5　AFGC, MODTRAN 3 User Manual. AFGL – TR – 89 – 0122, Air Force Geophysics Labora-
tory, Hanscom AFB, MA., USA, 1989

6　Agbu P A, and M E James. The NOAA/NASA Pathfinder AVHRR Land Data Set User's
Manual. Goddard Distributed Active Archive Center, NASA, Goddard Space Flight Center,
Greenbelt. 1994

7　Agbu P A, B Vollmer and M E James. Pathfinder AVHRR Land Data Set. NASA Goddard
Space Flight Center, Greenbelt. 1993

8　Allen R G, Pereira L S, Raes D, smith M. Crop Evapotranspiration, FAO Irrigation and
Drainage Paper 24, Rome, 1998

9　Anderson M C, Norman J M, Diak G R, et al. A two – source time integrated model for es-
timating surface fluxes using thermal infrared remote sensing. Remote Sens. Environ.,
1997, 60

10　Bondelid T R, Jackson T J, McCuen R H, Estimating runoff curve numbers using remote
sensing data. Proc. Int. Symp. On Rainfall – Runoff Modeling. Applied Modeling in
Catchment Hydrology, Water Resources Publications. Littleton, CO, 1982

11　Ragan R M, and Jackson T J. Runoff synthesis using Landsat and SCS model. J.
Hydraul. Div., ASCE 106, (HY5). 1980

12　Baret F, Guyot G, Major D J. TSAVI: A vegetation index which minimizes soil brightness
effects on LAI and APAR estimation. Processing of the 12th Canadian symposiumon remote
sensing. Vancouver, Canada, 1989

13　Barrett E C, D'Sousa G, Power C H. Bristol techniques for the use of satellite data in rain
cloud and rainfall monitoring. J. Br. Interplanet. Soc., 1986, 39

14　Barrett E C. The estimation of monthly rainfall from satellite data. Mon. Weather. Rev.
98, 1970

15　Baumgartner M F, Rango A. A microcomputer – based alpine snow cover analysis system.
Photogramm. Engi. Remote Sens., 1995, 61 (12)

16　Benven K J. discussion of distributed modeling. in Abbott, M. B. and Refsgard, J. – C.

(Eds), Distributed Hydrological Modelling. Kluwer, Dordrecht. 1996

17 Bishop J K and W B Rossow. Spatial and temporal variability of global surface solar irradiance, J. Geophys. Res. 1991, 96

18 Bonan G B. A Land Suface Model(LSM Version1.0) for ecological, hydrological, and atmospheric studies: technical description and user's guide. NCAR Technical Note/TN − 417 + STR. 1996

19 Bouchet R J. Evapotranspiration reele et potentielle, signification climatique. Publ., General assembly Berkeley, Int. Ass. Sci. Hydrol., Gentbrugge, Belgium, 1963, 62

20 Bowers S A and R J Hanks. Reflection of radiant energy from soils. Soil Sci. 1965, 2

21 Bras R L, Hydrology. An introduction to hydrologic science, Addison − Wesley, Reading, MA, pp. 643, 1990

22 Brutsaert W and Stricker H. An advection − aridity approach to estimate actual regional evapotranspiration. Water Resource Research, 1979, 15(2)

23 Brutsaert W and M Sugita. Regional surface fluxes from satellite derived surface temperatures (AVHRR) and radiosonde profiles, Boundary − Layer Meteor., 1992, 58

24 Brutsaert W. On a derivable formula for long − wave radiation from clear skies, Water Resour. Res., 1975, 11

25 C M Di Bella, C M Rebella, J M Paruelo. Evapotranspiration estimates using NOAA AVHRR imagert in the Pampa region of Argentina. Int. J. Remote Sens. 2000, 21(4)

26 Camillo P J. Using one − and two − layer models for evaporation estimation with remotely sensed data. In Land Surface Evaporation: Measurement and Parameterization. (T. J. Schmuggle and J. C. Andre, Eds.), 1991, Spring − Verlag, New York

27 Case J B. Report on the International Symposium on Topographic Applications of SPOT Data. Photogrammetric Engineering and Remote Sensing, 1989, Vol. 55, No. 1

28 Caselles V, Artigao M M. Hurtado, et al. Mapping actual evapotranspiration by combining landsat TM and NOAA − AVHRR images: application to the Barrax area, Albacete, Spain. Remote Sens. Environ., 1998, 63

29 Cess R D and I L Vulis. Inferring surface solar absorption from broadband satellite measurements, J. Climate, 1989, 2

30 Cess R D, et al. Deteminating surface solar absorption from broadband satellite measurements for clear skies: Comparison with surface measurements. American Meteorological Society, 1991

31 Chang A T C. Nimbus − 7 SMMR Derived Global Snow Parameters. Annals of Glaciology, 1987, 9

32 Charbonneau R, J P Fortin and G Morin. The CEQUEAU model: description and examples of its use in problems related to water resource management. Hydrological Science Bulletin 22(1/3), 1977

33 Chehbouni A, Lo Seen D, Njoku E G, et al. Estimation of sensible heat flux over sparsely

vegetated surfaces. J. Hydrol. , 1997

34　Choudhury B J. Monteith JL. A four – layer model for the heat budget of homogeneous land surfaces. Quart J Roy Meteor Soc,1988,114

35　Choudhury B J, N U Ahmed,S B Idso, et al. Relations between evaporation coefficients and vegetation indices studied by model simulations. Remote Sensing of Environment, 1994,Vol. 50

36　Colello G D, Grivet C, Sellers P J, et al. Modeling of energy, water and CO_2 flux in a temperature grassland ecosystem with SiB2: May – October 1987. J Atm Sci, 1998,55

37　Cracknell A P. The Advanced Very High Resolution Radiometer. Taylor and Francis, London. 1997

38　Dara Entekhabi. An agenda for land surface hydrology research on a call for the Second International Hydrological Decade. Bulletin of the American Meteorological Society; 1999, Vol. 80. No. 10

39　David B Lobell, Gregory P Asner. Moisture effects on soil reflectance. Soil Science Society of America Journal; 2002,Vol. 66, No. 3

40　Deferis R S, Townshend J R G. NDVI – derived land cover classification at a global scale. International Journal of Remote Sensing, 1994,15

41　Dickinson R E, Henderson Sellers A, Kennedy P J, et al. Biosphere Atmosphere Transfer scheme (BATs) for the NCAR community climate model [R] NCAR/TN – 275 + STR, 1986

42　Dickinson R E, Henderson – Sellers A, Kennedy P J,et al. Biosphere – atmosphere transfer scheme (BATS) for the NCAR Community Climate Model, Technical Notes TN 275 TSTR, NCAR, Boulder, CO. 1996

43　Dubois P C, van Zyl, J Engman T. Measuring soil moisture with imaging radars. IEEE Trans. Geosc. Rem. Sens. , 1995, 33(4)

44　Engman, Edwin T. The use of remote sensing data in watershed research . Journal of Soil and Water Conservation; Ankeny; Sep 1995; vol 50. no 5

45　Fortin J P and M Bernier. Processing of remotely sensed data to derive useful input data for the hydrotel hydrological model. IEEE. , 1991

46　Francois C and Ottlé C. Atmospheric corrections in the thermal infrared: Global and water vapor dependent split – window algorithms – applications to ATSR and AVHRR data. IEEE Trans. Geosc. Rem Sens. 1996,34(3)

47　Freeze R A and R L Harlan. Blueprint of a physically – based digitally – simulated hydrological response model. Journal of Hydrology,1969,9

48　Frouin R, D W Lingner, C Gautier,et al. A simple analytical formula to compute clear sky total and photosynthetically available solar irradiance at the ocean surface, J. Geophys. Res. , 94,1989

49　Gash J H C. An analytical framework for extrapolating evaporation measurements by remote sensing surface temperature. International Journal of Remote Sensing 1987,8(8)

50 Gates D M. Biophysical Ecology, Springer – Verlag, New York, 611,1980

51 Gautier C and M. Landsfeld, Surface solar radiation flux and cloud radiative forcing for the Atmosphere Radiation Measurement (ARM) Southern Great Plains (SGP): A satellite and radiative transfer model study, J. Atmos. Sci. , in press, 1997

52 Gautier C, G Diak and S Masse. A simple physical model to estimate incident solar radiation at the surface from GOES satellite data, J. Appl. Meteor. , 19,1980

53 Gfrith P G, woodley W L, Grube R G, et al. Rain estimate from geosynchronous satellite in agery – in visible and infrared studies. Mon Wea Rev, 1978, 106(8)

54 Goodrich D C, T J Schmugge, T J Jackson,et al. Runoff simulation sensitivity to remotely sensed initial soil water content. Water Resources Research, 1994,Vol. 30, No. 5

55 Goward S N, R H Waring, D G Dye,et al. Ecological remote sensing at OTTER: satellite macroscale observations, Ecological Appl. ,1994,4

56 Granger R J, D M Gray. Evaporation from natural nonsaturated surfaces. Journal of Hydrology,1989,111

57 Granger R J. A complementary relationship approach for evaporation from nonsaturated surfaces. J. Hydrol. ,1989,111

58 Hall D K and J Martinec. Remote Sensing of Ice and Snow. Chapman and Hall, London. 1985

59 Hall F G, K F Hummrich, S J Goetz,et al. Satellite remote sensing of surface energy balance: Success, failures and unresolved issues in FIFE. Journal of Geophysical Research 1992. Vol 97, No. D17

60 Haralick R M, Wang S, Shanpiro L G,et al. Extraction of Drainage Networks by Using a Consistent Labeling Technique. Remote Sensing of Environment, 1985, 18

61 Hobbins M T, Jorge A, Ramirez, et al. The complementary relationship in estimation of regional evapotranspiration: The complementary relationship areal evapotranspiration and advection – aridity models. Water Resour. Res. , 2001a,37(5)

62 Hobbins M T, Jorge A Ramirez, Thomas C Brown. The complementary relationship in regional evapotranspitation: The CRAE model and the advection – aridity approach. Proc. Nineteenth Annual A. G. U. Hydrology Days, 1999

63 Hobbins M T, Jorge A Ramirez, Thomas C Brown. The complementary relationship in estimation of regional evapotranspiration: An enhanced advection – aridity model. Water Resour. Res. , 2001b, 37(5)

64 Hollinger J P, J L Peirce, G A Poe. SSM/I instrument evaluation. IEEE Transactions on Geoscience and Remote Sensing,1990, 28

65 Humes K S, W P Kustas and M S Moran. Use of remote sensing and reference site measurements to estimate instantaneous surface energy balance components over a semiarid rangeland watershed. Water Resources Research,1994,Vol. 30, No. 5

66 Jackson R D, Idso S B, Reginato R J, et al. Canopy temperature as a crop water stress in-
    dication. Water Resources Research, 1981, 17(4)

67 Jackson R D, Reginato R J, Idso S B. Wheat canopy temperature: a practical tool for e-
    valuating water requirements. Water Resour. Res. , 1977, 13

68 Jackson R D. Estimating evapotranspiration at local and regional scales. IEEE Transactions
    Geoscience Remote Sensing, GE − 73, 1985

69 Jackson T J, Schmugge J, Engman E T. Remote sensing applications to hydrology: soil-
    moisture[J]. Hydrological Sciences J. , 1996, 41 (4)

70 Jackson T J. Measusing surface soil moisture using passive microwave remote sensing.
    Hydrological Processes, 1993, Vol. 7

71 Justice C O, Townshend J R G, Holben B N, et al. Analysis of the phenology of global
    vegetation using meteorological satellite data. Int. J. Remote Sensing, 1985, 8

72 Kalluri S N V, Townshend J R G, Doraiswamy P. A simple single layer model to estimate
    transpiration from vegetation using multi − spectral and meteorological data. Int. J. Remote
    Sensing, 1998, 19(6)

73 Karl T R, Knight R W, Easterling D R. Indices of climate change for the United States.
    Bull. Amer. Meteor. Soc. 1996, 77(2)

74 Katul G G, et al. A Penman − Brutsaert model for wet surface evaporation, Water Re-
    source Research, 1992, 28(1)

75 Kerr Y H, Imbernon J, Dedieu G, et al. NOAA AVHRR and its uses for rainfall and evap-
    otranspiration monitoring. Int. J. Remote Sensing, 1989, 10

76 Kim C P, et al. Examination of two methods for estimating regional evaporation using a
    coupled mixed layer and land surface model, Water Resour. Res. , 1997, 33(9)

77 Kneizys F X. Usess Guide to LOWTRAN. Technical report AFGL − TR − 88 − 0177, Air
    Force Geophysics Laboratory, Hansom AFB, MA, USA. 1988

78 Kovacs G. Estimation of average areal evapotranspiration − Proposal to modify Morton's
    Model based on the complementary character of actual and potential evapotranspiration, J.
    Hydrol. , 1987, 95

79 Kowuwen N, E D Soulis, A Pietroniro, et al. Grouped response units for distributed
    hydrologic modeling. Journal of Water Resources Planning and Management, 1993, Vol.
    119, No. 3

80 Kustas W P, Choudhury M S, Moran R J, et al. Determination of sensible heat flux over
    sparse canopy using thermal infrared data. Agric. For. Meteor. , 1989, 44

81 Kustas W P and C S T Daughtry. Estimation of the soil heat flux/net radiation ratio from
    multispectral data. Agric. For. Meteorol. 1990, 49

82 Kustas W P, M S Moran, K S Humes, et al. Surface energy balance estimates at local and
    regional scales using optical remote sensing from an aircraft platform and atmospheric data
    collected over semiarid rangelands. Water Resources Research, 1994, Vol. 30, No. 5

83 Lagouarde J P. Use of NOAA AVHRR data combined with an agrometeoreological model for evaporation mapping. Int. J. Remote Sens. , 1991, 12

84 Lemeur R and L Zhang. Evaluation of three evapotranspiration models in terms of their applicability for an arid region, J. Hydrol. , 1990,114

85 Lhomme J P, Monteny B, Amadou M. Estimating sensible heat flux from radiometric temperature over sparse millet. Agric. For. Meteor. , 1994a, 68

86 Lhomme J P, Monteny B, Chehbouni A, et al. Determination of sensible heat flux over Sahelian fallow savannah using infrared thermometry. Agric. For. Meteor. , 1994b, 68

87 Lin D S, E F Wood, J S Famiglietti, et al. Impact of microwave derived soil moisture on hydrologic simulations using a spatially distributed water balance model. Proceedings of the 6th International Symposium on Physical Measurements and Signatures in Remote Sensing. Val d1sere, France. 1994

88 Liu Qinhuo, Gu Xingfa, Li Xiaowen, et al. Study on thermal infrared emission directionality over crop canopies with TIR camera imagery. China(Series E). 2000, 43(Supp)

89 Lo S C D, Mougin E, Gastellu – Etchegorry J P. Relating the global vegetation index to net primary productivity and actual evapotranspiration over Africa. Int. J. Remote Sensing, 1993, 14

90 Mecikalski J R, Diak G R, Anderson M C, et al. Estimating fluxes on continental scales using remotely sensed data in an atmospheric – land exchange model. J. Appl. Meteor. , 1999, 38

91 Meneghini R, Echerman J, Atlas D. Determination of rain rate from space borne radar using measurements of total attenuation. IEEE Trans. Geoscience Remote Sensing, 1983, GE – 21

92 Mcnenti M, Choudhury B J. Parameterization of land surface evapotranspiration using a location-dependent potential evapotranspiration and surface temperature range. In: Bolle, H. J. et al. (Eds.) , Exchange Processes at the Land Surface for a Range of Space and Time Scales. IAHS Publ,1993, No. 212

93 Meyers T P, Paw U K T. Modelling the plant canopy micrometeorology with higher – order closure principles. Agric. For. Meteorol. 1987,41

94 Milich L, E Weiss. GAC NDVI images: relationship to rainfall and potential evaporation in the grazing lands of the Gourma (northern Sahel) and in the croplands of the Niger – Nigeria Border (southern Sahel), Int. J. Remote Sens. 2000, 21(2)

95 Milly P C D. Potential evaporation and soil moisture in general circulation models. Journal of Climate, 1992, 5

96 Monteith J L. Principles of Environmental Physics. American Elsevier. New York. 1973, 241

97 Moran M S, Clarke T R, Inoue Y, et al. Estimating crop water deficit using the relation between surface – air temperature and spectral vegetation index. Remote Sens. Environ. ,

1994, 49

98   Morton F I. Operational estimates of areal evapotranspiration and their significance to the science and practice of hydrology. Journal of Hydrology, 1983, 66

99   Morton F I. Potential evaporation and river basin evaporation. J. Hydraul. Div. , Proc. Am. Soc. Civ. Eng. , 1965, 91 (HY6)

100 Morton F J. Estimating evaporation and transpiration from climatological observations. J. Appl. Meteorol. , 1975, 14(4)

101 National Research Council. Opportunities in Hydrologic Sciences. National Academy Press, Washington, D. C. 1991

102 Norman J M, Kustas W P, Humes K S. A two – source approach for estimating soil and vegetation energy fluxes from observations of directional radiometric surface temperature. Agric. For. Meteor. , 1995, 77

103 Olioso A, Chauki H, Courault D, et al. Estimation of evapotranspiration and photosynthesis by assimilation of remote sensing data into SVAT models. Remote Sens. Environ. , 1999, 68

104 Ott M, Z Su, A H Schumann, et al. Development of a distributed hydrological model for flood forecasting and impact assessment of land use change in the international Mosel River Basins, Proceedings of the Vienna Symposium. IAHS Publ. 1991, No. 201

105 Papadakis I, J Napiorkowski and G A Schultz. Monthly runoff generation by non – linear model using multispectral and multitemporal satellite imagery. Adv. Space Res. 1993, Vol. 13, No 5

106 Parlange M B, et al. An advection – aridity evaporation model. Water Resour. Res. , 1992, 28(1)

107 Penman H L. Natural evaporation from water, bare soil and grass. Proc. R. Soc. A. , 193, 1948

108 Pinker R T and I Laszlo. Modeling surface solar irradiance for satellite applications on a global scale, J. Appl. Meteor. , 31, 1992

109 Pinker R T, W P Kustas, I Laszlo, M S Moran and A R Huete. Basin – scale solar irradiance estimates in semiarid regions using GOES 7. Water Resources Research, Vol. 30, No. 5, 1994

110 Prere M, Popov G F. Agrometeorological Crop Monitoring and Forecasting, FAO Plant Production and Protection, Rome, 1979

111 Price J C. Estimation of regional scale evapotranspiration through analysis of satellite thermal-infrared data. IEEE Transactions on Geosciences and Remote Sensing GE – 20, 1982

112 Priestley C H B and R J Taylor. On the assessment of surface heat flux and evaporation using large – scale Parameters. Monthly Weather Review, 1972, 100(2)

113 Prince S D and S N Goward. Global primary production: a remote sensing approach, J. Biogeography, 1995, 22

114　Rango A, J Martinec, A T C Chang, et al. Average Areal Water Equivalent of Snow in a Mountain Basin Using Microwave and Visible Satellite Data, IEEE Transactions on Geoscience and Remote Sensing, 1989, Vol. 27, No. 6

115　Refsgard J C, E Hansen. A distributed groundwater/surface water model for the Susa – catchment, Part I – model description. Nordic Hydrology, 1982, 13

116　Rott H. Capabilities of microwave sensors for monitoring areal extent and physical properties of the snowpack. In: Proc. NATO Advanced Res. Workshop on Global Environmental Change and Land Surface Processed in Hydrology, Tucson, U. S. , 1993

117　Rott H, Aschbacher J, Lenhart K G. Study of River Runoff Prediction Based on Satellite Data. European Space Agency final Report, 1986, No. 5376

118　Schanda E. Physical Fundamentals of Remote Sensing. Springer – Verlag, Berlin, Heidelberg, New York, Tokio, 1986

119　Schultz G A, Engman E T. Remote Sensing in Hydrology and Water Management, Springer – Verlag Berlin Heidelberg, 2000

120　Schultz G A. Hydrological modeling based remote sensing information. Adv. Space Res. , 1993, Vol. 13, No. 5

121　Seguin B, Itier B. Using midday surface temperature to estimate daily evapotranspiration from satellite thermal IR data. Int. J. Remote Sens. , 1983, 4

122　Sellers P J, Mintz Y, Sud Y C, et al. A simple biosphere model (SiB) for use within general circulation models. J. Atmos. Sci. , 1986, 43

123　Sellers P J, Randall D R, Collatz G J, et al. A revised land – surface parameterization (SiB2) for atmospheric GCMs. Part 1: Model formulation. J. Clim. , 1996, 9

124　Sharma S K, Ajaneyulu D. Application of remote sensing and GIS in water resources management. Int. J. Remote Sens. , 1993, 14(17)

125　Shi J, J Dozier and H Rott. Snow Mapping in Alpine Regions with Synthetic Aperture Radar. IEEE Transactions on Geoscience and Remote Sensing, 1994, Vol. 32, No. 1

126　Shunlin Liang, Hongliang Fang, Mingzhen Chen. Atmospheric Correction of Landsat ETM$^+$ Land Surface Imagery — Part I: Methods. IEEE Transactions on Geosciecnce and Remote Sensing, 2001, Vol. 39 No. 11

127　Skidmore E L, J D Dickerson and H Shimmelpfennig. Evaluating surface – soil water content by measuring reflectance. Soil Sci. Soc. Am. Proc. 1975, 39

128　Srivastava S K, Jayaraman V, Nageswara Rao P P, et al. Interlinkages of NOAA/AVHRR derived integrated NDVI to seasonal precipitation and transpiration in dryland tropics . International Journal of Remote Sensing, 1997, 18

129　Steppuhn H. Snow and Agriculture. In: Gray, D. M. , Male, D. N. (eds.), Handbook of Snow: Principles, Processes, Management and Use. Toronto: Pergamon Press, 1981

130　Storm B, K H Jensen. Experiences with field testings of SHE on research catchments.

Nordic Hydrology,1984,15

131 Stout J E, Martin D W, Sikdar D N. Estimating GATE rainfall with geosynchronous satallite images. Mon Wea Rev, 1979, 107(5)

132 Strübing G,Schultz A. Estimation of monthly river runoff data on the basis of satellite imagery. Proc. Hamburg Symposium. IAHS Publ. NO. 1983,145

133 Su Z. The Surface Energy Balance System (SEBS) for estimation of turbulennt heat fluexes. Hydrol. Earth Syst. Sci. 2002,6(1)

134 Sugita M, Junko Usui,Ichiro Tamagawa, et al. Complementary relationship with a convective boundary. Water Resour. Res. , 2001,37(2)

135 Szilagyi J. On Bouchet's complementary hypothesis, Journal of Hydrology, 2001, 246

136 Tarpley J D. Estimating incident solar radiation at the surface from geostationary satellite data. Journal of Applied Meteorology,1979,18

137 Troufleau D, Lhomme J P, Monteny B, et al. Sensible heat flux and radiometric surface temperature over sparse Sahelian vegetation. I. An experimental analysis of the kB – 1 parameter. J. Hydrol. , 1997

138 Tucher C J, Townshend J R G, Goff T E. African land – cover classification using satellite data. Science, 1985, 227

139 Ulaby F T, Moore R K, Fung A K. Microwave Remote Sensing , Vol. 1: Fundamentals and Radiometry. Addison – Wesley, Reading, MA. 1981

140 Ulaby F T, Moore R K, Fung A K. Microwave Remote Sensing, Vol. 2: Radar Remote Sensing and Surface Scattering and Emission Theory. Addison – Wesley, Reading, MA, 1982

141 UNESCO, Status and Trends of Research in Hydrology: A Contribution to the International Hydrological Decade. UNESCO. 1972

142 Unsworth M H and J L Monteith. Long wave radiation at the ground. I. Angular distribution of incoming radiation, Quarterly J. Royal Meteor. Soc. ,1975,101

143 Valiente J A, Nunez M, Lopez – Baeza E,et al. Narrow – band to broad – band conversion for Meteosat – visible channel and broad – band albedo using both AVHRR – 1 and channels, Int. J. Remote Sens. 1995,16(6)

144 Wang J R,Choudhury B J. Passive microwave radiation from soil: Examples of emission models and observations. In: Passive Microwave Remote Sensing of Land – Atmosphere Interactions, ed. B. J. Choudhury, Y. H. Kerr, E. G. Njoku, P. Pampaloni, VSP Int. Science Publishers, Zeist,1995

145 William M Alley. The palmer drought severity index: Limitations and assumptions[J]. J. of climate and applied meteorology, 1984, 23(7)

146 Wood E F, D S Lin, P Troch, et al. Soil moisture estimation: Comparisons between hydrologic model estimates and remotely sensed estimates. Proceedings of the ESA/NASA Workshop on Passive Microwave Remote Sensing, Saint – Lary, France, 11 – 15 January,

1993

147 Wu M C and C Cheng. Surface downward flux computed by using geophysical parameters derived from HIRS 2/MSU soundings, Theoretical and Applied Climatology, 1989, 40

148 Yang L, Wylie B K, Tieszen L L, et al. An analysis of relationship among climate forcing and time – integrated NDVI of grassland over the U. S. northern and central Great Plains, Remote Sens. Environ. 1998, 65(1)

149 Young J T, J W Hagens and D M Wade. GOES Pathfinder product generation system, 9th Conference on Applied Climatology, 9th, Dallas, American Meteorological Society, Boston, MA, 1995

150 Zebker H A, S N Madsen, J Martin, et al. The TOPSAR Interferometric Radar Topogua-phic Mapping Instrument: IEEE Trans. On Geoscience and Remote Sensing, V. 1992, 30

151 Zhang RenHua, Su Hongbo, Li Zhaoliang, et al. The potential information in the temper-ature difference between shadow and sunlit of surfaces and a new way of retrieving the soil moisture. Science in China (Series D), 2001, 44(2)

152 柏延臣,冯学智. 积雪遥感动态研究的现状及展望. 遥感技术与应用,1997,12(2)

153 包为民. 格林 – 安普特下渗曲线的改进和应用. 人民黄河,1993(9)

154 毕华兴,中北理. 遥感和地理信息系统与水文学整合研究进展. 水土保持学报,2002, 16(2)

155 陈怀亮,毛留喜,冯定原. 遥感监测土壤水分的理论、方法及研究进展. 遥感技术与应用,1999,14(2)

156 陈怀亮,毛留喜,冯定元. 遥感监测土壤水分的理论、方法及进展. 遥感技术与应用, 1999,14(2)

157 陈维英,肖乾广,盛永伟. 距平植被指数在 1992 年特大干旱监测中的应用. 环境遥感,1994(5)

158 方竹君,肖稳安,汤达章. 利用红外卫星云图资料估计降水量方法的研究. 南京气象学院学报,1998,21(2)

159 冯国章. 区域蒸散发量的气候学计算方法. 水文,1994(3)

160 傅国斌,刘昌明. 遥感技术在水文学中的应用与研究进展. 水科学进展,2001,12(4)

161 郭建平,高素华,王广河,等. 中国云水资源和土壤水资源. 北京:气象出版社,2001

162 郭生练,等. 分布式流域水文物理模型的研究现状与进展. 见:刘昌明等. 黄河流域水资源演化规律与可再生性维持机理研究和进展. 郑州:黄河水利出版社,2001

163 何延波,杨琨. 遥感和地理信息系统在水文模型中的应用. 地质地球化学,1999,27(2)

164 胡凤彬,康瑛. 加拿大 CRAE 蒸散发模型开发应用. 河海大学学报,1994,22(3)

165 季劲钧,余莉. 地表面物理过程与生物地球化学过程耦合反馈机理的模拟研究. 大气科学,1999,23(4)

166 康玲玲,等. 黄河中游河龙区间降水分布及其变化特点分析. 人民黄河,1999(8)

167 可素娟,等. 黄河流域降水变化规律分析. 人民黄河,1997(7)

168 雷志栋,胡和平,杨诗秀.土壤水研究进展与评述.水科学进展,1999,10(3)

169 李保国,龚元右,左强.农田土壤水动态模型及应用.北京:科学出版社,2000

170 李纪人.遥感和地理信息系统在分布式流域水文模型研制中的应用.水文,1997(3)

171 李久生.北方地区干旱变化情况分析.干旱区农业研究,2001,19(3)

172 李兰,等.流域水文分布动态参数反问题模型.见:朱尔明.中国水利学会优秀论文集.北京:中国三峡出版社,2000

173 李万义.影响水面蒸发精度的因素.人民黄河,1999(4)

174 李小泉,顾秋瑾,牛若芸.用天气资料实时监测和评估北方的旱情变化.气象,1999,24(1)

175 李晓兵,王瑛,李克让.NDVI对降水季节性和年际变化的敏感性.地理学报,2000,55(增刊)

176 李亚春,王志华.我国干旱热红外遥感监测方法的研究进展.干旱区农业研究,1999,17(2)

177 李玉山.黄土高原森林植被对陆地水循环影响的研究.自然资源学报,2001,16(5)

178 刘昌明.中国21世纪水问题方略.北京:科学出版社,2001

179 刘昌明,孙睿.水循环的生态学方面:土壤-植被-大气系统水分能量平衡研究进展.水科学进展.1999,10(3)

180 刘昌明,于沪宁,等.土壤-作物-大气系统水分运动实验研究.北京:气象出版社,1997

181 刘国纬.水文循环的大气过程.北京:科学出版社,1997

182 刘锦丽,窦贤康,张凌,等.降水分布的空基遥感.遥感技术与应用,1999,14(4)

183 刘绍民,孙睿,孙中平,等.基于互补相关原理的区域蒸散量估算模型比较.地理学报,2004,59(3)

184 刘树华,黄子琛,刘立超,等.植被对近地面层水热交换影响的参数化模型.应用生态学报,1995,6(2)

185 刘树华,黄子琛,刘立超.土壤-植被-大气连续体中的蒸散过程的数值模拟.地理学报,1996,51(2)

186 刘玉洁,杨忠东,等.MODIS遥感信息处理原理与算法.北京:科学出版社,2001

187 卢中正,高会军,邱少鹏,等.植被覆盖度特征及环境影响遥感调查与研究.陕西环境,2001,8(4)

188 马耀明,王介民.卫星遥感结合地面观测估算非均匀地表区域能量通量.气象学报,1999,57(2)

189 莫兴国.土壤-植被-大气系统水分能量传输模拟和验证.气象学报,1998,56(3)

190 牛国跃,孙菽芬,洪钟祥.沙漠土壤和大气边界层中水热交换和传输的数值模拟研究.气象学报,1997,55(4)

191 朴世龙,方精云.最近18年来中国植被覆盖的动态变化.第四纪研究,2001,21(4)

192 钱云平,等.动水水面蒸发实验研究初探.人民黄河,1997(4)

193 饶素秋,等.1981年8~9月黄河上游强连阴雨期水汽输送分析.人民黄河,1995(7)

194 申广荣,田国良. 作物缺水指数监测旱情方法研究. 干旱地区农业研究,1998,16(1)

195 史学丽. 陆面过程模式研究简评. 应用气象学报,2001(12)

196 水利部黄河水利委员会. 黄河流域地图集. 北京:中国地图出版社,1989

197 隋洪智,田国良,等. 热惯量方法监测土壤水分. 见:田国良. 黄河流域典型地区遥感动态研究. 北京:科学出版社,1990

198 隋洪智,田国良,李付琴. 农田蒸散双层模型及其在干旱遥感监测中的应用. 遥感学报,1997,1(3)

199 孙红雨,王长耀,牛铮,等. 中国地表植被覆盖变化及其与气候因子关系. 遥感学报,1998,2(3)

200 孙睿,刘昌明,朱启疆. 黄河流域植被覆盖动态变化与降水的关系. 地理学报,2001,56(6)

201 孙治安,翁笃鸣. 我国有效辐射的气候计算及其分布特征(下) – 地面有效辐射的经验计算及其时空分布. 南京气象学院学报,1986(4)

202 田国良,郑柯,等. 用 NOAA AVHRR 数字图像和地面气象站资料估算作物蒸散和土壤水. 见:黄河流域典型地区遥感动态研究. 北京:科学出版社,1990

203 田庆久,闵祥军. 植被指数研究进展. 地球科学进展,1998,13(4)

204 王德芳,等. 黄河流域的水面蒸发观测及水面蒸发规律. 人民黄河,1996(2)

205 王国庆,王云璋,史忠海. 黄河流域水资源未来变化趋势分析. 地理科学,2001,21(5)

206 王建. 卫星遥感雪盖制图方法对比与分析. 遥感技术与应用,1999,14(4)

207 王密峡,马成军,蔡焕界. 农业干旱指标研究与进展. 干旱地区农业研究,1998,16(3)

208 王鹏新,龚健雅,李小文. 条件温度植被指数及其在干旱监测中的应用. 武汉大学学报,2001,26(5)

209 王云璋,等. 河龙区间近十年降水特点及其变化趋势分析. 人民黄河,1999(8)

210 吴洪宝. 我国东南部夏季干旱指数研究. 应用气象学报,2000,11(2)

211 吴险峰,刘昌明. 流域水文模型研究的若干进展. 地理科学进展,2002,21(4)

212 吴现中,等. 当代黄河流域的气温和降水特征与变化. 人民黄河,1990(5)

213 徐兴奎,隋洪智,田国良. 互补相关理论在卫星遥感领域的应用研究. 遥感学报,1999,3(1)

214 翟家瑞. 网格点计算面平均雨量的方法及其改进. 人民黄河,1990(2)

215 张加昆,德力格尔,刘海,等. 黄河上游地区云雨宏观特征分析. 青海环境,9(2)

216 张晶,丁一汇. 一个改进的陆面过程模式及其模拟试验研究,第一部分:陆面过程模式及其"独立(off – line)"模拟试验和模式性能分析. 气象学报,1998,56(1)

217 张强. 华北地区干旱指数的确定及其应用. 灾害学,1998,13(4)

218 张仁华. 实验遥感模型及地面基础. 北京:科学出版社,1996

219 张仁华,孙晓敏,等. 定量遥感反演作物蒸腾和土壤水分利用率的区域分异. 中国科学(D 辑),2001,31(11)

220 张志明. 利用气象资料计算陆面实际蒸发量. 气象学报,1988,46(4)

221 赵鸿雁,等. 山杨林的水文水保作用研究. 人民黄河,1994(4)

222 赵英时,等.遥感应用分析原理与方法.北京:科学出版社,2003

223 郑红星.GIS 支持下黄河流域水循环时空演化规律研究:[博士论文],中国科学院,
2001

224 朱晓原,张学成.黄河水资源变化研究.郑州:黄河水利出版社,1999

225 左大康,周允华,朱志辉,等.地球表层辐射研究.北京:科学出版社,1991